POÉTICOS PARA TODOS

POÉTICOS PARA TODOS

SALMOS 1—72 • PARTE 1

JOHN GOLDINGAY

Título original: *Psalms for everyone — Part 1*
Copyright © 2013 por John Goldingay
Edição original por Westminster John Knox Press, Louisville, Kentucky.
Todos os direitos reservados.
Copyright da tradução © Vida Melhor Editora S.A., 2022.

As citações bíblicas são traduções da versão do próprio autor, a menos que seja especificada outra versão da Bíblia Sagrada.

Os pontos de vista desta obra são de responsabilidade de seus autores e colaboradores diretos, não refletindo necessariamente a posição da Thomas Nelson Brasil, da HarperCollins Christian Publishing ou de sua equipe editorial.

Publisher	*Samuel Coto*
Editor	*André Lodos Tangerino*
Tradutor	*José Fernando Cristófalo*
Copidesque	*Josemar de Souza Pinto*
Revisão	*Carlos Augusto Pires Dias*
Diagramação	*Sonia Peticov*
Capa	*Rafael Brum*

DADOS INTERNACIONAIS DE CATALOGAÇÃO NA PUBLICAÇÃO (CIP)
(Benitez Catalogação Ass. Editorial, MS, Brasil)

G571p Goldingay, John
1.ed.   Poéticos para todos: Salmos 1-72: parte 1/ John Goldingay; tradução José Fernando Cristófalo. – 1.ed. – Rio de Janeiro: Thomas Nelson Brasil, 2022.

Título original: Psalms for everyone, part 1: Psalms 1-72.
ISBN 978-65-56893-72-3

1. Bíblia. A.T. Salmos – Comentários. I. Cristófalo, José Fernando. II. Título.

05-2022/137   CDD: 223.7

Índice para catálogo sistemático:
1. Bíblia: Antigo Testamento: Comentários   223.7

Aline Graziele Benitez — Bibliotecária — CRB-1/3129

Thomas Nelson Brasil é uma marca licenciada à Vida Melhor Editora LTDA.
Todos os direitos reservados à Vida Melhor Editora LTDA.
Rua da Quitanda, 86, sala 218 — Centro
Rio de Janeiro — RJ — CEP 20091-005
Tel.: (21) 3175-1030
www.thomasnelson.com.br

SUMÁRIO

Agradecimentos   9
Introdução   11

Salmo 1 • Você tem uma escolha   19
Salmo 2 • Deus ri-se em favor de seu povo   22
Salmo 3 • Você não está sozinho   26
Salmo 4 • A quem posso recorrer?   30
Salmo 5 • Sobre suplicar ao Rei   33
Salmo 6 • Como a oração faz diferença   37
Salmo 7 • O Juiz está do seu lado   41
Salmo 8 • Até aqui e não mais   45
Salmo 9:1-18 • Louvor e ações de graças como uma chave para a oração — I   48
Salmo 9:19—10:18 • Os miseráveis sobre a terra   52
Salmo 11 • Fugir ou ficar?   57
Salmo 12 • Deus fala, às vezes   60
Salmo 13 • Até quando? Até quando? Até quando? Até quando?   64
Salmo 14 • O que um trapaceiro diz a si mesmo   66
Salmo 15 • Como habitar com Deus   69
Salmo 16 • O segredo da vida   73
Salmo 17 • Vá em frente, olhe o meu coração   77
Salmo 18:1-24 • Provavelmente, todos já fomos, algumas vezes, resgatados da morte   81
Salmo 18:25-50 • Autoconhecimento ou autoengano   85
Salmo 19 • O mistério do pecado   89
Salmo 20 • Como ser codependente   92

Salmo 21 • Ser abençoado e ser uma bênção — 95

Salmo 22:1-18 • Meu Deus, meu Deus, por quê? — 98

Salmo 22:19-31 • Sobre enfrentar dois conjuntos de fatos — 102

Salmo 23 • Na escuridão do vale — 105

Salmo 24 • Deus o deixará entrar? Você deixará Deus entrar? — 108

Salmo 25 • Mal posso esperar — 111

Salmo 26 • Lavo as mãos na inocência — 115

Salmo 27 • Uma coisa — 118

Salmo 28 • A nossa obra e a de Deus — 122

Salmo 29 • Quem é realmente Deus (e você o trata como tal)? — 125

Salmo 30 • Resposta à oração fase dois — 129

Salmo 31 • Eles estão tentando nos arrastar — 132

Salmo 32 • O amor cobre uma multidão de pecados — 137

Salmo 33 • O compromisso de Deus enche a terra — 141

Salmo 34 • Eu sobreviverei — 145

Salmo 35 • Eles me odiaram sem motivo; e o tratarão da mesma forma — 150

Salmo 36 • Sobre viver em dois mundos diferentes — 155

Salmo 37:1-20 • Os humildes herdarão a terra — 158

Salmo 37:21-40 • Você fechou os olhos então? — 162

Salmo 38 • Quando o sofrimento está ligado ao pecado — 165

Salmo 39 • Eu irei morrer — 170

Salmo 40 • Louvor e ações de graças como chave para a oração — II — 174

Salmo 41:1-12 • Como aprender com os pobres — 178

Salmo 41:13 • Um ato de louvor intermediário de encerramento — 182

Salmo 42 • Onde está o seu Deus? — 182

Salmo 43 • Quando a vida continua em trevas — 186

Salmo 44 • Desperta, Deus! 189
Salmo 45 • O desafio do casamento 193
Salmo 46 • Aquietem-se e saibam que eu sou Deus 197
Salmo 47 • A confissão ultrajante 200
Salmo 48 • Esta é a cidade? 204
Salmo 49 • A morte o alcança quando você menos espera 208
Salmo 50 • Mantenha o simples 211
Salmo 51 • Ensina-me o arrependimento 216
Salmo 52 • Como permanecer de pé — I 221
Salmo 53 • Não há Deus aqui 224
Salmo 54 • Como permanecer de pé — II 226
Salmo 55 • Lançando coisas em Deus 229
Salmo 56 • Assobio uma melodia feliz 234
Salmo 57 • Lembrar faz toda a diferença 238
Salmo 58 • Desafio aos principados e potestades 241
Salmo 59 • Como ser imoderado 244
Salmo 60 • Como lidar com promessas não cumpridas 247
Salmo 61 • Como orar com o seu líder 251
Salmo 62 • Silêncio em relação a Deus 253
Salmo 63 • Deus está presente em Jerusalém e também no deserto 257
Salmo 64 • Quando batem à sua porta 260
Salmo 65 • O Deus da expiação e o Deus da colheita 262
Salmo 66 • Ao sentir-se vulnerável e ameaçado 266
Salmo 67 • Abençoa-nos e capacita outras pessoas a verem por si mesmas 270
Salmo 68:1-18 • Pai do órfão, protetor da viúva 272
Salmo 68:19-35 • Nem militarista nem pacifista 276
Salmo 69:1-18 • Paixão significa perseguição 280
Salmo 69:19-36 • Confiar em Deus com a sua ira 284

Salmo 70 • Sobre dizer a Deus o que fazer ... 287
Salmo 71 • Do nascimento e juventude até a meia-idade e a velhice ... 290
Salmo 72:1-17 • Como orar pelos governantes ... 294
Salmo 72:18-20 • Outro ato de louvor intermediário de encerramento ... 298

Glossário ... 301
Sobre o autor ... 313

⌐ AGRADECIMENTOS ⌐

A tradução no início de cada capítulo (e em outras citações bíblicas) é de minha autoria. Tentei traduzir os Salmos em um comentário anterior (*Psalms* [Salmos], em três volumes, publicado pela Baker Academic, em 2006-2008); embora tenha iniciado do zero para este livro, algumas vezes adaptei sentenças extraídas desse trabalho anterior. Estabeleci como alvo me manter o mais próximo do texto hebraico original do que, em geral, as traduções modernas, destinadas à leitura na igreja, para que você possa ver, com mais precisão, o que o texto diz. Da mesma forma, embora prefira utilizar a linguagem inclusiva de gênero, deixei a tradução com o uso universal do gênero masculino caso esse uso inclusivo implicasse dúvidas quanto ao texto estar no singular ou no plural — em outras palavras, a tradução, com frequência, usa "ele" onde em meu próprio texto eu diria "eles" ou "ele ou ela". Às vezes, acrescentei palavras para tornar o significado mais claro, colocando-as entre colchetes. Ao final do livro, há um glossário contendo alguns termos recorrentes no texto, tais como expressões geográficas, históricas e teológicas. Em cada capítulo (exceto na introdução ou nas seleções da Escritura), a ocorrência inicial desses termos é destacada em **negrito**.

As histórias presentes na tradução, em geral, envolvem meus amigos, assim como minha família. Todas elas ocorreram, de fato, mas foram fortemente dissimuladas para preservar as pessoas envolvidas. Em algumas, o disfarce utilizado foi tão eficiente que, ao relê-las, levo um tempo para identificar as pessoas descritas. Nas histórias, Ann, minha primeira esposa, aparece com frequência. Dois anos antes de eu começar a escrever este volume, ela faleceu, após negociar com a esclerose múltipla durante 43 anos. Compartilhar os cuidados, o desenvolvimento de sua enfermidade e a crescente limitação, ao longo desses anos, influencia tudo o que escrevo, de maneiras facilmente perceptíveis ao leitor, mas também de formas menos óbvias.

Pouco antes de começar a escrever este volume, apaixonei-me e casei-me com Kathleen Scott e sou muito grato por minha nova vida ao lado dela e por seus lúcidos comentários sobre o manuscrito, tão criteriosos e elucidativos que, na realidade, ela deve ser creditada como coautora. Minha gratidão, igualmente, a Matt Sousa por ter lido o manuscrito e me indicado o que precisava ser corrigido ou esclarecido no texto, e a Tom Bennett por ter conferido a prova de impressão.

INTRODUÇÃO

No tocante a Jesus e aos autores do Novo Testamento, as Escrituras hebraicas, que os cristãos denominam de Antigo Testamento, *eram* as Escrituras. Ao incluir essa observação, lanço mão de alguns atalhos, já que o Novo Testamento jamais apresenta uma lista dessas Escrituras, mas o conjunto de textos aceito pelo povo judeu é o mais próximo que podemos avançar na identificação da coletânea de livros que Jesus e os escritores neotestamentários tiveram à disposição. A igreja também veio a aceitar alguns livros adicionais, como Macabeus e Eclesiástico, tradicionalmente denominados "apócrifos", os livros que estavam "ocultos" — o que veio a implicar "espúrios". Agora, com frequência, são conhecidos como "livros deuterocanônicos", um termo mais complexo, porém menos pejorativo; isso simplesmente indica que esses livros detêm menos autoridade que a Torá, os Profetas e os Escritos. A lista exata deles varia entre as diferentes igrejas. Para os propósitos desta série que busca expor o "Antigo Testamento para todos", consideramos como "Escrituras" os livros aceitos pela comunidade judaica, embora na Bíblia judaica eles sejam apresentados em uma ordem distinta, classificados como a Torá, os Profetas e os Escritos.

Elas não são "antigas" no sentido de antiquadas ou ultrapassadas; às vezes, gosto de me referir a elas como o "Primeiro Testamento" em vez de "Antigo Testamento", para não deixar dúvidas. Quanto a Jesus e aos autores do Novo Testamento, as antigas Escrituras foram um recurso vívido na compreensão de Deus e dos caminhos divinos no mundo e conosco. Elas foram úteis "para o ensino, para a repreensão, para a correção e para a instrução na justiça, para que o homem de Deus seja apto e plenamente preparado para toda boa obra" (2Timóteo 3:16-17). De fato, foram para todos, de modo que é estranho que os cristãos pouco se dediquem à sua leitura. Assim, o objetivo, com esses volumes, é auxiliar você a fazer isso.

Meu receio é que você leia a minha obra, não as Escrituras. Não faça isso. Aprecio o fato de esta série incluir grande parte do texto bíblico, mas não ignore a leitura da Palavra de Deus. No fim, essa é a parte que realmente importa.

UM ESBOÇO DO ANTIGO TESTAMENTO

Embora o Antigo Testamento cristão contenha os mesmos livros da Bíblia judaica, eles são apresentados em uma ordem diferente:

- Gênesis a Reis: Uma história que abrange desde a criação do mundo até o exílio dos judaítas na Babilônia.
- Crônicas a Ester: Uma segunda versão dessa história, prosseguindo até os anos posteriores ao exílio.
- Jó, Salmos, Provérbios, Eclesiastes, Cântico dos Cânticos: Alguns livros poéticos.
- Isaías a Malaquias: O ensino de alguns profetas.

A seguir, há um esboço da história subjacente a esses livros (não forneço datas para os eventos em Gênesis, o que envolve muito esforço de adivinhação).

1200 a.C.   Moisés, o êxodo, Josué
1100 a.C.   Os "juízes"
1000 a.C.   Saul, Davi

900 a.C. Salomão; a divisão da nação em dois reinos: Efraim e Judá
800 a.C. Elias, Eliseu
700 a.C. Amós, Oseias, Isaías, Miqueias; Assíria, a superpotência; a queda de Efraim
600 a.C. Jeremias, rei Josias; Babilônia, a superpotência
500 a.C. Ezequiel; a queda de Judá; Pérsia, a superpotência; judaítas livres para retornar para casa
400 a.C. Esdras, Neemias
300 a.C. Grécia, a superpotência
200 a.C. Síria e Egito, os poderes regionais puxando Judá de uma forma ou de outra
100 a.C. Judá rebela-se contra o poder da Síria e obtém a independência
0 a.C. Roma, a superpotência

SALMOS 1–72

O livro de Salmos inclui cerca de 135 exemplos de coisas que podem ser ditas a Deus. Eles oferecem variados modelos no tocante às quatro formas de falar a Deus que, igualmente, correspondem às maneiras por meio das quais os seres humanos falam entre si.

Primeiro, dizemos a Deus (e uns aos outros): "Tu és grande." O salmo 8 é um exemplo conveniente. Ele inicia-se com "*Yahweh*, nosso Deus, quão poderoso é o teu nome em toda a terra". Embora o termo técnico para o livro de Salmos seja *Saltério*, o título hebraico do livro é *Tehillim*, que significa *Louvores* (há relação com a palavra "aleluia"). Nos salmos de louvor, reconhecemos o poder e a fidelidade de Deus — não da maneira pela qual essas verdades se aplicam a nós, mas como fatos sobre Deus, que permanecem verdades independentemente dos nossos sentimentos ou das nossas experiências. Eles também estão relacionados com as grandes obras que Deus fez na criação, na libertação de Israel da servidão no Egito e na condução do povo israelita a uma terra de sua propriedade. Os cristãos se unem a esse louvor pelo que ele realizou por meio de Jesus Cristo. Pode-se imaginar que esses cânticos de louvor dos israelitas fizessem parte do culto regular do templo e como acompanhamento dos sacrifícios ali realizados.

Segundo, dizemos a Deus (e uns aos outros): "Socorro!" Portanto, o salmo 3 assim se inicia: "*Yahweh*, quantas pessoas me incomodam, quantas se levantam contra mim! Muitas pessoas estão dizendo de mim: 'Não há libertação de Deus para ele!'" Histórias em outras passagens do Antigo Testamento sugerem que, às vezes, orações semelhantes a essas devem ser oradas pelo rei e pela comunidade como um todo, ao enfrentarem uma crise nacional. Certas ocasiões, essas orações deveriam ser proferidas por indivíduos comuns do povo em necessidade, idealmente com um grupo de familiares ou de amigos. Portanto, os que oram esses salmos não incluiriam apenas aqueles carentes de auxílio, mas também as pessoas que se identificam com os necessitados. São salmos de intercessão (oração por outros), do mesmo modo que são salmos de súplica (oração por si mesmo).

Às vezes, podemos nos sentir menos desesperados, quer a situação seja desesperadora quer não. Assim, uma terceira forma de falar com Deus (e uns aos outros) é expressar: "Em ti confio." O salmo 23 constitui um exemplo; esse salmo pertence à espécie de contexto de vida no qual a pessoa está caminhando por um vale profundo, caracterizado por uma sombra mortal, e quando ela está cercada por inimigos. Todavia, o salmo expressa a confiança de que Deus irá proteger e libertar.

Por fim, podemos ter a experiência de Deus (ou de outra pessoa) agindo para lidar com a nossa situação. Então, naturalmente, dizemos a Deus e uns aos outros: "Obrigado." O salmo 30 é um modelo. Ele começa assim: "Eu te exaltarei, *Yahweh*, pois tu me derrubaste, mas não deixaste os meus inimigos se regozijarem contra mim. *Yahweh*, meu Deus, clamei a ti por socorro, e me curaste." As ações de graças são um subconjunto do louvor, mas há uma diferença importante entre eles. Os salmos de louvor honram a Deus pelo que Deus é e sempre foi e pelas grandiosas obras que fez para redimir o seu povo. Os salmos de ações de graças relacionam-se ao que Deus nos tem feito no presente, seja como indivíduos, seja como povo. De modo característico, eles operam ao relatar o que Deus fez agora. Uma vez mais, é possível imaginar a comunidade, ou a pessoa com seus amigos ou suas amigas, reunida no templo para oferecer sacrifícios de ação de graças em reconhecimento do que Deus fez em seu favor, acompanhando os sacrifícios com o testemunho expresso em um salmo de gratidão.

Essas quatro categorias distintas de salmos abrangem palavras ditas a Deus, não por Deus. Há cerca de quinze salmos que apresentam o próprio Deus falando ou por meio de um sacerdote ou de um profeta — esses salmos falam *a* nós. Na verdade, o Saltério começa dessa forma. O salmo 1 declara uma bênção sobre a pessoa que medita no ensino de *Yahweh*. O salmo 2 apresenta uma promessa ao rei israelita de que Deus o usará como o agente divino no governo das nações — portanto, aquele que será sábio o bastante para se submeter a ele.

Não sabemos quem escreveu o livro de Salmos. Inúmeros salmos apresentam notas introdutórias, descrevendo-os como "de Davi", mas essas introduções podem descrever os mesmos salmos como "do líder" (o que parece denotar o líder da adoração). Isso sugere que não são relativos à autoria. Embora o Antigo Testamento afirme que Davi tocava um instrumento equivalente à harpa, ele dá muito mais proeminência ao seu papel de patrono e promotor da adoração no templo. Desse modo, a designação particular de salmos como sendo "de Davi" pode significar que esses salmos pertençam a uma coletânea de salmos comissionados por Davi. Eles poderiam, então, também ser "do líder", no sentido de pertencerem a uma coletânea mantida pelo líder da adoração. O livro de Salmos, provavelmente, surgiu quando diversas coleções de salmos foram reunidas, um processo não muito distinto daquele que deu origem aos nossos hinários cristãos. A natureza do processo explica o motivo de o salmo 72, o último salmo a ser considerado neste volume, se encerrar com a declaração de que as orações de Davi, filho de Jessé, chegaram ao fim. Todavia, no Saltério, como o temos hoje, há mais orações atribuídas a Davi depois disso.

O melhor é assumir que praticamente nada sabemos quanto à autoria e à datação do livro de Salmos. Paradoxalmente, isso é benéfico em vez de prejudicial ao uso e à nossa apreciação deles. Embora eles apareçam em contextos concretos e, com frequência, reflitam experiências sólidas de sofrimento e de libertação de Deus, os salmos não nos revelam a natureza precisa dessas experiências, pois são designados para que os usemos em conexão com o que nos acontece. De modo similar, normalmente não conhecemos quando os hinos e as orações foram escritos, mas isso não nos impede de usá-los como meios de adoração e de expressão de nosso relacionamento com Deus. Assim também ocorre com o livro de Salmos.

O fim do salmo 72 possui outra característica, pois inclui um grito de bênção a Deus, seguido por "Amém e amém", o que parece não ter muito a ver com o próprio salmo. Há notas semelhantes ao fim dos salmos 41, 89 e 106. Essas notas marcam as divisões do Saltério em cinco partes. Caso consideremos Davi como o patrono dos Salmos, existem, portanto, cinco livros de Davi em paralelo aos cinco livros de Moisés com os quais o Antigo Testamento inicia (nesse sentido geral — não significa que o Livro Um seja paralelo a Gênesis, e assim por diante). Os cinco livros mosaicos ensinam as pessoas sobre como viver; os cinco livros de Davi as ensinam sobre como orar e louvar. Os capítulos 5 e 6 de Efésios, no Novo Testamento, instruem os cristãos a se deixarem encher pelo Espírito Santo e a falarem uns com os outros por meio de salmos, hinos e cânticos espirituais; a entoar e fazer música do coração; a dar graças a Deus; a orar no Espírito em todas as ocasiões com toda a oração e súplica; e a orar por outras pessoas. Como fazemos isso? O Saltério está presente na Escritura para nossa instrução.

Alguém que leu a versão preliminar desse livro comentou que eu fiz mais referências a Jesus do que nos volumes anteriores e questionou-me o motivo de tê-lo feito. Na verdade, não tinha consciência desse fato, mas um dos motivos pode ser o fato de Jesus ter feito frequentes menções ao livro de Salmos. Outro motivo pode ser porque alguns aspectos do Saltério incomodam os cristãos, pois estes enxergam conflitos entre os salmos e Jesus e o Novo Testamento. Gosto de indicar que essas partes são, às vezes, aquelas explicitamente afirmadas pelo Novo Testamento. Se temos algum problema com relação aos Salmos, saiba que Jesus não teve.

SALMOS

SALMO 1
VOCÊ TEM UMA ESCOLHA

1. Abençoadas as pessoas
   que não andam pela estratégia dos infiéis,
ou permanecem no caminho dos ofensores,
   ou vivem na companhia dos desdenhadores!
2. Antes, o seu deleite está no ensino de *Yahweh*,
   e falam sobre esse ensino de dia e de noite.
3. São como uma árvore plantada junto a canais de água,
   que dá o seu fruto na sua estação,
e sua folhagem não murcha;
   tudo o que elas fazem prospera.

4. Os infiéis não são assim;
   antes, são como a palha que o vento sopra.
5. Portanto, os infiéis não prevalecem no julgamento,
   nem os ofensores na assembleia dos fiéis.
6. Pois *Yahweh* reconhece o caminho dos fiéis,
   mas o caminho dos infiéis perece.

Hoje, nos Estados Unidos, celebra-se o Dia da Independência, e no domingo a nossa pregadora convidada, mais de uma vez referiu-se à liberdade que temos de fazer escolhas como um bom motivo de júbilo. Imagino que, além da liberdade de não ter o próprio destino forjado por indivíduos do outro lado do Atlântico, ela estava se referindo à nossa liberdade de escolher onde viver, a escola à qual enviamos nossos filhos, o momento da aposentadoria, o plano de saúde ou mesmo que tratamento ter ao procurarmos os nossos provedores de assistência médica. Claro que o outro lado dessa moeda chamada liberdade é o ônus da responsabilidade. Quanto mais escolhas temos, mais as chances de optarmos por uma escolha má. As pessoas são mais propensas a comprar geleia quando há apenas três marcas diferentes na prateleira do supermercado do que se houvesse trinta. Fazer escolhas pode ser uma tarefa confusa.

Salmo 1 acredita na importância da escolha, crê que a escolha-chave a ser feita por nós é de extrema relevância, mas também acredita que é simples. Há dois caminhos que se colocam à nossa frente, como indivíduos; Jesus abordou essa ideia em Mateus 7, ao nos falar sobre o caminho amplo e o estreito. Somos como viajantes que encontram uma bifurcação na estrada e temos de decidir em qual delas vamos seguir em nossa jornada. Um desses caminhos envolve "andar" na **torá** de *Yahweh*; a imagem sugere andar por uma estrada muito bem sinalizada, similar a possuir um GPS ou outro sistema de navegação.

Caminhar nessa vereda é, ao mesmo tempo, fácil e difícil. A espécie de instrução que a Torá dá: "Curve-se somente a *Yahweh*; não faça imagens; guarde o sábado; não cometa adultério; diga a verdade no tribunal; não cobice a propriedade alheia." Não é nenhum bicho de sete cabeças; Deus não espera nada muito complicado de nós. Mas as expectativas da Torá, igualmente, constituem uma vereda estreita, pois elas vão contra os instintos humanos. Gostamos de garantias quanto ao nosso objeto de culto; apreciamos adorar pelas formas mais úteis ou convenientes; tratamos todos os dias da semana como se pertencessem a nós; e se outro homem ou outra mulher nos atrair — o que pode estar errado com amar e ser amado? O salmo denomina esse caminho como dos **infiéis**, dos ofensores, das pessoas que não dão atenção ao que diz a Torá.

Caso queira evitar esse caminho e permanecer na companhia dos **fiéis**, é necessário observar onde pisa, onde se assenta e quem são os seus amigos. Além disso, é preciso fazer do ensino da Torá o seu deleite e o seu falar. A palavra hebraica para "falar" sugere meditação, mas não um meditar que ocorre apenas em nossa mente — antes, o ensino de Deus deve estar em nossos lábios. E, caso necessite de encorajamento para deleitar-se no ensino de *Yahweh*, então um deles é a promessa de que a rota bem sinalizada e que parece tão estreita (você já não se aborreceu quando o seu sistema de navegação lhe disse para seguir um caminho que você não queria?) é o caminho que conduz à bênção. Jesus, uma vez mais, aborda a perspectiva do salmo ao comentar sobre a bênção que vem às pessoas que ouvem a palavra de Deus e obedecem a ela (Lucas 11:28). Em contraste, a rota que parece ampla, com muita liberdade de trânsito e de boa companhia, na verdade é o caminho que não leva a nenhum lugar ao qual você queira realmente ir.

Como o **paralelismo** sugere, o "julgamento", citado pelo salmo, não é um juízo final a ocorrer no fim dos tempos. O Antigo Testamento foca mais na forma pela qual o propósito de Deus é trabalhado em nossa vida cotidiana. Qualquer comunidade local possui uma "assembleia dos fiéis", uma reunião de seus anciãos, com o objetivo de solucionar questões conflitantes no seio da comunidade, com a realização de um julgamento ou uma tomada de **decisão** sobre os conflitos que surgem. O salmo contém uma comovente fé nos processos civis na comunidade e convida as pessoas que oram os Salmos a confiar neles. Deus cuidará para que a vida civil opere de maneira justa. Desse modo, Deus, então, reconhece os fiéis.

O fato de o Saltério iniciar com esse salmo nos faz lembrar que a vida de adoração e de oração, que está no foco do livro, não pode ser separada de um viver à luz da Torá; não se pode esperar adorar ou orar se você não está vivendo de acordo com aquele ensino. Muitos salmos, que constituem uma súplica por socorro, incluem a declaração de seguirmos uma vida de fidelidade. Eles, portanto, declaram que a confusão em que nos encontramos não é resultante da nossa própria infidelidade, mas que não podemos orar dessa forma, exceto se vivermos à luz do salmo 1. Caso esteja vivendo de acordo com o ensino da Torá, então a confusão em sua vida implica que Deus não tem cumprido as promessas desse salmo inicial. Em tais circunstâncias, o Saltério o convida a viver com a tensão entre o salmo 1 e a confusão em que você está. Você não deve fechar os olhos à confusão, mas também não deve parar de crer no salmo 1. Na verdade, isso instrui a sua oração, pois, quando estiver em meio a uma confusão, você estará na posição certa para perguntar a Deus: "Perdoe-me, mas e quanto ao que tu disseste no salmo 1?"

SALMO 2
DEUS RI-SE EM FAVOR DE SEU POVO

1 Por que as nações se aglomeram,
    por que os povos falam sobre algo que é fútil,
2 por que os reis da terra tomam posição,
    por que os líderes fazem planos juntos,
  contra *Yahweh* e contra o seu ungido? —
3 "Nós quebraremos as suas contenções,
    lançaremos de nós as suas cordas."

4 Aquele que se assenta nas nuvens está se divertindo;
    o Senhor ri-se deles.
5 Então, ele lhes fala em sua ira,
    os aterroriza com a sua fúria.
6 "Mas eu mesmo instalei o meu rei
    em Sião, no meu monte santo!"
7 [O rei diz:] "Falarei do decreto de Deus:
    ele me disse: 'Tu és meu filho;
  hoje eu te gerei.

SALMO 2 • DEUS RI-SE EM FAVOR DE SEU POVO

⁸ Pede-me, e tornarei tuas as nações,
  e os confins da terra, a tua propriedade.
⁹ Tu os esmagarás com uma vara de ferro,
  os quebrará como um objeto feito por um oleiro."'

¹⁰ Então, agora, sejam sensíveis, ó reis,
   aceitem a disciplina, líderes da terra.
¹¹ Sirvam a *Yahweh* com temor,
   regozijem-se com tremor, rendam-se sinceramente,
¹² para que ele não se ire e vocês pereçam
   quanto ao caminho,
 pois sua ira logo se inflamará.
   Abençoados todos os que confiam nele!

Ontem à noite, acompanhamos os fogos de artifício em comemoração ao Dia da Independência e lembrei-me de como, às vezes, as pessoas me perguntam: "Vocês celebram o Dia da Independência na Grã-Bretanha?" Então, respondo: "Sim, claro: os pais ficam felizes quando os seus filhos crescem e assumem o controle de suas próprias vidas, tornando os pais livres da responsabilidade por eles." Vivendo na Grã-Bretanha, raramente eu me lembrava do fato de que os Estados Unidos haviam sido uma colônia britânica. Apenas quando passei a viver em solo norte-americano é que comecei a apreciar a importância da bem-sucedida rebelião empreendida pelas desorganizadas milícias coloniais contra as autoridades britânicas. Para os cidadãos dessa superpotência do século XXI, também deve ser difícil imaginar a natureza dessa conquista.

No Antigo Testamento, Israel possuía algo mais similar ao poder dos Estados Unidos no século XVIII do que no século XXI, pois, praticamente, durante toda a sua história, a nação desempenhou um papel de subserviência. Diz-se que um chefe do departamento de antiterrorismo do FBI denominou a força-tarefa que buscava as pessoas por trás do primeiro ataque ao *World Trade Center* de "um pequeno e desorganizado exército de chantagistas, bandidos e assassinos"; seria possível definir o exército de Davi com os mesmos termos. Todavia, Deus disse a Davi e aos seus sucessores que eles iriam controlar as nações. **Yahweh** se tornou o pai de Davi; ele o adotou como seu filho. Davi irá se tornar o meio pelo qual a soberania de Deus operará no mundo. Seria possível esperar que Deus comandasse as forças de uma superpotência, mas agir por meio de um exército desorganizado e amador está de acordo com o modo regular de Deus atuar, virando as nossas expectativas de cabeça para baixo.

Houve um breve período na vida de Davi durante o qual o rei de Israel esteve à frente de um pequeno império, mas, em geral, nações como **Egito**, **Assíria**, **Babilônia**, **Pérsia** e **Grécia** poderiam, na realidade, rir-se da ideia de que *Yahweh* iria controlar os seus destinos por meio do rei que ele ungiu. O mais comum era essas nações invadirem, sitiarem, derrotarem, matarem, transportarem pessoas, cobrarem impostos e, constantemente, tornar a vida insuportável para Israel. É fácil retratar os israelitas orando, século após século, os salmos que tratam de invasão e derrota que se seguirão. Portanto, podemos ver a ligação entre os salmos 1 e 2, na abertura do Saltério. O que o salmo 1 faz pelo indivíduo, o salmo 2 faz pela nação. Ele convida Israel a reconhecer a severidade de sua existência ao longo dos séculos, mas também a não presumir que essa realidade determinará a última palavra. Do mesmo modo que a vida do indivíduo está debaixo da promessa expressa no salmo 1, a vida de Israel está sob a promessa presente no salmo 2. Às igrejas que viviam sob a soberania autocrática de outra superpotência, o Jesus ressurreto promete que elas exercerão a espécie de governo rigoroso sobre o qual Deus, aqui, discorre (p. ex., veja Apocalipse 2:26-27). Claro que nem a promessa do salmo ou a de Jesus destina-se a pessoas que pertençam a uma superpotência. No salmo 2, os leitores ocidentais constituem as nações, não Israel. No entanto, ler o salmo como se fôssemos o pequeno Israel pode nos ajudar a refletir sobre a posição das pequenas nações que estão sob o nosso domínio.

Quando um superpoder como a Assíria controlava o destino de pequenos povos como **Efraim**, **Judá**, Síria, **Filístia**, Moabe e Edom, de tempos em tempos essas pequenas nações se uniam para tentar remover o jugo assírio e obter a sua independência (o que, normalmente, terminava em tragédia). A abertura do salmo imagina o sapato calçado em outro pé, com as nações que formam a superpotência se reunindo em um conclave para derrubar a soberania que *Yahweh* objetiva exercer por meio do reino davídico. Israel, com frequência, ouviu o riso de escárnio de uma superpotência, desdenhando a confiança dos israelitas em *Yahweh* (o relato em 2Reis 18—19 representa um grande exemplo). O salmo 2 nos faz lembrar de outro riso que ressoa ao redor de uma corte superior. Essa risada, igualmente, tem uma vantagem. Caso as nações persistam em se rebelar contra a soberania de *Yahweh*, elas serão colocadas no centro do alvo da ira divina. Como Jesus expressou, de forma mais assustadora, em Mateus 25, as nações que estiverem à esquerda do Rei estão amaldiçoadas e serão enviadas para o fogo eterno. No entanto, idealmente, todas as nações terão um lugar à direita do Rei. Nos termos do salmo, elas experimentarão as bênçãos de pessoas que confiam nele (portanto, o salmo 2 termina com uma promessa similar àquela que abre o salmo 1). Embora elas tenham de se submeter e tremer diante de *Yahweh* em rendição genuína à autoridade divina, as nações, paradoxalmente, podem fazê-lo com júbilo, a exemplo de Israel.

Do mesmo modo que os indivíduos, as nações têm uma escolha e, igualmente, podem ser abençoadas ao se submeterem a andar no caminho de *Yahweh*.

SALMO 3
VOCÊ NÃO ESTÁ SOZINHO

Uma composição. Para Davi, quando ele fugiu de Absalão, o seu filho.

1. *Yahweh*, quantas são as pessoas que me incomodam,
   quantas as que se levantam contra mim.
2. Muitos estão dizendo de mim:
   "Não há libertação de Deus para ele!" (*Pausa*)

3. Mas, *Yahweh*, tu és um escudo sobre mim,
   minha honra, aquele que eleva a minha cabeça.
4. Com a minha voz clamei a *Yahweh*,
   e ele me responde de seu santo monte. (*Pausa*)

5. Eu me deito e durmo;
   e acordo, porque *Yahweh* me sustém.
6. Não tenho medo de uma companhia de miríades
   que toma posição contra mim de toda parte.

7. Levanta-te, *Yahweh*,
   livra-me, meu Deus,
   pois atingiste todos os meus amigos no queixo,
   tens arrebentado os dentes dos infiéis.

8. A libertação pertence a *Yahweh*,
   a tua bênção está sobre o teu povo. (*Pausa*)

Ao assistir a um filme de ação e suspense como a trilogia *A identidade Bourne*, pergunto-me como seria ter todos contra mim e não ser capaz de confiar em ninguém. Então, no fim do filme, lembro-me de que é apenas uma história. No entanto, na noite passada, assistimos a um filme chamado *Jogo de poder*, sobre uma agente da CIA e seu marido, um ex-embaixador, que, acidentalmente, envolve-se na exposição das inverdades nos relatórios da inteligência sobre a existência de armas de destruição em massa no Iraque, o que legitimou a invasão desse país pelos Estados Unidos. Uma vez mais, vemos o mesmo cenário; todos contra a agente: membros da Casa Branca, seus antigos colegas da CIA, os repórteres acampados à sua porta, as pessoas que lhe enviam ameaças de morte, os amigos que achavam que a conheciam e aos quais ela não consegue explicar os fatos, além do marido, do qual ela se separa por um tempo. Ao contrário do primeiro, uma ficção, dessa vez o filme era "baseado em fatos reais". Reconhecidamente, uma história inspirada em fatos verídicos não é uma história pura (*Jogo de poder* foi feito pelo mesmo diretor de *A identidade Bourne!*), de maneira que não se pode levar a sério todos detalhes da história. Contudo, a paranoia não exclui a possibilidade de que, na vida real, todos podem estar contra você.

O salmo 3 é designado para essa experiência. Pode-se considerar intrigante que Davi tenha feito essa oração quando Absalão realizou o seu golpe de Estado (2Samuel 15), mas há sobreposições a esse episódio que mostram como é possível aprender algo ao colocarmos o salmo e a história no mesmo quadro, mesmo que eles, originariamente, não estejam conectados (veja a **história de Davi**). Outros reis davídicos passaram pela experiência descrita pelo salmo. Em nosso comentário sobre o salmo 2, observamos o relato sobre a invasão de **Judá** pela **Assíria** (2Reis 18—19). Naquela ocasião, os assírios dirigiram a Davi exatamente a provocação que aparece no salmo 3: "Não se iluda pensando que *Yahweh* irá **libertar** você." O rei assírio possuía um imenso exército e tinha toda a inteligência ao seu lado. Isso lhe angariou inúmeras vitórias, levando-o a conquistar muitas cidades judaítas. Além disso, se entre os "muitos" que afirmavam não haver meios de escapar da derrota e da morte incluíam-se os seus próprios súditos, não seria possível culpá-los por pensarem assim.

Como é possível seguir em frente nessas circunstâncias? Primeiro, encare os fatos; mais ainda, questione Deus com os fatos. Há toda sorte de motivos para não se enfrentar a realidade; a convicção da Grã-Bretanha e dos Estados Unidos de que seria necessário derrubar Saddam Hussein levou ao ocultamento de alguns fatos. Os fatos podem ser considerados inconvenientes ou assustadores, mas, se Deus faz parte do retrato, eles podem ser enfrentados. Caso desejarmos nos apegar a Deus em relação aos perigos que nos ameaçam, os fatos precisam ser encarados.

Segundo, lembre a você mesmo, a Deus e a qualquer outra pessoa que esteja ouvindo as verdades sobre Deus que podem ser esquecidas durante uma crise. O salmo menciona duas verdades em relação a Deus. Uma delas é que, mesmo que digam que estou irremediavelmente vulnerável, na verdade há um escudo sobre mim. Deus não é um daqueles escudos ineficientes que empunhamos em uma das mãos, mas que nos deixam muito expostos; ele é como um daqueles escudos gigantes, fincados no chão, que bloqueiam todo o nosso entorno, impossibilitando que um míssil inimigo nos atinja. A outra verdade é que Deus vê que sou honrado e mantém a minha cabeça elevada. Uma vez mais, o salmo 2 sugeriu a base para essa convicção sobre Deus. Por nenhum motivo imaginável por Davi ou outro rei davídico, Deus decidiu fazer dele o meio divino de governar o mundo. O objetivo não era trazer honra a ele, mas isso seria o resultado natural.

No entanto, imagine que você estivesse tentado a questionar se tais convicções eram apenas fantasias elaboradas por um rei. Há algum fundamento para elas? Terceiro, lembre-se das experiências passadas. É fácil, durante uma crise, nos esquecermos de tudo o que ocorreu antes, mas o salmista sabe da importância de estarmos atentos ao que Deus já lhe fez antes. São fatos a serem mantidos bem vivos na memória. O rei já passara por crises antes (Davi, certamente, passou por tudo isso, quando estava fugindo de Saul). Ele sabe o que é clamar a Deus e receber a resposta divina de onde ele se dignou a viver, no templo sobre o monte **Sião**, no qual instalou o rei (veja, novamente, o salmo 2). Davi sabe o que é ir para a cama sem saber se poderá ser morto durante a noite, mas, então, despertar vivo e bem na manhã seguinte (ao contrário do exército de Senaqueribe, no relato de 2Reis 18—19). Ele não precisa acertar o queixo dos seus inimigos, pois é capaz de ver Deus fazer isso (novamente, isso é o que acontece naquela história sobre Ezequias). Ele pode virar a outra face.

Essas considerações significam que você é livre para dormir e não ter medo. O que Deus fez antes, ele repetirá, pois não é um ato de livramento aleatório, mas uma ação relacionada a uma estratégia de longo prazo. Além disso, Davi está orando não apenas em seu próprio favor, mas em benefício de todo o seu povo. É a bênção sobre eles que pode vir por meio da ação divina de salvar o seu líder.

Tudo isso significa que ele pode orar confiantemente pela salvação de Deus ("libertação" e "libertar" são palavras-chave nessa breve oração).

SALMO 4
A QUEM POSSO RECORRER?

Ao líder. Para instrumentos de cordas. Uma composição de Davi.

1 Quando eu clamo, responde-me,
   meu fiel Deus!
  Em estreitos, deste-me espaço —
   Sê gracioso comigo e ouve a minha súplica!

2 Por quanto tempo vocês serão vergonha para quem eu honro,
   [quanto tempo] se entregarão a algo que é fútil,
   [quanto tempo] inquirirão de algo falso? (*Pausa*)

3 Mas reconheçam que Yahweh separou a pessoa
   comprometida para si mesmo;
  Yahweh é aquele que ouve quando eu clamo por ele.

4 Tremam e não ofendam;
   digam isso no interior, em sua cama, e calem-se.
     (*Pausa*)

5 Ofereçam sacrifícios fiéis
  e depositem a sua confiança em Yahweh.

6 Números crescentes de pessoas estão dizendo: "Quem nos capacitará
   a ver coisas boas? —
   a luz do teu rosto fugiu de sobre nós, Yahweh."

7 Colocaste alegria em meu interior
   mais do que quando o grão e o vinho deles aumentaram.

8 Em bem-estar, de uma só vez, deitarei e dormirei,
   pois somente tu és Yahweh;
   tu me capacitas a viver em segurança.

Estávamos num mercado de produtores (na Grã-Bretanha, denominaríamos como feira livre). Eu queria comprar batatas grandes e frescas, e o *New York Times* assegurou que estariam disponíveis, mas não fiquei surpreso por descobrir que a informação para a Costa Leste não seria, necessariamente, válida para a Califórnia. Tudo o que consegui comprar foram batatas mirradas que, nem de longe, pareciam as que eu tinha em mente. Admiramos os tomates, os morangos, a couve-flor e os pêssegos, mas constatamos que eram duas vezes mais caros do que os produtos em nosso armazém hispânico local e, assim, voltamos para casa de mãos vazias. Adotamos uma posição de interesse casual e turístico pelos produtos, pois não precisávamos comprá-los — além de podermos obtê-los em algum outro lugar. Minha esposa estava mais interessada na ideia de pintar os produtos em vez de adquiri-los.

Os israelitas que oram o salmo 4 possuem uma relação muito distinta com os alimentos. Não há um armazém hispânico local no qual possam comprar ou um supermercado com pilhas de melões. Pode haver um local para permutas na vila (p. ex., "Trocarei alguns de meus figos por alguns cachos de suas uvas"), porém o dinheiro ainda não foi inventado, e as pessoas comem o que cultivam e colhem; sem plantação, sem alimento. Cultivar a sua própria comida depende de muito esforço e dedicação, além de conhecimento sobre como fazer as sementes crescerem. No entanto, você pode ser o fazendeiro mais esforçado e competente do mundo e ainda morrer de fome caso não chova na quantidade e no momento adequados, ou, ainda, haja uma praga de gafanhotos na hora imprópria. E, com frequência, Israel experimentou períodos de seca ou a visita de nuvens de gafanhotos.

Eis o pano de fundo do salmo. Cada vez mais pessoas na comunidade estão perguntando quem será capaz de ver as coisas boas — de ter uma colheita decente de grãos, figos, azeitonas e uvas, ou seja, as necessidades da vida. A bênção anunciada pelos sacerdotes ao povo prometia que a luz do rosto de *Yahweh* resplandeceria sobre eles (veja Números 6). Quando alguém sorri e a luz emana do rosto dessa pessoa, isso significa que ela deseja o melhor para você, que você receba uma chuva de bênçãos. Contudo, a luz do rosto de *Yahweh* desapareceu. Não adianta olhar para *Yahweh* em busca das boas coisas das quais necessita para seguir vivendo. Consequentemente, as pessoas olham e buscam em diferentes direções. Os vizinhos **cananeus** procuram o auxílio de outros deuses no cuidado de suas colheitas, e os israelitas estão cedendo à tentação de olhar na mesma direção. Eles cessaram de honrar a quem deveriam prestar honras e o estão envergonhando ao olharem para essas outras direções.

O salmista sabe que os deuses aos quais eles buscam e oram não possuem nenhum poder real; eles são fúteis e falsos. Todavia, quando você está sob pressão, sem saber se a sua família sobreviverá a mais um ano de colheitas pobres e de consequente escassez, é possível pensar que não tem mais nada a perder ao se voltar para os outros deuses. Já que *Yahweh* não entrega o que você necessita para sobreviver, o que tem a perder? O salmista tem ciência dessa tentação; afinal, ele também tem uma família para alimentar. No entanto, a sua descrição quanto ao dilema enfrentado pela comunidade é entretecida ou entrelaçada com súplica, lembrança, exortação e uma declaração de confiança.

Primeiro, o salmista inicia com uma oração para que o **fiel** Deus seja gracioso, mas não faz nenhum outro pedido concreto além de apelar para que Deus ouça e responda; essa será uma expressão de fidelidade e de graça. Se o salmista deseja apenas obter a atenção de Deus, certamente Deus não resistirá à propensão de fazer algo. Segundo, entremeada na súplica está uma lembrança: "Já passei por caminhos estreitos antes, e tu me levaste para lugares mais espaçosos, por isso sei que fazes essas coisas, e tu o sabes também; não podes dizer que jamais irá intervir." Terceiro, o salmista, no entanto, passa mais tempo falando a outras pessoas do que a Deus (compare com a exortação em Efésios 5 sobre falar uns aos outros com salmos). O salmista deseja encorajar outros membros da comunidade a serem fiéis a *Yahweh*, de acordo com o fato de serem um povo que Deus separou para si. Eles precisam considerar com seriedade quem é *Yahweh* e manter o **compromisso** tanto na privacidade de seus leitos quanto no culto oneroso que oferecem.

Quarto, o salmista conclui com uma declaração de confiança e de esperança. As pessoas que, por não colherem os alimentos necessários, desistiram de esperar em *Yahweh* e buscaram o auxílio de deuses dos cananeus, a quem o salmista chama de fúteis e falsos, viram que isso funcionou. O aumento na sua produção de grãos e de vinho intensificou a pressão sobre os que insistem em manter o compromisso com *Yahweh*. Paradoxalmente, o que o salmista conhece sobre Deus e suas experiências com ele no passado não apenas o leva a manter o compromisso; igualmente, produz alegria, com base na certeza de que Deus virá por seu povo. Isso resulta na confiança de desfrutar um **bem-estar** e de ser capaz de dormir à noite sem preocupações quanto ao futuro.

SALMO 5
SOBRE SUPLICAR AO REI

Ao líder. Para flautas. Uma composição de Davi.

1. Ouve as minhas palavras, *Yahweh*,
    considera o meu clamor.
2. Atenta para o som do meu grito de socorro,
    meu Rei e meu Deus,
    pois é a ti que eu suplico.

SALMO 5 • SOBRE SUPLICAR AO REI

3 *Yahweh*, de manhã, que ouças a minha voz,
   de manhã eu a apresento e espero.
4 Pois tu não és um Deus que se deleita na infidelidade;
   o mal não pode permanecer contigo.
5 Pessoas indomáveis não podem tomar posição diante dos
      teus olhos;
   tu te opões a todos os que praticam o mal.
6 Tu destróis aqueles que falam falsidade;
   pessoas que derramam sangue e agem
      fraudulentamente,
   Yahweh abomina.
7 Mas eu mesmo irei à tua casa
   pela abundância do teu compromisso;
prostrar-me-ei diante do teu palácio santo,
   com temor a ti.
8 *Yahweh*, conduze-me na tua fidelidade
   em conexão com as pessoas que estão me observando;
   endireita o teu caminho diante de mim.

9 Pois não há verdade na boca delas;
   o ser interior delas é destruição.
A garganta delas é um sepulcro aberto,
   são escorregadias com sua língua.
10 Faze-as pagar, Deus;
   elas devem cair por meio de seus próprios planos.
Por causa do número de suas rebeliões, expulsa-as,
   pois te desafiaram.
11 Mas que todas as pessoas que confiam em ti se alegrem,
   que ressoem para sempre.
Enquanto tu as proteges,
   que as pessoas que se entregam ao teu nome
      exultem em ti.
12 Pois tu abençoas a pessoa fiel, *Yahweh*;
   tu a cercas com favor como um escudo corporal.

Amanhã, o Sudão do Sul se tornará um país separado, independente do Sudão. Ninguém sabe o que o futuro reserva a essa nova nação, mas, caso pertença a ela, decerto espera que a independência signifique o fim do conflito entre o Sul e o Norte daquela região africana e do que se considera a opressão do Sul pelo Norte. Embora seja uma simplificação pensar no Norte como muçulmano e no Sul como cristão (muitos no sul são adeptos das tradicionais religiões africanas), pode-se retratar os cristãos sulistas e seus líderes orando do mesmo modo que o salmo 5. O presidente do Sudão (do Norte) é (segundo o *New York Times*, de 8 de julho de 2011) "o autor da guerra assassina em Darfur", na região oriental do Sudão. Caso os leitores do livro de Salmos, em outras partes do mundo, não necessitem orar por si mesmos à maneira do salmo 5, então, por meio desse salmo, podem se identificar com seus irmãos e irmãs que vivenciam a experiência descrita pelo salmo. Oramos em benefício deles, não por "eles", mas pensando neles como "nós".

Então, oramos a Deus como o rei. Faria sentido caso o orador desse salmo fosse, ele mesmo, um rei ou um líder como Neemias, atacado por seus inimigos e familiarizado com a experiência de estar sob a vigilância deles. Assim, ao orar o salmo 5, podemos pensar nos líderes de povos vulneráveis como os sudaneses do Sul, expostos ao ataque de agentes de nações rivais ou mesmo de rivais dentro de seu próprio povo que gostariam de estar no poder ou que pensam que os seus líderes não são agressivos o suficiente na defesa do país.

Ser um líder ou um rei significa assumir uma posição de extrema responsabilidade e, com frequência, de grande perigo. Ao mesmo tempo, o rei ou líder está acostumado a receber pessoas que são vítimas de um tratamento injusto. Pode haver uma fila dessas pessoas aguardando a sua chegada ao palácio real, ansiosas para apresentar o seu caso e **clamar** por socorro, suplicando ao rei para agir como juiz em favor delas. O rei ou líder detém a responsabilidade de promover a justiça. Espera-se que ele personifique o **compromisso** e a justiça de Deus e não tolere que inescrupulosos roubem a terra e a vida de pessoas por meio de perjúrio, que impeça os planos dos maquinadores do mal, cujas gargantas são sepulcros abertos (i.e., cujas palavras podem levar à morte); todos que em seu ser interior, pensamento e planejamento foquem apenas a destruição das pessoas. Não se deve permitir que tais pessoas coloquem-se diante ou "permaneçam" com você (o verbo hebraico significa hospedar-se por uma noite). Elas são hábeis na arte do ocultamento. (A história de Nabote, em 1Reis 21, ilustra a forma pela qual os perversos operam, em que pese a terrível ironia desse episódio, pois é o próprio palácio que está envolvido na corrupção e no derramamento de sangue.) Todavia, pelo menos, a experiência dessa responsabilidade traz com ela a possibilidade de olhar para Deus com o fim de personificar a justiça que se espera ser implementada.

Como pessoas comuns, podemos agir assim em nosso próprio benefício, se necessário, e em prol de vítimas de opressão, as quais somos incapazes de proteger. Podemos nos apresentar, logo de manhã, no palácio de Deus com base no compromisso e na identificação de Deus com a **fidelidade** em detrimento da **infidelidade**. Podemos suplicar a Deus para enfatizar como as pessoas estão nos vigiando em busca de uma oportunidade para nos atingir ou a outros, pedindo-lhe que venha, sem demora, nos proteger. Podemos lembrar a Deus que essas pessoas não estão apenas se rebelando contra nós, mas contra ele mesmo e o desafiando. Elas estariam fazendo isso se o salmo fosse orado pelo rei davídico, o ungido de Deus, a quem os outros povos devem se submeter. Contudo, o salmo não estabelece essa conexão e implica que elas estão se rebelando contra Deus simplesmente por serem conspiradores assassinos.

Os ocidentais, com frequência, desaprovam o desejo de que os conspiradores sejam apanhados por seus próprios estratagemas, embora o Antigo e o Novo Testamentos, de modo consistente, afirmem que as pessoas devem pagar por transgredirem dessa forma. Além disso, os que estão orando conforme o salmo não estão tomando a implementação da justiça de Deus em suas próprias mãos. Quando você, confiadamente, entrega a Deus, como o único a quem a reparação pertence, isso o libera de buscá-la por si mesmo. Na verdade, é por amor a Deus que o salmista implora por uma ação — para que os rebeldes não saiam impunes de seu desafio a Deus. Seria possível disfarçar um desejo pessoal por vingança com o interesse de que o **nome** de Deus seja honrado. Para nós, então, o que importa é termos cuidado com o que está em nosso coração ao orarmos esse salmo.

SALMO 6
COMO A ORAÇÃO FAZ DIFERENÇA

Ao líder. Com instrumentos de cordas. Em oitava (tom).
Uma composição de Davi.

1. *Yahweh*, não me reproves em tua ira,
   não me corrijas com a tua fúria.
2. Sê gracioso comigo, *Yahweh*, pois estou fraco;
   cura-me, *Yahweh*, porque os meus ossos tremem de angústia.
3. Todo o meu ser treme em grande angústia,
   mas *Yahweh* — até quando?
4. Volta-te, *Yahweh*, salva a minha vida,
   livra-me por amor do teu compromisso!

⁵ Pois não há menção de ti na morte;
   no Sheol, quem te confessa?
⁶ Estou cansado do meu gemer,
   faço o meu leito nadar todas as noites,
   derreto o meu colchão com minhas lágrimas.
⁷ Os meus olhos definham por causa da agressão,
   envelhecem porque todas as pessoas me vigiam.

⁸ Afastem-se de mim, todos vocês que fazem o mal,
   porque *Yahweh* ouviu o som do meu choro.
⁹ *Yahweh* ouviu a minha oração por graça;
   Yahweh aceita a minha súplica.
¹⁰ Todos os meus inimigos serão envergonhados e tremerão
   grandemente em angústia;
   irão se virar e serão envergonhados instantaneamente.

Um casal amigo está celebrando bodas de ouro, e fui solicitado a contribuir com o livro de cumprimentos que lhes será apresentado na festa comemorativa. Assim, escrevi que Ann, a minha primeira esposa, se sentou em seu leito, no quarto de hotel em que está dormindo sob o olhar carinhoso de Jesus (João 14:2), e declarou: "Que maravilhoso!", e então voltou a dormir até o dia da ressurreição. É claro que trata-se de uma imagem, mas é baseada na realidade da maneira com que o Novo Testamento descreve a nossa situação ao morrermos, e é mais fantasiosa que os relatos bíblicos sobre Samuel despertando para dar a Saul uma última admoestação ou dos mortos deixando a sepultura e andando pela cidade após a morte de Jesus (1Samuel 28; Mateus 27). A ideia subjacente de que a morte significa descansar no **Sheol** perpassa toda a Bíblia — a diferença entre o Antigo e o Novo Testamentos é, precisamente, que a morte e a ressurreição de Jesus alteram a situação ao estabelecerem que a nossa permanência nesse local será temporária. Nesse ínterim, contudo, tudo o que se faz ali é dormir, sob o olhar amoroso de Jesus.

O problema é que (como o salmo 6 diz), no Sheol as pessoas não podem louvar a Deus. Um dos motivos é pelo fato de o louvor a Deus envolver, essencialmente, exultações, elevações, reverências, danças e agitar de mãos. Nada disso é possível quando se está morto. O outro contratempo é que o louvor a Deus envolve falar sobre o que Deus é e faz por você, no dia que passou, durante a semana ou mesmo no último mês. O louvor envolve o que o salmo denomina de confissão. O hebraico usa a mesma palavra para confessar tanto o que você fez quanto o que Deus fez, porque as duas confissões envolvem contar uma história. O problema é que Deus não faz nada para aqueles que estão no Sheol; eles estão apenas dormindo. Nada acontece ali que motive o louvor a Deus.

O salmista, portanto, lança mão de um argumento para levar Deus a nos **libertar** quando estamos em apuros: "Liberta-me, e obterás louvor. Deixa-me morrer, e nada obterás." Os filhos usam os argumentos mais ardilosos para obter dos pais o que eles desejam, e, às vezes, os pais abrem um sorriso e se deixam persuadir. O livro de Salmos opera como se o nosso relacionamento com Deus, por meio da oração, fosse similar ao de filhos com seus pais (que surpresa!). Qualquer argumento é válido para convencer o Pai celestial a fazer o que você deseja ou necessita.

O salmista também pressupõe um aspecto mais solene da relação paternal de Deus conosco. Os pais detêm a responsabilidade de reprovar e corrigir os seus filhos. Às vezes, cumprem essa função com ira, o que, em si, não é uma ação errada (a ira por si só não é pecaminosa), mas pode ser temerária para a criança, pois o pai (ou a mãe) é muito maior e mais poderoso(a), e a ira pode resultar em uma correção excessiva e abusiva. Assim, o salmo começa com um apelo a Deus para não agir assim. O salmista parece sentir que a correção saiu do controle. Ele discorre sobre estar fraco e angustiado, de necessitar de cura e de libertação. De modo característico, a colocação de palavras torna impossível definir qual o problema enfrentado pelo salmista; portanto, é mais útil na boca de outras pessoas que oram o salmo, pois a sua aplicação não está limitada a um único conjunto de necessidades. O salmo fala em termos hiperbólicos: a quantidade de lágrimas é tão grande a ponto de transformar o leito em uma piscina; como se os olhos tivessem se desgastado de tanto esperar pela ação libertadora de *Yahweh*. Parte da severidade da experiência é determinada pelo fato de ela perdurar por muito tempo, mas isso não impede o salmista de orar. Em uma cultura na qual esperar por alguns minutos é motivo de queixas, muito mais a espera de umas poucas semanas, imagine quão difícil é apreciar as implicações de suplicar continuamente a Deus por algo, mês após mês. No entanto, o salmista segue pedindo por graça e pela expressão do **compromisso** de Deus, para que Deus dê meia-volta, em vez de seguir caminhando para o lado contrário (trata-se do verbo que seria traduzido por "arrepender-se", caso fosse aplicado a um ser humano), e salve e liberte.

Então, uma mudança surpreendente ocorre nos três últimos versículos. No livro de Salmos, pode haver dois estágios de respostas a uma oração. O primeiro é quando Deus ouve a oração e estabelece o compromisso de lidar com o assunto levantado por ela. O segundo estágio é quando Deus, então, age. O salmista ainda não viu o estágio dois, mas, evidentemente, o primeiro estágio já ocorreu. Será que, entre os versículos 7 e 8, alguém ministrou ao que ora e lhe deu a garantia de que Deus ouviu a sua oração e agirá? Ou o que ora, simplesmente, sabe que, quando um filho apela ao seu pai ou à sua mãe, o apelo sempre é ouvido? Não sabemos a resposta a essas questões, e não precisa ser a mesma para cada vez que o salmo é usado. O que está claro é a presunção de que a oração faz diferença, não porque ela muda a pessoa que ora, mas porque Deus a ouve e estabelece o compromisso de agir. Esse ouvir de Deus, portanto, muda a pessoa que ora e torna possível enfrentar as questões abordadas na oração com uma nova atitude e confiança, incluindo até mesmo um sono tranquilo, quando antes isso não ocorria. Isso não significa que a pessoa que ora deixará de retornar amanhã, caso o segundo estágio ainda não tenha se cumprido.

SALMO 7
O JUIZ ESTÁ DO SEU LADO

Lamento de Davi, que ele cantou a Yahweh acerca das palavras de Sudão, o benjamita.

1. *Yahweh*, meu Deus, em ti eu confio —
   livra-me de todas as pessoas que me perseguem,
      salva-me,
2. ou alguém me dilacerará como um leão,
   me rasgará em pedaços sem que ninguém me salve.
3. *Yahweh*, meu Deus, se fiz isso,
   se houver delito em minhas mãos,
4. se paguei o meu aliado com o mal,
   mas libertei a pessoa que me vigiava sem motivo,
5. que o inimigo me persiga e me ultrapasse,
   que ele possa pisotear a minha vida no chão,
   jogue a minha honra no pó. (*Pausa*)

6. Levanta-te, *Yahweh*, na tua ira;
   ergue-te contra a grande fúria das pessoas que me vigiam.
   Desperta, meu Deus, deves ordenar uma decisão;
7. a assembleia das nações deve vir ao redor de ti.
   Assenta-te sobre ela nas alturas;

⁸   *Yahweh* deve governar os povos.
Decide por mim, *Yahweh*, de acordo com a minha
    fidelidade
   e com a minha integridade sobre mim.
⁹ O mal das pessoas perversas realmente deve chegar ao fim,
   e deves estabelecer a pessoa fiel.
O Deus fiel
   testa as mentes e os corações.
¹⁰ Deus é o meu escudo nas alturas,
   aquele que liberta as pessoas retas de mente.
¹¹ Deus decide pela pessoa fiel;
   Deus expressa indignação a cada dia.
¹² Se alguém não se virar, ele afia a sua espada,
   direcionou o seu arco e o fixou.
¹³ Ele fixou armas mortais para si,
   transforma as suas flechas em chamas.
¹⁴ Eis que alguém se contorce com o mal,
   está grávido de rebeldias,
   dá à luz a falsidade.
¹⁵ Ele cavou um poço e o fez profundo,
   mas cai no próprio buraco que fez.
¹⁶ Sua confusão retorna sobre a sua própria cabeça,
   sua violência desce sobre o seu próprio crânio.

¹⁷ Confessarei *Yahweh* de acordo com a sua fidelidade
   e farei música ao nome de *Yahweh*, o Altíssimo.

Caso você seja um judeu ortodoxo do Brooklyn e for acusado por algum delito, você pode contratar um detetive particular, igualmente ortodoxo, que veste um sobretudo preto e um chapéu no estilo Fedora — embora quando ele se disfarça, se limite a um solidéu e a um xale de oração com franjas, que podem ser usados debaixo de um gorro e uma camiseta dos

Yankees. Segundo o *New York Times*, de 8 de julho de 2011, um de seus casos mais relevantes envolveu abuso infantil e resultou na prisão de um homem. O detetive descobriu evidências de que uma das testemunhas do caso havia recebido suborno, o que possibilitou, portanto, a libertação do acusado. O detetive particular declarou: "Quando acordo pela manhã, oro a Deus e desejo acreditar que há pessoas boas no mundo. Mas, quando saio para o trabalho, todos os dias, e vejo o que vejo, isso se torna um grande desafio para mim."

Ele trabalha no mundo com o qual o salmo 7 está familiarizado. O salmista fala por alguém acusado de ter a maldade em suas mãos ou sobre elas; a expressão relembra a sentença em Isaías 1 sobre as mãos cheias de sangue. Havia pessoas com as quais ele entrara em uma espécie de relacionamento de compromisso. Eram aliados, indivíduos com os quais ele mantinha uma relação de **paz** ou que achavam que era assim, mas que foram prejudicados por ele. Por outro lado, ele é acusado de falhar em considerar com seriedade o delito de outras pessoas; como se estivesse se relacionando com malfeitores, de modo contrário ao salmo 1, que nos exorta a mantermos distância de tais pessoas. (Segundo Samuel 16—20 fornece o pano de fundo que pode sugerir as ligações com a **história de Davi**, mencionadas na introdução do salmo.)

Essas eram as acusações. Até onde sabemos, não havia investigadores em Jerusalém para serem contratados com o objetivo de limpar o seu nome, mas o salmo oferece a possibilidade de clamar a Deus para isso. Trata-se de uma manobra razoável, pois Deus é, afinal de contas, um juiz com **autoridade**. O juiz constitui um escudo para as pessoas comuns. A suposição aqui é de que, ao contrário do Ocidente, que costuma separar a tomada legal de decisões (função exercida pelo tribunal) da aplicação da lei (função exercida pela polícia), no Antigo Testamento o juiz é um líder que tanto toma a decisão quanto executa a ação resultante da decisão.

Assim, a primeira parte do salmo apela a Deus para que ele se levante e se zangue e, portanto, seja energizado para agir e **libertar**. O salmista, então, fala em termos específicos sobre decretar julgamento. Deus deve ordenar uma **decisão** (a palavra hebraica, com frequência, é traduzida por "juízo"). É necessário haver uma assembleia apropriada. Deus deve emitir um juízo sobre o caso em questão e decidir pelo suplicante de acordo com os fatos do caso, ou seja, de que as acusações são falsas. O acusado é alguém de retidão ou de integridade e de **fidelidade** — outra expressão recorrente no contexto sobre a tomada de decisões quase jurídicas: sugere ser justo por agir de modo correto em relação a outras pessoas. Ousadamente, o salmista declara: "Se agi errado, que eu seja punido", pois sabe que não agiu assim.

A segunda metade do salmo está ligada a essa convicção e constitui, simplesmente, uma declaração de fé em Deus como Juiz. Dificilmente você ousaria proferir essa declaração caso a sua reivindicação quanto à integridade, retidão e fidelidade fosse falsa, não apenas porque Deus testa a mente e o coração — os de seus acusadores e também os seus. Aqui, o salmo declara a confiança com a qual a pessoa que faz essa oração irá se aproximar hoje, amanhã e depois de amanhã, esperando por justificação. Você ora e sabe que a oração faz toda a diferença; que a indignação de Deus, a exemplo da ira divina, opera em seu favor, e que Deus não permanece sentado de braços cruzados, mas que empreende uma ação decisiva contra os malfeitores. Deus está preparado a exercer a força para derrubá-los e resgatar as suas vítimas. E uma das formas pelas quais Deus aprecia agir é tornar o mundo um lugar no qual as pessoas são apanhadas nas próprias armadilhas que instalaram para vitimar outros.

O nosso sistema legal terreno nem sempre funciona dessa maneira; nem o modo divino de administrar as coisas no mundo. Contudo, as ocasiões nas quais deixa a desejar não evitam que as pessoas orem para que funcione. Na verdade, fazem as pessoas orarem com mais fervor.

SALMO 8
ATÉ AQUI E NÃO MAIS

Ao líder. Sobre o geteu [talvez uma melodia].
Uma composição de Davi.

1 *Yahweh*, nosso Deus,
   quão poderoso é o teu nome em toda a terra,
   tu que colocaste a tua majestade acima dos céus
2 pela boca de bebês e lactentes.
   Estabeleceste uma barricada para lidar com os teus
      vigilantes adversários,
      impedir o inimigo e a pessoa que busca reparação.
3 Quando vejo os céus, a obra dos teus dedos,
   a lua e as estrelas que estabeleceste,
4 o que são as pessoas para que tu atentes a elas,
   os seres humanos, para que prestes atenção a eles?
5 Mas os fizeste um pouco menor do que Deus
   e os coroaste com esplendor e honra.
6 Tu permitiste que governassem sobre as obras das tuas
      mãos;
   puseste tudo sob os seus pés —
7 ovelhas e bois, todos eles,
   e todos os animais do campo,
8 os pássaros dos céus, o peixe do mar,
   o que passa sobre as veredas nos mares.
9 *Yahweh*, nosso Deus,
   quão poderoso é o teu nome em toda a terra!

O choro dos bebês e dos lactentes é difícil de ouvir e muito menos de resistir. Na área que, hoje, constitui o Sudão do Sul, uma em cada sete crianças morre antes de completar cinco anos de vida. Em Darfur, incontáveis jovens adolescentes têm sido estupradas e sequestradas. A mídia relata que a rebelião da região sul do Sudão contra o Norte levou à escravidão de crianças sulistas; o conflito mutuamente destruidor também envolveu o empalamento de crianças em postes. Caso tenham sobrevivido à infância, muitos terminaram recrutados como meninos soldados. Em outras áreas do continente africano, meninas foram capturadas e recrutadas em exércitos rebeldes, nos quais também eram estupradas. Nos Estados Unidos, diz-se que um caso de abuso infantil é denunciado a cada dez segundos e que quatro ou cinco crianças morrem diariamente vitimadas por abusos. Então, há os bebês que são concebidos, mas nem chegam a nascer; estima-se que, em solo norte-americano, cerca de três mil abortos são realizados a cada dia.

Quando o Antigo Testamento fala sobre crianças e lactentes, em geral as retrata como vítimas da opressão, da guerra e da morte; elas choram de dor ou de necessidade. O choro infantil ressoa mais alto no livro de Lamentações, uma série de orações similares aos salmos, referente ao período posterior à queda de Jerusalém para a Babilônia. O cerco à cidade resultou na absoluta falta do que comer e beber, e a sua queda trouxe um pequeno alívio. Lamentações 2 expressa o tormento de testemunhar o enfraquecimento e a morte das crianças e lactentes nos braços de suas mães. O nascimento de Jesus leva ao assassinato de toda uma população de crianças com menos de dois anos em Belém.

Poderia o abuso infantil ter se generalizado em todo o mundo? Jesus fala sobre as guerras se tornarem uma realidade geral na experiência de seus seguidores. Suas declarações parecem mais precisas agora do que em qualquer outro período da história. Poderia o planeta ser envolvido por um conflito geral que destrua a humanidade? Seria possível outro Herodes fazer no mundo o que o Herodes histórico fez em Belém?

O salmo proclama que Deus estabeleceu limites à capacidade da humanidade de se autodestruir. Com efeito, Deus disse: "Pode vir até aqui, mas não além." Na Bíblia, o mar com seu tumultuoso poder é uma imagem para forças destrutivas que poderiam ter capacidade de frustrar o propósito divino, mas Jó 38 declara que Deus assim ordenou aos mares, ao estabelecer a fronteira entre eles e a porção terrestre. Jó 40 e 41 estabelece o ponto de outra forma: essas forças maléficas possuem a energia de um monstro temível, mas é um monstro que Deus mantém sob uma coleira. Ele pode ser destruidor, mas Deus impôs limites à sua capacidade de destruir.

O modo pelo qual o salmo estabelece esse ponto é retratar Deus instalando uma barricada para restringir as pessoas e as forças contrárias ao propósito divino no mundo, a exemplo das barreiras que os pastores constroem para proteger as cabras e ovelhas do ataque de lobos e de outros predadores. Os seres humanos possuem o instinto de contra-ataque quando alguém age para ameaçar ou prejudicar seus interesses; queremos "dar o troco" e nos referimos a isso em termos de "justiça", o que torna a ação de vingança mais aceitável. Constitui um processo suficientemente nocivo mesmo quando envolve apenas indivíduos, mas nações operam dessa maneira também, e os resultados podem ser cataclísmicos. Graças a Deus, então, que existem limites à nossa capacidade de arruinar a nossa própria justiça.

O salmo, portanto, considera um grande alívio que o **nome** de Deus seja poderoso em toda a terra, isto é, que o próprio Deus seja poderoso. É tranquilizador saber que Deus estabeleceu a sua majestade nos céus; na realidade, acima dos céus. As Escrituras reconhecem como a rebelião contra Deus e a oposição aos caminhos divinos não são um fenômeno meramente terreno; há um aspecto sobrenatural. Contudo, a obstinação terrena e a celestial jamais escapam totalmente ao controle. É como se mesmo antes da criação Deus tivesse se antecipado ao choro das crianças e dos lactentes, as maiores vítimas dessa obstinação, e atendesse a esse clamor com a declaração "Até aqui e não mais".

O choro dos infantes e dos lactentes pode fazer parecer ainda mais extraordinário que Deus tenha prestado atenção à humanidade e nos dado um poder no mundo que é quase divino. Pode até parecer um tanto irresponsável da parte de Deus permitir à humanidade um papel no mundo criado. Contudo, trata-se de um padrão consistente da obra divina no mundo assumir riscos na delegação de responsabilidade e de poder, para que atuem como seus agentes, a pessoas propensas a abusar desse poder. Decerto, o fato de Deus dar aos seres humanos uma posição de autoridade em relação ao mundo animal levou ao abuso que, hoje, alcançou níveis sem precedentes. Ainda assim, o salmo implica que a majestade e o poder de Deus prevalecerão. Deus assume riscos, mas está comprometido a levar a criação ao seu destino.

SALMO 9:1–18
LOUVOR E AÇÕES DE GRAÇAS COMO UMA CHAVE PARA A ORAÇÃO – I

Ao líder. Segredos [talvez uma melodia].
Do filho. Uma composição de Davi.

1. Confessarei a ti, *Yahweh*, com todo o meu ser,
   contarei todas as tuas maravilhas.
2. Celebrarei e exultarei em ti,
   comemorarei o teu nome, ó Altíssimo.

³ Quando os meus inimigos retornam,
   eles caem e perecem diante de ti,
⁴ pois me deste uma decisão e um julgamento;
   assentaste em teu trono como alguém que toma
     decisões
   em fidelidade.
⁵ Demoliste as nações, destruíste a pessoa infiel,
   eliminaste o nome delas para todo o sempre.
⁶ O inimigo está acabado, ruínas eternas;
   desarraigaste cidades, a memória delas pereceu.

⁷ Mas *Yahweh* se assenta [entronizado] eternamente;
   ele estabeleceu o seu trono para tomar decisões.
⁸ Ele é aquele que toma com fidelidade as decisões para o
     mundo,
   governa os povos com retidão.

⁹ *Yahweh* se tornou uma torre para a pessoa oprimida,
   uma torre para os tempos de dificuldade,
¹⁰ para que as pessoas que reconheçam o teu nome confiem
     em ti,
   pois não abandonaste as pessoas que buscam
     a ti, *Yahweh*.
¹¹ Façam música a *Yahweh* que se assenta [entronizado] em
     Sião,
   falem entre os povos os seus feitos,
¹² pois aquele que olha o sangue derramado está atento a eles,
   ele não ignora o clamor dos humildes.

¹³ Sê gracioso comigo, *Yahweh*,
   vê a minha aflição nas mãos de pessoas que estão
   contra mim,
   tu, que me levantas dos portões da morte
¹⁴ para que eu possa contar todos os teus atos louváveis;
   nos portões da filha de Sião,
   alegrar-me-ei na tua libertação.

¹⁵ As nações mergulharam no poço que fizeram;
   na rede que ocultaram, o pé delas se prendeu.
¹⁶ *Yahweh* se faz reconhecido;
   ele tomou uma decisão;
   pelo ato de suas próprias mãos a pessoa infiel
   enlaçou a si mesma. (*Interlúdio. Pausa*)
¹⁷ A pessoa infiel deve se voltar para o Sheol —
   todas as nações que ignoram *Yahweh*,
¹⁸ pois a pessoa necessitada não será ignorada sem fim
   nem a esperança do humilde perecerá para sempre.

Ontem, um pastor da Flórida convidou-me para ver o que ele havia escrito em seu *blog* sobre o avivamento da igreja por Deus. Quando Deus avivou a igreja (a exemplo do que ocorreu com o surgimento do pentecostalismo, um século atrás), ele sublinhou, sempre houve pessoas orando e se arrependendo. O ato divino de avivamento foi uma resposta à oração e ao arrependimento dessas pessoas. Observei a ele, então, que precisamos ter cautela na formulação de regras sobre como Deus age e em dar a palavra final quanto a alcançarmos Deus em vez de sermos alcançados por ele, mas também lhe falei sobre quão encorajador o seu texto era. Quando se vive em um contexto no qual a igreja está em um processo de diminuição como ocorre no Ocidente, é crucial ter lembretes sobre como Deus agiu no passado (além de lembretes sobre como Deus tem agido no presente em outras partes do mundo, mas isso é outra história). O conhecimento quanto aos atos divinos do passado alimenta a nossa convicção a respeito do que Deus pode fazer novamente. Portanto, esse processo nos incentiva a orar em conformidade com as linhas encorajadas por seu artigo.

A mesma percepção encontra-se subjacente nesse salmo. Esse fato fica mais claro quando se percebe que os salmos 9 e 10 constituem um único salmo que foi dividido em duas partes, talvez para que pudessem ser usados separadamente na adoração dos israelitas. O salmo 10, portanto, não possui uma introdução, e os dois constituem um só salmo na antiga tradução grega desse livro. A evidência interna de que são duas divisões de um único salmo é que são salmos alfabéticos, isto é, os sucessivos versículos do salmo 9 iniciam-se com as primeiras dez letras do alfabeto hebraico (na média, dois versículos por letra), e os versículos do salmo 10 começam com outras nove letras. A exemplo das formas que os poetas usam em outras linguagens, essa estrutura "artificial" auxilia a criatividade poética. Há, na verdade, 22 letras no alfabeto hebraico e, portanto, três letras não são utilizadas. Além disso, algumas letras aparecem em uma ordem ligeiramente incomum (talvez a ordem do alfabeto ainda não estivesse bem definida). Essa forma poética particular encoraja uma oração que funcione de *A* a *Z* e aborde tudo o que precisa ser dito; no entanto, a omissão de algumas letras também pode ter o efeito de espelhar a maneira pela qual a própria vida não funciona como deveria, caso operasse segundo regras tais como: "O arrependimento é a chave para o avivamento da igreja."

Em conteúdo, esse salmo opera dando grande ênfase aos atos passados de Deus. Considerando-se a maioria dos dezoito primeiros versículos, esse salmo poderia ser denominado como um salmo de louvor e, de modo mais específico, de ações de graças, confessando o que Deus fez pelo salmista, no âmbito pessoal, e convidando aqueles que estão orando a falar sobre o modo pelo qual Deus os regatou dos ataques de outras pessoas no passado. A exemplo do salmo 7, o salmo 8 retrata Deus como uma autoridade que pode tomar **decisões** e implementá-las, visando derrubar os que atacam outras pessoas injustamente. Esse salmo fala mais diretamente sobre nações e comunidades que atacam outras nações e comunidades. Afirma que Deus é soberano na história e na política. A soberania divina não é mera doutrina, mas uma realidade experimentada pelos que oram. Assim, do mesmo modo que aquele pastor blogueiro, o salmo convida as pessoas que oram a desviarem os olhos das pressões atuais e olharem para trás, relembrando ocasiões nas quais Deus agiu em situações similares àquelas nas quais elas estão, no presente, o que também significa que podem confiar em Deus quanto ao futuro.

Deus não ignora o **clamor** dos oprimidos; isso não é da natureza divina. Deus "olha o sangue derramado" — talvez isso signifique que, quando as pessoas derramam sangue, Deus não permite que elas saiam impunes do ato, ou talvez isso reforce o ponto de que Deus está preparado para derramar o sangue de quem derrama o sangue de outros. Uma vez mais, esse fato significa que os seres humanos não precisam fazer justiça com as próprias mãos. Podem confiar em Deus para que isso ocorra.

Apenas uma linha na primeira metade desse salmo duplo explicita que o salmo é, em essência, uma oração. O restante se concentra em encorajar a fé dos que oram e incentivar Deus a agir novamente de acordo com o que sabemos ser verdadeiro com respeito a ele.

SALMO **9:19—10:18**
OS MISERÁVEIS SOBRE A TERRA

¹⁹ Levanta-te, *Yahweh*, um ser humano não deveria triunfar,
as nações deveriam ter as decisões tomadas na tua presença.

²⁰ Designe algo temível para eles, *Yahweh*;
as nações devem reconhecer que são seres humanos. (*Pausa*)

SALMO 10

1. Por que permaneces tão longe, *Yahweh*,
   por que te escondes em tempos de tribulação?
2. Em sua posição de eminência, a pessoa infiel persegue o
      humilde —
   deveriam ser apanhados pelos esquemas que eles
      imaginaram.
3. Pois a pessoa infiel louva o desejo
   do seu coração
   e abençoa a pessoa gananciosa.
4. A pessoa infiel desdenha de *Yahweh*,
   de acordo com a exaltação de sua atitude:
   "Deus não questiona, ele não está aqui";
5. em todos os seus esquemas, os seus caminhos são profanos.
   Todo o tempo, as tuas decisões estão nas alturas,
   longe dele;
   todas as pessoas o observam — ele bufa para elas.
6. Ele diz a si mesmo: "Não cairei, jamais";
   jurou: "Não estarei em adversidade."

7. Sua boca está cheia de fraude e de opressão;
   debaixo da sua língua estão a confusão e a maldade.
8. Ele vive em esconderijos nas vilas
   para que em completo segredo possa matar o inocente.
   Seus olhos vigiam a pessoa miserável;
9. ele espera em segredo como um leão em seu covil.
   Aguarda para apanhar o humilde;
   ele captura o humilde arrastando-o em sua rede.
10. Colapsando, ele afunda;
    o miserável cai por causa de sua força.
11. Ele diz a si mesmo: "Deus ignorou isso,
    escondeu o seu rosto, ele jamais olhou."
12. Levanta-te, *Yahweh*; Deus, ergue a tua mão —
    não ignores os humildes.
13. Por que o infiel desdenha de Deus? —
    ele diz a si mesmo: "Deus não questiona."

¹⁴ Tu olhaste, pois tu mesmo
   observas a confusão e a opressão.
   Entregando-a em tuas mãos, o miserável a deixa para ti;
   o órfão — tu és o seu auxiliador.
¹⁵ Quebra o braço da pessoa infiel e maligna
   para que, quando tu a inquirires após a sua infidelidade,
   não a aches.
¹⁶ *Yahweh* será rei para todo o sempre;
   as nações terão perecido de sua terra.
¹⁷ Quando ouves o anseio do humilde, *Yahweh*,
   tu firmas o coração deles, inclinas os teus ouvidos,
¹⁸ decides pelo órfão e pelo oprimido;
   um ser humano da terra nunca mais aterrorizará.

Minha enteada e o seu marido dedicaram a vida à divulgação da dramática situação dos refugiados darfuri, no Chade; de tempos em tempos, ambos fizeram inúmeras visitas àquela região. Eles relatam histórias horríveis sobre o tratamento dispensado pelo governo sudanês a esses refugiados quando ainda estavam no Sudão. Em razão disso, Omar Hassan al-Bashir, o presidente sudanês, foi indiciado pelo Tribunal Penal Internacional (TPI) por crimes de guerra, crimes contra a humanidade e genocídio. O procurador-chefe do TPI, na verdade, acusou Bashir de empreender uma campanha de genocídio durante quatro anos contra o povo darfuri, na região ocidental do Sudão, matando dezenas de milhares e forçando a fuga de milhões de suas casas. O que se pode fazer a favor desse povo e contra tal opressor? O envolvimento da nossa família nessa questão nos levou, minha esposa e eu, a começarmos a orar os Salmos em prol do povo de Darfur e contra Bashir.

Os salmos 9 e 10 parecem designados a essa oração. A segunda metade desse salmo duplo, primeiramente, desafia

Deus à ação. Meros seres humanos deveriam ser impedidos de agir no mundo ao seu bel-prazer. Trata-se de uma importante convicção para as pessoas que são oprimidas, embora contraste com a certeza ocidental quanto à importância de as pessoas serem livres para fazer o que desejarem. A palavra hebraica para "ser humano", que aparece três vezes, no início e no fim dessa passagem, denota humanos em sua relativa debilidade e insignificância. O salmista pergunta a Deus: "Como é permitido que tais criaturas se comportem como se fossem muito mais importantes do que são?" A palavra para a humanidade em sua insignificância contrasta com a menção a "eminência" e "exaltação". O salmo fala sobre pessoas em posições de importância, e, quando estamos nessa situação, é fácil nos esquecermos de que somos meros e limitados seres humanos. Todavia, o salmo também discorre sobre as nações lideradas por essas pessoas eminentes. As nações devem aceitar a responsabilidade pelas ações de seus líderes; ainda mais em uma democracia. Devemos, igualmente, aceitar a responsabilidade pelas formas desiguais de tratamento, com as quais algumas pessoas são beneficiadas em prejuízo de outras, talvez a maioria.

O outro lado da moeda é que Deus possui a capacidade de agir quando as pessoas fazem mau uso de suas posições de liderança. Deus deveria estar tomando algumas **decisões** contra essas pessoas. Em vez disso, Deus nada faz, permitindo que os eventos sigam o seu curso. Deus tem o poder de intervir no mundo, mas não o faz com frequência. Em certo sentido, o "por quê" da questão tem uma resposta. Deus delegou à humanidade a responsabilidade pelo mundo (Salmos 9—10, claramente, seguem o salmo 8, que faz essa afirmação). Os pais não intervêm toda vez que os seus filhos discutem; eles sabem que os filhos precisam aprender a resolver os conflitos por si mesmos. No entanto, às vezes a situação atinge um nível no qual a intervenção dos pais é imperativa. De modo similar, haveria um comprometimento do propósito de Deus em criar o mundo caso o Criador interviesse em todo e qualquer conflito, mas o salmo implica que não há problemas em se dizer a Deus: "NÃO VÊS QUE ESTA SITUAÇÃO REQUER A TUA INTERVENÇÃO?" O "por quê", presente no livro de Salmos, não é um pedido de informação, mas um desafio para agir. Deus pode estar exercendo a sua soberania lá nos céus, mas as decisões tomadas ali por Deus não fazem a menor diferença aqui embaixo, permitindo que os **infiéis** ignorem a soberania divina e vivam indiferentes a qualquer pensamento contrário.

O salmo mostra que é possível desafiar Deus para que ele puna as pessoas por seus delitos e transgressões, do mesmo modo que o Novo Testamento (veja a reação de Deus à súplica dos mártires, em Apocalipse 6). Uma vez mais, o Saltério reforça a ideia de que obter reparação é assunto de Deus, não nosso, mas que somos livres para incitar Deus a agir; dar a outra face não significa ser passivo em relação a Deus. Diante da perversidade dos opressores humanos e da recusa deles em reconhecer a divindade de Deus e desvalorizar outros humanos como seres inferiores, seria estranho dar de ombros e não pressionar Deus a derrotar o mal. E não se pode acusar as pessoas comuns, impotentes e humildes, de chegarem à mesma conclusão de seus poderosos opressores — Deus, simplesmente, não dá atenção ou se interessa pelo que acontece no mundo. É necessário que Deus faça alguma coisa a respeito!

O salmo duplo termina onde inicia, embora a renovada declaração de louvor tenha um significado distinto no novo contexto. O salmo 9 inicia-se com louvor baseado no que

Deus fez. O salmo 10 é encerrado com louvor que ignora o que Deus não está fazendo e o exalta pelo que ele irá fazer, em que pese não haver motivos para presumir que Deus fará deste um momento de intervenção. É quase como arriscar o próprio pescoço diante de Deus, ao desafiá-lo a não agir, e, assim, perder qualquer direito à descrição de Deus na derradeira linha.

SALMO 11
FUGIR OU FICAR?

Ao líder. De Davi.

1. Em Yahweh eu confio;
   como podem dizer:
   "Voe para as suas montanhas, pássaro,
2. pois eis que os infiéis direcionam os seus arcos,
   colocam as suas flechas contra as cordas,
   para, das sombras, atirarem nas pessoas que são retas de
      coração.
3. Quando as fundações colapsam,
   os fiéis — o que podem fazer?"

4. Yahweh em seu palácio santo;
   Yahweh cujo trono está nos céus —
   seus olhos veem,
      seu olhar examina os seres humanos.
5. Yahweh examina a pessoa fiel e a infiel;
   e aqueles que se entregam à violência —
   todo o seu ser se opõe a eles.
6. Ele faz chover brasas de fogo e enxofre sobre as pessoas
      infiéis;
   um vento abrasador é a porção em seu copo.
7. Porque Yahweh é fiel, ele se entrega a atos fiéis;
   a pessoa reta vê a sua face.

SALMO 11 • FUGIR OU FICAR?

Nessa primeira semana após a declaração de independência do Sudão do Sul, o presidente do Sudão discursou diante da assembleia nacional, quando o seu país, agora reduzido, inicia uma nova fase de sua vida. Ele a descreveu como uma "segunda república" que afirmará o estado de direito, a extensão da justiça, a garantia dos direitos dos cidadãos, a integridade e a responsabilidade nos gastos públicos. Um professor da Universidade de Cartum minimizou o discurso como mera tática designada a convencer a população de que as coisas irão mudar e que a administração não mais será vulnerável ao espírito revolucionário que tomou conta da Tunísia e do Egito. Seu comentário foi corajoso, pois, se estiver certo e houver alguma verdade nas acusações do Tribunal Penal Internacional (TPI), suas palavras o tornarão vulnerável à administração. Com frequência, essas vozes dissidentes consideram a saída do país como um ato de sabedoria.

Portanto, é possível imaginar os amigos desse professor tentando convencê-lo a voar como um pássaro. Eles sabem que a administração do país é **infiel** e que estará lançando algo mais poderoso do que flechas em sua direção. As montanhas são um lugar seguro para um pássaro; ele pode voar até um cume, fora do alcance das armas dos caçadores. Em uma sociedade humana, é sinal de que as fundações da ordem social colapsaram; quando os infiéis estão no controle e mantêm as pessoas de integridade sob a mira de suas armas. As coisas estão viradas de cabeça para baixo. O que uma pessoa **fiel** pode fazer?

Evidentemente, o professor responde que deveria ficar e resistir; ele não solicitou asilo político nos Estados Unidos e conseguiu emprego em um lugar seguro como o sul da Califórnia. Não sei se ele é um homem de fé e se essa fé o encorajou a assumir essa corajosa posição. No salmo, essa consideração predomina. Reconhecidamente, o salmista poderia interromper para dizer que falar sobre ser um homem de fé o coloca no caminho errado. A questão não é a fé, mas em quem essa fé é depositada. O salmo fala sobre fatos, não sobre fé. Com efeito, o salmista repreende os amigos que aconselham a fuga, relembrando-lhes alguns fatos sobre Deus. **Yahweh** está em seu palácio santo. Em outros contextos, seria possível pensar no templo em Jerusalém, o qual o Antigo Testamento, com frequência, chama de o palácio de *Yahweh*. Todavia, aqui o **paralelismo** mostra que o salmo está se referindo ao palácio celestial de Deus, a sede do governo nas alturas, no qual a corte de *Yahweh* se assenta.

A exemplo do salmo 5, esse salmo contrasta uma administração terrena ameaçadora com uma administração celestial muito mais impressionante. O fato de não conseguir vê-la, não a torna menos real e poderosa. Segundo Reis 6 nos relata uma ocasião na qual um exército veio para prender Eliseu, o profeta. Naturalmente, seu ajudante está muito assustado, mas Eliseu, imperturbável, pede a Deus para abrir os olhos de seu ajudante a fim de que ele veja a presença de um exército de cavalos e carros de fogo, cercando-os e protegendo-os. Os amigos do salmista fazem lembrar o ajudante de Eliseu; o salmista é capaz de ver coisas que são invisíveis a eles.

O fato de Deus estar nos céus pode sugerir que ele esteja alheio aos eventos deste mundo, mas o salmo opera com a lógica oposta. Em uma cidade como Jerusalém, o palácio está em seu ponto mais elevado, porém isso não significa que o rei vive isolado das pessoas comuns do seu povo. Significa que o rei está em posição de acompanhar o que está acontecendo na cidade e de adotar as ações devidas, para proteger os fracos e necessitados; o som se propaga melhor morro acima do que morro abaixo. Igualmente, *Yahweh* observa por entre as muralhas da cidade celestial, ele vê o que está acontecendo no mundo, aqui embaixo, e age em benefício dos fiéis e contra os infiéis.

Deus nem sempre age assim, e pode ser tentador pensar que ele jamais agirá. O salmista convida as pessoas a não cederam a essa tentação e nos convida a orar continuamente por pessoas como aquele professor, conclamando Deus a tornar as suas declarações em realidade.

SALMO **12**
DEUS FALA, ÀS VEZES

Ao líder. Em oitava [tom]. Uma composição de Davi.

1. *Yahweh*, livra-nos, porque as pessoas comprometidas se foram,
    porque as pessoas que são verdadeiras desapareceram dentre a humanidade.
2. Os indivíduos falam palavras vazias ao seu próximo;
    com lábios macios de uma mente dupla eles falam.
3. *Yahweh* deveria cortar todos os lábios macios,
    a língua que fala grande,
4. as pessoas que dizem: "Com nossa língua prevaleceremos:
    nossos lábios estarão conosco — quem será senhor sobre nós?"

5. "Por causa da destruição dos humildes,
    por causa do clamor dos necessitados,
  agora, eu me levantarei", diz *Yahweh*.
    "Tomarei a minha posição como libertador", ele lhes testifica.

6. As palavras de *Yahweh* são puras,
    prata purificada em uma fornalha no chão,
    refinada sete vezes.
7. *Yahweh*, tu as guardarás;
    nos protegerás da geração que dura para sempre —
8. por toda parte os infiéis andam por aí,
    quando a inutilidade é exaltada pela humanidade.

Antes de mudar para os Estados Unidos e ser um professor comum, eu era diretor de uma faculdade teológica na Inglaterra, uma posição que está entre os cargos de presidente, reitor e deão de seminário nos Estados Unidos, mas em uma escala muito menor. Tornei-me diretor na época em que a esclerose múltipla da minha primeira esposa começava a afetá-la mais do que quando ainda éramos jovens, quando iniciei o meu trabalho na faculdade. Fiquei sobremodo preocupado sobre como lidar com as duas responsabilidades; de cuidar do seminário e de Ann — do mesmo modo, suspeito eu, que alguns colegas e membros do conselho. Assim, comecei a orar sobre essa questão e penso que eles também, Então, durante o culto de posse, um de meus amigos recebeu esta palavra de Deus, endereçada a mim: "Farei do vento norte o seu calor, da neve a sua pureza, da geada o seu brilho e da noite de inverno a sua iluminação." Isso ficou mais do que provado durante os dez anos seguintes.

O salmo 12 possui uma dinâmica similar no sentido de que a mensagem de **Yahweh** é o ponto de virada, embora ela surja em uma situação distinta — no meu caso, não havia pessoas de mente dupla envolvidas, e a mensagem de Deus é diferente. O salmo começa com uma oração, relata uma palavra de Deus e, então, se encerra com uma resposta à palavra divina. No Antigo Testamento, inúmeras histórias manifestam essa mesma dinâmica (um problema, uma oração, uma palavra de Deus e uma resposta), embora esse seja quase o único exemplo dessa estrutura no livro de Salmos. Alguns manifestam a transição de uma oração urgente à confiança quanto à libertação de Deus (o salmo 6 é um exemplo), mas não revelam o que provocou a transição. Talvez o salmo registre apenas as palavras da pessoa que ora, não as palavras de Deus. Pode-se escrever o roteiro para as orações, mas não um roteiro para as palavras de Deus. Ou pode ser que as pessoas não recebam uma palavra de Deus com tanta frequência assim. Embora tenha havido outras ocasiões nas quais Deus deu, a outras pessoas, uma mensagem endereçada a mim, ou mesmo deu-me uma palavra para que eu a transmitisse a alguém mais, a ocasião da minha promoção a diretor foi a única na qual recebi uma mensagem em resposta a uma necessidade específica pela qual eu e outras pessoas estávamos orando. É possível que também fosse em um evento para os israelitas. Seja qual for o motivo da distinção presente no salmo 12, ela é digna de nota.

O salmo começa com uma situação similar a tantos outros incluídos no Saltério, embora possa ser uma oração de pessoas que não estão tão afetadas pessoalmente pela situação, a exemplo de outros salmos. Novamente, o salmista pressupõe uma sociedade na qual a ordem social está próxima de colapsar. Parece não haver mais ninguém de confiança, nenhuma pessoa com compromisso ou verdadeira o suficiente para que sua palavra seja confiável. As pessoas falam palavras macias e plausíveis; em circunstâncias regulares seria possível confiar nelas, mas você suspeita que falte substância no que elas dizem e nos planos que lhe oferecem. Elas são inconstantes e ambíguas — dão a impressão de que pretendem uma coisa, mas, na realidade, suas intenções são totalmente diferentes. São vigaristas e trapaceiras. Se não tiver cuidado, perderá a sua casa e a sua fazenda para elas.

Tais pessoas são muito espertas para serem derrotadas por uma pessoa comum e, portanto, são confiantes quanto a própria capacidade de alcançar os seus objetivos e de enganar o próximo. Não, uma pessoa comum não é capaz de derrotá-las. Desse modo, o salmista ora a Deus para lograr isso. Suas palavras são um problema, e Deus precisa fazer algo com a língua e os lábios dessas pessoas; ou seja, cortá-los fora. Isso solucionaria o problema. (O salmo não deveria ser considerado muito literalmente, a exemplo da instrução de Jesus para que as pessoas cortassem a própria mão; trata-se de uma forma enérgica de expressar: "Você tem de pará-las.")

Nesse ponto do salmo é que Deus responde — ou intervém, como podemos dizer. É possível orar o salmo no contexto de adoração, e sabemos de outras passagens do Antigo Testamento que pessoas com dons proféticos estavam envolvidas no ministério do templo. Podem ser sacerdotes, ministros assistentes (levitas) ou pessoas comuns. Deus dá a alguém a palavra que aparece no versículo 5. Deus estabelece o compromisso de agir para libertar a pessoa que está sob a opressão dos malfeitores. Enquanto há pessoas cujas palavras não são confiáveis, as palavras de Deus são puras; elas sobrevivem ao teste na fornalha, ao passo que as palavras dos vigaristas são reduzidas à escória.

A última parte do salmo apresenta a resposta da pessoa que ora. Trata-se de uma declaração de confiança na palavra de Deus e de confiança no futuro, uma posição diferente da expressa na parte inicial do salmo. A multidão de trapaceiros e desonestos que governa a cidade parece determinada a fazer isso para sempre, mas, agora, a pessoa que ora sabe que Deus a protegerá. O terceiro elemento na resposta é uma surpresa. Deus falou, e isso constitui o estágio um em uma resposta à oração; ao deixar o templo, o fato de Deus ter falado muda tudo. No entanto, igualmente não muda nada. A pessoa **infiel** ainda está andando por aí, cuidando de seus negócios desonestos, com a cabeça erguida, embora seja a personificação da inutilidade. Assim, uma resposta adequada à palavra divina é lembrar Deus para que ele aja de acordo com a sua promessa.

SALMO 13
ATÉ QUANDO? ATÉ QUANDO?
ATÉ QUANDO? ATÉ QUANDO?

Ao líder. Uma composição de Davi.

1. Até quando, *Yahweh*, irás me ignorar para sempre,
   até quando esconderás o teu rosto de mim?
2. Até quando devo guardar os planos [das pessoas] em meu espírito,
   [guardar] inquietação em meu coração o dia todo —
   até quando o meu inimigo se posicionará sobre mim?
3. Atenta, responde-me, *Yahweh*, meu Deus;
   concede luz aos meus olhos, para que eu não durma na morte,
4. para que o meu inimigo não diga: "Eu acabei com ele",
   [para que] os meus inimigos não celebrem a minha queda.

5. Mas eu mesmo confio em teu compromisso;
   meu coração celebrará a tua libertação.
6. Cantarei a *Yahweh*,
   porque ele fez tudo o que deveria ser feito por mim.

Quase na mesma época do episódio descrito em meu comentário sobre o salmo 12, eu tive um sonho ou uma visão — não estou bem certo do que era. Eu empurrava Ann em sua cadeira de rodas, por uma planície desértica, em direção ao horizonte. Era uma tarefa árdua, mas havia pessoas que se importavam conosco e que me ajudavam a empurrar a cadeira; na verdade, às vezes, elas me forçavam para fora do caminho para que empurrassem e eu apenas caminhasse. Então, como um espectador, fui elevado em uma plataforma hidráulica para observar aquela cena de cima, e daquela privilegiada posição vi que o horizonte estava muito distante e que a distância que eu teria de percorrer era muito maior do que poderia perceber no nível do chão, embora soubesse que tudo ficaria bem, pois eu tinha aqueles ajudantes. Em retrospectiva, agora sei que o horizonte estava bem mais distante do que podia imaginar — eu empurrei a cadeira de rodas por vinte anos. Apesar do auxílio, com frequência questionei: "Até quando?" Olhando para trás, fico feliz por não saber a resposta, pois não estou certo se sobreviveria com esse conhecimento.

Eu não diria que Deus me ignorou ou que escondeu o seu rosto de mim durante aqueles vinte anos, no sentido que essas expressões possuem no pensamento ocidental. Eu sabia que Deus estava comigo; que era como um pai, um professor ou um técnico, deixando que o seu filho, aluno ou pupilo seguisse avançando naquela árdua tarefa, e Deus estava me observando, não me ignorando. Contudo, no sentido que essas expressões possuem no pensamento bíblico, sim, Deus estava me ignorando e escondendo o seu rosto de mim, na medida em que ele estava se recusando a agir para me aliviar e curar Ann (embora Deus estivesse envolvido conosco de outras formas, não apenas por meio das pessoas que nos ajudavam). Essa é a experiência que o salmista tem em mente.

O pano de fundo do salmo é a hostilidade de outras pessoas em lugar da enfermidade de uma pessoa amada, mas ele suscita questões sobrepostas. Ele sugere a ciência de que outras pessoas, poderosas, estão tramando o mal, talvez alguma forma de enganar a família e expulsá-la de sua propriedade. A preocupação associada com essas realidades domina o pensamento da pessoa. Uma vez mais, a história de Nabote (1Reis 21) ilustra o cenário sugerido pelo salmo. Lá, expulsar alguém de sua terra mediante trapaça, de fato, significou a morte dessa pessoa; "acabaram com ela".

Até quando? Até quando? Até quando? Até quando? O salmo é escrito para alguém que enfrenta uma longa jornada e o desafia a continuar confiando no **compromisso de** *Yahweh* e permanecer na expectativa de celebrar a **libertação** de *Yahweh*. O salmo o desafia até mesmo a falar sobre o momento em que ele cantará a *Yahweh* porque ele *agiu* em livramento, fez aquilo que, no momento, ainda não se pode ver. Uma coisa é afirmar ter confiança no compromisso de Deus; outra coisa é agir como se a libertação já tivesse ocorrido. O salmo, lindamente, justapõe dois usos do verbo "regozijar" ou "celebrar". Os inimigos imaginam que irão celebrar. O salmo desafia a pessoa a orar crendo que é ela quem irá celebrar.

SALMO 14
O QUE UM TRAPACEIRO DIZ A SI MESMO
Ao líder. De Davi.

1. Um trapaceiro diz a si mesmo:
    "Deus não está aqui.
    As pessoas se tornaram corruptas, repugnantes em suas ações;
    não há ninguém que faça o bem aqui."

2. Dos céus, *Yahweh* olha para a humanidade aqui embaixo
    para ver se há alguém discernente,
    buscando por Deus.
3. Todos se desviaram, juntamente se corromperam;
    alguém que faça o bem não está aqui.
4. Não reconhecem [*Yahweh*] todos aqueles que praticam a maldade? —
    as pessoas que comem o meu povo como comem comida;
    elas não clamam a *Yahweh*.
5. Eis que experimentarão um terror temível,
    pois Deus está na companhia dos fiéis.

⁶ Podem desacreditar o plano da pessoa humilde,
  mas *Yahweh* é o refúgio dela.

⁷ Se somente a libertação de Israel viesse de Sião!
  Quando *Yahweh* restaurar a sorte de Sião,
  Jacó regozijará; Israel celebrará!

Nas décadas finais do século XX, houve um movimento, denominado carismático, que enfatizava o sentir da presença de Deus e a realidade perceptível da palavra e do agir de Deus na cura de pessoas. Um dos meus superiores contrastou essas percepções com o que ele chamou de teologia "Deus--na-galeria". Com frequência, os cristãos retratam Deus como realmente existente e preocupado conosco, embora sem estar, de fato, envolvido no mundo. É como se ele permanecesse sentado na galeria da igreja, nos observando com preocupação, mas de braços cruzados. O movimento carismático testificou o envolvimento e o agir de Deus, não apenas o seu olhar.

O trapaceiro do salmo 14 possui uma teologia "Deus--na-galeria". A palavra hebraica é, em geral, traduzida por "tolo", o que não está totalmente equivocado, mas existem outros termos para "tolo" e, no original, a palavra tem mais a conotação de "patife" e "salafrário". Primeiro Samuel 25 relata a história de um próspero, porém truculento, criador de ovelhas, chamado Nabal, que não foi sensível o suficiente para perceber que seria sábio reverenciar Davi, um fora da lei bem-sucedido; *nabal* é essa palavra para "trapaceiro estúpido". As traduções também apresentam o trapaceiro no salmo declarando que "Deus não existe", mas isso transmite uma impressão equivocada. Em uma sociedade tradicional, como Israel, o ateísmo ainda não havia sido elaborado. A observação do desonesto diz respeito a se Deus está por perto ou não, se Deus está envolvido, não se ele existe ou inexiste.

Embora o comentário sobre as pessoas se tornarem corruptas possa ser do próprio salmista, eu o considerei como um complemento da observação do trapaceiro. Ele expressa o seu ceticismo, ou talvez a sua desilusão ou racionalização, quanto ao próprio comportamento. Quando ele olha ao redor de seu mundo, o desonesto consegue apenas ver corrupção. Não há ninguém que faça o bem aqui, e Deus não está presente; ele nada faz a respeito disso. Trata-se de uma declaração maliciosa; o seu cinismo enfraquece o compromisso com uma ordem adequada na sociedade.

Não obstante, o próprio salmo parece isentar o salafrário por sua desilusão com Deus. O texto retrata Deus olhando dos céus para a terra, aqui embaixo, que fica muito mais distante do que uma simples galeria de igreja. Além disso, a avaliação da situação na comunidade humana, por parte de Deus, é a mesma do desonesto. Com certa ironia, Deus observa que não há ninguém com discernimento — em outras palavras, todos são tolos, não apenas a pessoa sobre a qual o salmo, inicialmente, fala. Não há ninguém que consulte, que busque a Deus, que pergunte o que ele está fazendo, que o desafie a se envolver — é disso que o desonesto insensato desistiu. As pessoas não reconhecem Deus ou a realidade sobre as suas próprias ações. Elas são capazes de devorar pessoas impiedosamente (ou seja, tomar posse de suas propriedades e de seus rebanhos), e, então, desfrutar dos lucros sem pensar duas vezes, a exemplo de um assassino de aluguel, que desfruta de um lauto jantar após realizar a sua missão.

O salmista também concorda com o desonesto sobre como as coisas estão, embora, ainda assim, se recuse a abrir mão da fé no envolvimento de Deus com este mundo: "Eles experimentarão um terror temível" — literalmente, "eles tremerão de medo". Como se fosse um profeta, o salmista fala sobre algo que ainda irá ocorrer, embora fale como se já tivesse acontecido, tão certo está disso. Os opressores estão consumindo a companhia daqueles que pertencem a *Yahweh*, a companhia dos **fiéis**, pessoas que têm a presença de Deus em seu meio. Deus não está meramente na galeria, mas está no chão, no meio da congregação. "Pois onde se reunirem dois ou três em meu nome, ali eu estou no meio deles" (Mateus 18:20). Os seus opressores estão brincando com fogo. O salmo, então, fala diretamente a esses opressores (não é preciso imaginar que estejam presentes, embora possam estar). Eles podem desprezar as esperanças do humilde, mas a confiança em *Yahweh* supera esse desprezo.

O salmo termina como o salmo 12; as declarações de confiança levam a uma súplica final — mais precisamente, a um desejo final — que pressupõe a realidade de como as coisas estão agora. Pode implicar que o trapaceiro não seja um israelita, mas o líder de outro povo que está oprimindo Israel. Todavia, em **Sião é** que *Yahweh* está entre a companhia dos fiéis. A presença de Deus ali é garantia da esperança de que virá um tempo de júbilo.

SALMO 15
COMO HABITAR COM DEUS

Uma composição de Davi.

1. *Yahweh*, quem pode permanecer em tua tenda,
   quem pode habitar em teu santo monte?

2. A pessoa que anda com integridade, e age com fidelidade,
   e fala a verdade em seu coração.

3. Ele não segue por aí falando,
   não faz mal ao seu companheiro,
   não lança injúrias contra o seu próximo.

> ⁴ Aos seus olhos, uma pessoa desprezível é abominável,
> mas ele honra o que tem temor de *Yahweh*;
> que jurou e teve problemas, mas não mudou isso.
> ⁵ Ele não empresta o seu dinheiro com juros
> nem aceita suborno contra o inocente —
> aquele que faz essas coisas não vacila para sempre.

Tenho me correspondido por *e-mail* com uma aluna que vive em Cabul, quanto ao significado de "santidade". O contexto no qual ela vive suscita um problema estranho. Os cristãos ocidentais com quem ela trabalha são pessoas sinceras, fiéis, misericordiosas e pacíficas. No entanto, quando eles professam sua fé aos afegãos, enfatizam sobremodo a instrução divina para sermos justos, apesar da nossa pecaminosidade, que não criam expectativas de que a graça perdoadora de Deus nos transformará. Eles fazem parecer que viver uma vida moral seja opcional, algo muito confuso para um muçulmano. Ela diz: "Nossa vida e nossas palavras não estão sincronizadas." Em outras regiões do mundo, igualmente, o nosso instinto cristão é o de manter a religião e a moralidade em compartimentos separados; pode haver conflitos e calúnias entre os membros de uma congregação, mas eles não se sentem desconfortáveis em continuar cultuando (possivelmente, bem distantes). Pessoas envolvidas em casos de fraude e corrupção, em larga escala, e em assassinatos, com frequência, tornam-se membros respeitados de igrejas cristãs.

O livro de Salmos começou com um lembrete de que as pessoas não devem separar o louvor e a oração da questão de viver de acordo com a **Torá**. A ênfase do salmo não repousou sobre os sentimentos que temos em relação a Deus. Repetir o ensino da Torá e viver por seus preceitos deveria acompanhar o culto a Deus. Agora que já lemos alguns salmos dessa expectativa expressa no salmo 1, o Saltério nos lembra desse ponto novamente, para o caso de imaginarmos que honrar a Deus em louvor ou oração seja possível sem honrá-lo em nossas relações com outras pessoas e em nossa vida como membros da sociedade.

Embora a menção sobre a tenda e o monte de **Yahweh** possa nos levar a pensar em um lugar concreto como o monte Sinai ou o monte **Sião**, a referência a permanecer e a habitar sugere que o salmista tem algo mais amplo em mente. "Permanecer" é a palavra para passar a noite em algum lugar (no hebraico moderno, o termo dá origem à palavra para um hotel). Da mesma forma, habitar sugere permanecer em algum lugar por certo período. Embora as pessoas possam, às vezes, acampar durante a noite no Sião, não há indicações de que essa fosse uma prática regular. Entretanto, os Salmos também discorrem sobre a habitação de Deus em um sentido mais amplo, uma realidade menos focada, a presença de Deus que era uma realidade em toda a terra de Israel.

Estar na tenda ou permanecer com alguém implica residir em um lugar de segurança e de provisão. Assim, que espécie de pessoa você deve ser para desfrutar da segurança de viver na tenda de Deus? A resposta vem em uma sequência incomum de versículos com três linhas. O **paralelismo** não funcionará com essa estrutura. Os versículos nos surpreendem com a terceira linha e, assim, nos fazem refletir um pouco mais.

Primeiro, usufruir de segurança com Deus significa ser caracterizado pela integridade. Literalmente, você é alguém que "caminha inteiro". Há uma consistência moral, uma constância e uma estabilidade sobre você. Isso se expressa por meio da **fidelidade** em suas ações; igualmente, implica uma uniformidade entre o seu exterior e o seu interior. Você fala a verdade em seu coração; as suas ações e o seu pensamento concordam; você não pensa de um jeito e age de outro.

Em segundo lugar, você não sai por aí falando sobre outras pessoas (lit., não sai com sua língua comprida por aí). O ponto é esclarecido pelo que vem a seguir. Você não usa a sua língua para causar mal a outro habitante de sua vila — por exemplo, mentir sobre alguém para roubar a sua terra ou os seus rebanhos. Não se deve usar a língua para acusar falsamente o seu próximo.

Terceiro, isso significa discernir a forma pela qual você se relaciona com outras pessoas à luz de sua própria posição moral. Se alguém angariou o desprezo da comunidade por tal ação, você não deve fazer vistas grossas e, certamente, não deve honrá-lo. As pessoas que você deve honrar são aquelas que reverenciam *Yahweh* em palavras e ações. E, quando se compromete a garantir que os malfeitores paguem por seus delitos, você não deve reconsiderar e deixá-los impunes, para não encorajar outras pessoas a presumir que possam sair livres de seus malfeitos.

Quarto, você é diligente com o que faz com as suas próprias posses. Por um lado, deve ser generoso ao emprestar dinheiro, sem a cobrança de juros, por exemplo, a pessoas que tiveram uma colheita ruim e não têm mais sementes para plantar ou alimentos para consumir no ano seguinte. Por outro, ao se envolver em uma disputa na comunidade, não deve usar a sua riqueza para obter uma decisão favorável dos anciãos por meio de suborno a uma testemunha. E, simplesmente, não mantém essa posição no curto prazo. O derradeiro elemento de definição pertence ao último dos versículos de três linhas, mas não seria surpresa caso o salmista o aplicasse a todas as restrições do salmo.

SALMO 16
O SEGREDO DA VIDA

Uma inscrição. De Davi.

1 Cuida de mim, Deus,
   pois confio em ti.
2 Eu disse a respeito de *Yahweh*:
   "Meu Senhor, tu és o meu bem, não há nenhum acima
      de ti",
3 aos santos que estão na terra,
   e aos líderes em quem está todo o meu deleite.

4 As dores delas serão muitas,
   as pessoas que servem a outro [deus].
  Não derramarei as suas libações de sangue;
   não levarei os seus nomes aos meus lábios.

5 *Yahweh* — minha partilha, meu cálice,
   tu és aquele que mantém a minha porção.
6 Partilhas caíram para mim em lugares amáveis;
   sim, a propriedade é perfeita para mim.
7 Adorarei *Yahweh*, que me guia;
   sim, de noite, o meu coração me corrige.
8 Estabeleci *Yahweh* diante de mim continuamente.
   Por [ele estar] à minha direita, não vacilarei.
9 Portanto, o meu coração se regozija, e o meu espírito
      celebra,
   sim, a minha carne habitará em segurança,
10 pois tu não abandonarás a minha vida no Sheol,
   não permitirás que alguém comprometido contigo veja
      o Abismo.
11 Farás conhecida a mim a vereda para a vida;
   alegria plena estará com o teu rosto,
   coisas belas à tua destra para sempre.

Como resultado de um exame de rotina, recentemente fui diagnosticado com câncer de próstata. Muito provavelmente, o câncer não se desenvolveria em algo ameaçador à minha vida antes que eu morresse por alguma outra causa, e, assim, talvez eu decidisse não fazer nada a respeito. No entanto, a descoberta ocorreu logo após eu ter conhecido, me apaixonado e pedido alguém em casamento. Antes disso, poderia sentir que havia tido uma vida boa e de razoável longevidade e que poderia abrir caminho para alguém mais (embora, idealmente, gostaria de completar a série *Antigo Testamento para todos*). Mas, agora, eu tinha motivos para reavaliar essa visão. Com efeito, começamos a orar para que Deus não abandonasse a minha vida no **Sheol** e concordamos em que eu deveria passar por um procedimento médico relevante para que, seja qual for a causa da minha morte, o câncer de próstata não esteja entre as opções.

Quando o Novo Testamento fala sobre Deus não abandonar a vida de Jesus no Sheol, isso significa que Deus não permitiu que Cristo permanecesse morto. Ao usar a mesma linguagem, o salmo quer dizer que Deus não permitirá que a pessoa morra. O Antigo Testamento não se importa que todos nós, eventualmente, terminemos no Sheol, pois é o lugar para onde iremos após a morte. Não se trata de um lugar de sofrimento, mas de alívio dele. Pode ser um pouco entediante, mas nada é perfeito. Pelo menos, essa é a visão do Antigo Testamento em relação a alguém que foi capaz de ter uma vida plena. O livro de Salmos não se opõe à ideia de você terminar no Sheol após ter a oportunidade de viver plenamente. Essa possibilidade é o foco no salmo 16.

Quando eu e a minha esposa despertamos a cada manhã, desfrutamos de nossa xícara de chá e proferimos as orações matutinas da família presentes no formulário episcopal.

Onde há oportunidade de expressar as nossas próprias orações, normalmente a minha esposa agradece a Deus pelo novo e maravilhoso dia que ele nos permite compartilhar. Cada novo amanhecer é uma oportunidade de recomeço com Deus. Ela adota a mesma atitude em relação à vida presente no encerramento do salmo 16, quando fala da vereda da vida e da alegria plena por meio de viver diante da face de Deus e desfrutar das belas dádivas que estão à destra dele durante toda a nossa existência. Não é uma referência a uma vida após a morte (a única expectativa depois da morte é o Sheol, o que não é ruim, porém tampouco é esplêndido); trata-se de uma menção às maravilhas desta vida que Deus nos deu para desfrutar.

Dietrich Bonhoeffer, o teólogo alemão e mártir, em sua obra *Resistência e submissão* [São Leopoldo, RS: Sinodal, 2003], afirmou que o motivo de Deus não revelar a Israel que haveria uma vida ressurreta é que, ao tomarem conhecimento desse fato, os israelitas deixariam de levar a sério esta vida. A história da igreja mostra que ele estava certo. Claro que a nossa falha em viver com seriedade esta vida era ilógica; o Novo Testamento declara que a nossa vida eterna envolve a ressurreição do corpo. Será uma nova forma desta vida, não uma vida eterna incorpórea para uma alma sem corpo. Isso também é ilógico, pois Deus criou a nossa vida corporal terrena e, presumivelmente, ela é do agrado de Deus.

O salmo sabe que, se você deseja desfrutar uma vida plena neste mundo material, agirá com sabedoria ao olhar para o Deus que planejou esta vida corporal para nós. Contudo, é tentador olhar para outras direções. Em Israel, a tentação era olhar para outros deuses, oferecer libações de sangue (i.e., oferecer sacrifícios que envolviam o derramamento do sangue do animal), clamar, confiar neles e vê-los como aqueles que davam coisas boas. O salmista tem ciência de que esse caminho leva a problemas, não à plenitude. A pessoa que ora precisa assumir um compromisso público e exclusivo com **Yahweh** diante dos santos na terra (i.e., as demais pessoas que pertencem ao povo santo de Deus) e dos seus líderes (que detêm a responsabilidade de manter o olho aberto em relação aos que se voltam a outros deuses). Às vezes, o pano de fundo pode ser a acusação de que um israelita buscou outros deuses, e essa declaração constitui um solene caso de negação de apostasia. A declaração confirma a confissão em Deuteronômio 5 sobre *Yahweh* ser o nosso único Deus, mas fornece meios adicionais de fazer essa declaração publicamente. Portanto, isso ajuda a fortalecer o compromisso, além de lembrar quão belo ele é. A maneira distinta de o salmo estabelecer o ponto é dizer que eu sempre terei o meu olhar fixo em *Yahweh*, ou (mesclando metáforas) eu sempre terei *Yahweh* à minha direita. Tenho confiança de que ficarei bem não porque secretamente busquei o socorro de outros deuses, mas porque confio em *Yahweh*, aquele que me guia, aquele cuja voz eu ouço na escuridão da noite, quando algumas pessoas, em segredo, olham em outras direções. É possível que a expressão pública do compromisso torne mais difícil cair em uma apostasia secreta.

A apostasia podia significar a perda à sua partilha da terra. O salmo usa a imagem de cada família israelita possuindo uma alocação ou porção dentro da terra prometida como um todo. Essa é a minha partilha, o meu cálice, a minha locação, a minha porção, a minha propriedade. Ela é bela e preciosa para mim. Todo israelita seria capaz de fazer essa declaração — isso não sugere que a minha terra é melhor que a de outras pessoas. Mas ela é minha e, portanto, preciosa, bela e perfeita para mim. O salmo nos lembra que temos um lugar lindo em uma terra prometida nesta vida, não apenas na vida ressurreta.

SALMO 17
VÁ EM FRENTE, OLHE O MEU CORAÇÃO
Uma súplica. De Davi.

1. Ouve em fidelidade, *Yahweh*, atenta ao meu ressonante clamor;
    dá ouvidos à minha súplica em lábios que não são enganosos.
2. Que uma decisão venha para mim da tua presença;
    que os teus olhos contemplem o que é reto.
3. Se tivesses provado o meu coração, me visitado à noite, me testado, não terias encontrado [nada] —
    decidi que a minha boca não transgrediria.
4. Quanto às ações humanas, de acordo com a palavra dos teus lábios,
    eu, de fato, evitei os caminhos do ladrão.
5. Os meus passos se mantiveram em teus rastros,
    os meus pés não vacilaram.
6. Eu mesmo clamo a ti, pois me responderás, Deus;
    inclina os teus ouvidos a mim, ouve a minha palavra.
7. Aja maravilhosamente com atos de compromisso,
    tu, que livras os que confiam em ti
    das pessoas que se levantam contra elas, por tua mão direita.

8. Protege-me como a menina dos teus olhos,
    esconde-me à sombra das tuas asas
9. dos infiéis que me assaltam,
    dos inimigos da minha vida que me cercam.
10. Eles fecharam o coração,
    com sua boca falaram grandiosamente.
11. Nossos passos — eles, agora, nos cercaram;
    os seus olhos — eles os estenderam sobre todo o país.
12. Sua aparência é como a de um leão que está ávido a rasgar,
    como um grande leão que se senta à espreita.

> ¹³ Levanta-te, *Yahweh*, confronta-o,
>   derruba-o!
>   Resgata a minha vida da pessoa infiel com a tua espada,
> ¹⁴   dos seres humanos com a tua mão, *Yahweh*.
>   Dos seres humanos, durante a existência deles, com a
>   porção deles em vida
>   e com o que armazenaste, enche o ventre deles.
>   Os seus filhos serão cheios,
>   e deixarão o que lhes sobrar aos seus pequeninos.
> ¹⁵ Mas, quando contemplar o teu rosto em fidelidade,
>   estarei completo com a tua forma quando despertar.

De tempos em tempos, a minha esposa me pergunta o que estou pensando. Ela precisa fazer isso porque, embora instintivamente ela me conte o que está pensando, não sou muito bom nisso. Todavia, sempre é uma pergunta potencialmente assustadora. Ocasionalmente, posso estar pensando em algo que poderia ser doloroso ou me colocar em apuros. Eu, então, tenho de decidir se conto a verdade ou minto. Contudo, às vezes, ela consegue ver através de mim. Agora mesmo afirmei ter esquecido tudo o que ocorreu antes de nos casarmos, seis meses atrás, e ela respondeu: "Essa é a maior mentira de todos os tempos." A Bíblia deixa claro que Deus pode esquadrinhar o nosso interior, mas isso também implica que Deus nem sempre escolhe fazer isso, pois o texto indica que ele tem surpresas e, especialmente, desapontamentos — embora nada com o qual não possa lidar.

Que espécie de ser humano você precisa ser para estar confortável com a ideia de Deus provar o seu coração — isto é, de ele olhar o seu íntimo e examinar o seu pensamento, de Deus visitá-lo à noite, quando os outros não podem ver o que você está fazendo para que possa sair impune de atos dos quais não sairia à luz do dia? Ou, com a noção de ser testado por Deus? O salmista usa a palavra para o refino da prata, que é submetida a temperaturas elevadas com o fim de revelar e remover a escória, as impurezas. Para passar por esse teste, esse exame e essa análise com a confiança de que nada vergonhoso será revelado é preciso ser uma pessoa que já olhou com resolução para a sua própria vida e não se escondeu da verdade sobre si mesma. Um dos desafios presentes no livro de Salmos é quanto a sermos capazes de fazer esse exame e de poder reivindicar sermos pessoas de compromisso — o que não significa ser sem pecado, mas termos uma vida com a orientação adequada.

Ser essa pessoa, com frequência, é o pano de fundo para as orações que o livro de Salmos nos oferece. Portanto, o presente salmo apela à **fidelidade** e ao **compromisso** de Deus, um pedido que pode ser feito apenas se você puder reivindicar que a fidelidade e o compromisso com Deus caracterizam a sua própria vida (a ideia de ser a menina dos olhos de alguém é poder ver a própria imagem nos olhos da outra pessoa). Não há nenhum sentido em apelar para **libertação** como alguém que confia em ***Yahweh***, a não ser que essa confiança seja genuína e não seja depositada em outros deuses — na cultura ocidental, nós mesmos podemos ser o deus no qual confiamos. Expressando de modo mais concreto, o salmo fala de ser como um filhote de pássaro protegendo-se sob as asas da mãe. Quanto às relações com outras pessoas, não faz sentido pedir a Deus para honrar a retidão, a não ser que você seja uma pessoa reta, e, igualmente, solicitar proteção dos ladrões se você mesmo é um deles.

O cenário nas súplicas do livro de Salmos, com frequência, parece ser o da falsa acusação. Alguém cobiça a sua fazenda e "se levanta contra você", inventando uma história sobre roubo ao rebanho dele ou sobre você cultuar outros deuses, colocando, portanto, sua vida em perigo. A troca entre "eu" e "nós", no salmo, permite supor que a pessoa acusada seja o cabeça da família, e, consequentemente, a vida de toda a família é ameaçada pela acusação. Por outro lado, a troca entre "eles" e "ele" sugere haver uma conspiração de acusadores, mas também um líder conspirador. A família sente-se cercada por assaltantes agindo segundo ambições grandiosas, com seus olhos cobiçando assumir o controle sobre todas as fazendas da região. A forma pela qual alguns profetas, como Isaías, se expressam implica que esses temores não são exagerados.

O salmo apresenta a Deus um desafio final. Ele deve derrubar os assaltantes e suas respectivas famílias. O plano deles é tomar o único lote de terra que a família inocente tem na vida. O salmista usa a imagem de uma "porção" ou "cota" e a usa em mais de uma forma sinistra. Deus, certamente, tem uma "porção" armazenada para pessoas infiéis: bem, Deus deveria enchê-las e a suas respectivas famílias com ela. Não é uma oração bela, mas, a exemplo de outros salmos, deixa o julgamento para Deus e fornece aos que se sentem impotentes e assustados alguma direção para ir com o medo e o desamparo deles. Isso os capacita a visualizar um cenário mais encorajador do que a realidade que os confronta. Eles podem imaginar ver o rosto de Deus radiante de amor e de fidelidade por eles, vindo resgatá-los; podem sonhar em despertar de manhã como se começassem uma vida nova, após sonhar com um pesadelo, e perceberem que, na verdade, viram a ação pessoal de Deus, libertando-os, com o fim de sentirem uma satisfação plena, muito distinta daquela experiência que sobrevém aos seus assaltantes.

SALMO **18:1-24**
PROVAVELMENTE, TODOS JÁ FOMOS, ALGUMAS VEZES, RESGATADOS DA MORTE

Ao líder. De Davi, servo de Yahweh, quando ele falou a Yahweh as palavras deste cântico no dia em que Yahweh o livrou das mãos de todos os seus inimigos e das mãos de Saul. Ele disse:

1 Entrego-me a ti, *Yahweh*, minha força,
2   *Yahweh*, minha rocha, minha fortaleza, meu resgatador,
  meu Deus, meu rochedo, em quem confio,
    meu escudo, o chifre que me liberta, meu refúgio.
3 Como alguém a ser adorado, clamei a *Yahweh*,
    e dos meus inimigos encontrei libertação.
4 As cordas da morte me envolveram,
    E as torrentes de Belial me sobrepujaram.
5 As cordas do Sheol me circundaram,
    E as armadilhas da morte me confrontaram.
6 Em minha aflição, clamei a *Yahweh*,
    gritei por socorro ao meu Deus.
7 E a terra estremeceu e vibrou,
    as fundações das montanhas se abalaram.
  Elas balançaram porque ele se enfureceu;
8   fumaça subiu em sua ira.
  Fogo consumidor surgiu de sua boca,
    brasas ardentes saíram dele.
9 Ele espalhou as nuvens e desceu,
    nuvem de tempestade debaixo de seus pés.
10 Montou em um querubim e voou,
    mergulhou nas asas do vento.
11 Fez das trevas o seu cenário,
    abrigou-se de nuvens de chuva, massas de névoa.
12 Do brilho que havia diante dele,
    através das massas, passaram granizo e brasas ardentes.

¹³ *Yahweh* trovejou nos céus,
   o Altíssimo emitiu a sua voz.
Granizo e brasas ardentes:
¹⁴ ele lançou as suas flechas e os espalhou,
   disparou relâmpagos e os derrotou.
¹⁵ Correntes de água apareceram,
   as fundações do mundo ficaram à vista
ao teu rugido, *Yahweh*,
   com a rajada do teu irado sopro.

¹⁶ Ele mandou do alto para que pudesse me pegar,
   resgatou-me de grandes águas.
¹⁷ Salvou-me do meu forte inimigo,
   de pessoas que estavam contra mim,
   porque eram mais fortes do que eu.
¹⁸ Elas me confrontaram no dia da minha calamidade,
   mas *Yahweh* tornou-se um amparo para mim.
¹⁹ Trouxe-me a um lugar espaçoso;
   resgatou-me porque deleita-se em mim.
²⁰ *Yahweh* lidou comigo de acordo com a
   minha fidelidade;
de acordo com a pureza das minhas mãos
   ele me recompensou,
²¹ pois guardei os caminhos de *Yahweh*
   e não fui infiel ao meu Deus,
²² porque todas as suas decisões estão diante de mim;
   suas leis não afastei de mim.
²³ Tenho sido uma pessoa de integridade para com ele;
   tenho me guardado da minha transgressão.
²⁴ Portanto, *Yahweh* me recompensou de acordo com a
   minha fidelidade,
de acordo com a pureza das minhas mãos diante
   dos seus olhos.

Minha esposa e eu sofremos com quatro ou cinco enfermidades que nos teriam matado, caso vivêssemos na maioria dos contextos da história humana. Nós dois tivemos apendicite, que nos mataria sem a intervenção médica adequada. A apendicite da minha esposa, então, transformou-se em algo ainda mais desagradável, o que também poderia ter causado a sua morte. Ela quase morreu durante o parto de sua filha. Este ano, fui diagnosticado com uma doença que, no passado, seria uma grande ameaça à minha vida. Um dos meus filhos também teve apendicite, além de uma peritonite, na adolescência; o outro, recentemente, desenvolveu diabetes. No Ocidente, consideramos que a medicina pode lidar com todas essas enfermidades ou eventos, os quais, caso vivêssemos na maioria dos outros contextos, provavelmente nos levariam à morte, mas preferimos não pensar muito a respeito disso.

Seria adequado falarmos nos termos utilizados por esse salmo. De tempos em tempos, as cordas da morte nos enredaram, as torrentes de Belial nos subjugaram, as amarras do **Sheol** nos envolveram e fomos confrontados pelas ciladas da morte. O salmista está falando sobre **libertação** do ataque inimigo, mas a ameaça de morte é a mesma. As cordas da morte nos envolveram, decerto, mas nós, que sobrevivemos, podemos dizer: "Deus resgatou-me de grandes águas; Deus me salvou do meu forte inimigo."

Não surpreende o fato de o salmista nos convidar a dizer: "Entrego-me a ti, **Yahweh**." As traduções, em geral, apresentam: "Eu te amo", mas o verbo não é uma palavra regular para amor — na realidade, essa é a única vez que o termo aparece com esse sentido no texto bíblico (a bem da verdade, é difícil encontrar passagens na Bíblia nas quais as pessoas dizem que amam a Deus). Isso sugere um ato de compromisso mais do que uma emoção — embora o salmo indique que envolve muito sentimento. O salmista segue expressando todas as palavras imagináveis para descrever Deus como protetor, preservador e resgatador. Ao sermos ameaçados pela morte, necessitamos de algo a que nos agarrar, e Deus é essa realidade. No salmo em questão, não se trata de uma mera esperança ou convicção de fé, mas uma realidade provada.

Assim, o salmo pode prosseguir dando um testemunho sobre o resgate de Deus. E o faz com um retrato admirável da ação divina. O ato de Deus foi tão extraordinário que Deus pareceu mergulhar dramaticamente dos céus. O poder de uma nuvem de tempestade do Oriente Médio fornece uma imagem para dar uma ideia adequada do evento. As nuvens sugerem a realidade da presença de Deus e também representam uma proteção à nossa visão por causa do esplendor da presença divina. É fácil ter uma visão calorosa e, ao mesmo tempo, difusa de Deus como nosso amigo. O trovão que parece abalar a terra sugere o impactante efeito da ação de Deus no mundo. O relâmpago representa a natureza devastadora e ardente da intervenção divina para derrotar a maldade. A chuva torrencial sugere a perturbação da separação entre as águas e a parte seca da terra, estabelecida na criação.

O objetivo de um testemunho é glorificar a Deus. Salmos de testemunho também são expressões de ações de graças a Deus, mas caso desejarmos, simplesmente, agradecer a ele, podemos fazê-lo em silêncio. Não é necessário haver um ouvinte. Expressar a nossa gratidão em voz alta apenas possibilita o compartilhamento de outras pessoas e, assim, torna-se um ato de louvor coletivo. Toda a comunidade se alegra em Deus pelo que ele fez por alguns de seus membros. Além disso, descrever um salmo como sendo de testemunho reflete como a ação de Deus em benefício de outra pessoa também atua para me encorajar, pois sugere o que Deus pode fazer por mim. O salmo opera como agente encorajador para que toda a comunidade se volte a Deus como o nosso único refúgio e fortaleza quando a morte nos ameaçar antes do nosso tempo.

SALMO **18:25-50**
AUTOCONHECIMENTO OU AUTOENGANO

25 Ao comprometido, tu mostras compromisso;
   ao homem íntegro, tu mostras integridade.
26 Ao puro, mostra-te puro;
   ao trapaceiro, mostra-te antagônico.
27 Pois tu és aquele que livra uma pessoa humilde,
   mas derruba aqueles cujos olhos são superiores.
28 Porque tu és aquele que mantém a minha lâmpada acesa;
   Yahweh, meu Deus, ilumina as minhas trevas.
29 Pois contigo posso avançar contra uma barricada;
   com o meu Deus posso pular uma muralha.
30 Deus: o seu caminho tem integridade;
   a palavra de *Yahweh* é provada.
   Ele é um escudo para todos os que nele confiam.

31 Pois quem é Deus além de *Yahweh*?
   Quem é um rochedo, exceto o nosso Deus?
32 Deus é aquele que me cinge com força
   e endireita o meu caminho,
33 que torna os meus pés como os da corça
   e me capacita a ficar nas alturas,
34 que treina as minhas mãos para a batalha
   para que os meus braços possam vergar um arco de bronze.
35 Deste-me um escudo que seria a minha libertação;
   tua mão direita me sustenta, a tua resposta me fez grande.
36 Aos meus passos, tu dás espaço sob mim,
   e meus tornozelos não cederam.

SALMO 18:25-50 • AUTOCONHECIMENTO OU AUTOENGANO

³⁷ Persigo os meus inimigos e os ultrapasso;
    e não volto até ter acabado com eles.
³⁸ Eu os atinjo para que não possam ficar em pé;
    eles caem debaixo dos meus pés.
³⁹ Pois tu me cingiste de força para a batalha;
    e colocou debaixo de mim as pessoas que se levantaram
        contra mim.
⁴⁰ Fizeste os meus inimigos darem as costas para mim;
    as pessoas contra mim — eu as destruí.
⁴¹ Gritaram por libertação, mas não houve libertador —
    [clamaram] a *Yahweh*, mas ele não lhes respondeu.
⁴² Eu os triturei como pó ao vento,
    os achatei como lama nas ruas.
⁴³ Resgataste-me das contendas das pessoas,
    estabeleceste-me à cabeça das nações.
Um povo que não conheci me serve;
⁴⁴   ao ouvirem com o ouvido, me obedecem.
Estrangeiros murcham diante de mim,
⁴⁵   definham e saem tremendo de suas fortalezas.
⁴⁶ *Yahweh* vive! Meu rochedo deve ser adorado!
    Que Deus, o meu libertador, seja exaltado!
⁴⁷ O Deus que me dá total reparação
    e sujeita os povos debaixo de mim,
⁴⁸ aquele que me salva dos meus inimigos;
    sim, me exalta acima das pessoas que se levantam
        contra mim,
    me capacita a escapar de pessoas violentas!

⁴⁹ Portanto, confessarei *Yahweh* entre as nações
    e proclamarei o seu nome,
⁵⁰ aquele que dá grandes vitórias ao seu rei,
    que mantém o compromisso com o seu ungido,
    com Davi e com a sua descendência para sempre!

SALMO 18:25-50 • AUTOCONHECIMENTO OU AUTOENGANO

Conheço alguns cristãos que tiveram casos extraconjugais, e eu mesmo cheguei mais perto disso do que deveria. Quando cristãos falam sobre isso, regularmente a história envolve um elemento de negação e/ou autoengano. É possível que, agora, as pessoas tenham alguma percepção do que fizeram e percebam que, na época, enganavam a si mesmas, negando a natureza de suas ações. O casamento ficara estagnado, obsoleto; os cônjuges não se mostravam mais interessados; o novo amor era tão criativo e cheio de vida que, certamente, era uma dádiva divina.

A introdução ao salmo 18 nos convida a lê-lo à luz da experiência de Davi; ele teve muitos encontros com a morte antes de se tornar rei (daí a referência a Saul) e mesmo após ascender ao trono e se tornar o comandante-chefe. Desse modo, a leitura de sua história nos ajuda a apreciar o motivo de alguém orar o salmo 18. Ao mesmo tempo, isso suscita questões a nós. Quando o Antigo Testamento relata a história de como Davi se tornou rei, ele poderia, de fato, reivindicar ter se comportado com integridade e **fidelidade** em relação a Saul. No entanto, dificilmente poderia reivindicar o mesmo comportamento durante a segunda metade de sua vida (veja a **história de Davi**). O ponto de virada em sua história é quando ele cede a um caso extraconjugal. Portanto, ao imaginarmos Davi orando esse salmo, também precisamos imaginar Deus levantando a sobrancelha e suspirando pela ausência de autoconhecimento. Davi chegou a reconhecer o seu erro por ceder a um caso amoroso (veja 2Samuel 12), embora não fique claro quão profundo foi esse reconhecimento. Embora Deus tenha "removido o seu pecado", isso não o impediu de tirar o filho de Davi, nem evitou a transformação da vida de Davi a partir de então. As observações reforçam a questão quanto ao autoconhecimento de Davi ao imaginá-lo proferindo esse salmo. Ainda, elas enfatizam a importância de questionarmos o nosso próprio autoconhecimento e a nossa responsabilidade em limpar a bagunça que fazemos e encarar que o arrependimento e o perdão não são garantias de eliminar ou atenuar os impactos de nossas ações sobre as demais pessoas.

Portanto, a leitura do salmo à luz da história de Davi possibilita a Deus falar conosco. Ler o salmo dessa maneira torna possível a Deus falar conosco de outras formas. Essa segunda metade do salmo 18 expõe as implicações do salmo 1. Entre nós e Deus há uma relação de mão dupla que envolve **compromisso**, integridade e pureza. Se a sua vida for caracterizada por esses elementos e você estiver sob ataque ou doente, pode esperar que os mesmos elementos caracterizem as ações de Deus em relação a você. O salmo indica que isso não é mera teoria teológica, pois é um testemunho da maneira pela qual Deus opera na vida de alguém — a exemplo do que Deus fez na primeira metade da vida de Davi, quando o futuro rei podia reivindicar ser íntegro e puro.

Os leitores ocidentais do salmo podem se sentir desconfortáveis quanto à convicção de que Deus pode dar a vitória em batalhas. O salmo considera que Deus está envolvido com Israel como nação e com Davi como seu governante, e que Deus, então, não adotará meias medidas para fazer cumprir o seu propósito no mundo. Esse envolvimento com o rei é para o bem do povo, e o envolvimento com o povo é, no fim das contas, em prol do próprio mundo. O interesse do salmo é que o **nome** de *Yahweh* seja proclamado entre as nações e não implica que qualquer governante ou povo pode reivindicar que Deus está do seu lado, embora, às vezes, isso seja possível quando eles são oprimidos, apesar de terem a justiça ao seu lado. Uma vez mais, os leitores do salmo necessitam exercitar algum autoconhecimento e refletir sobre o impacto de suas ações sobre outras pessoas caso considerem que podem aplicar o salmo a si mesmos.

SALMO 19
O MISTÉRIO DO PECADO
Ao líder. Uma composição de Davi.

1. Os céus estão declarando o esplendor de Deus,
    o firmamento está anunciando a obra de suas mãos.
2. Dia após dia, ele derrama discurso;
    noite após noite, proclama conhecimento.
3. Não há discurso, não há palavras,
    cuja voz não se faça ouvir.
4. Em toda a terra, o seu som ressoa,
    e as suas palavras, até o fim do mundo.
    Ele armou para o sol uma tenda [nos céus];
5. é como um noivo saindo de seu aposento.
    Alegra-se ao percorrer o caminho, como um guerreiro
6. quando parte da extremidade dos céus.
    Seu circuito completo é na [outra] extremidade,
    e nada se esconde do seu furor.

7. O ensino de *Yahweh* tem integridade, restaura a vida.
    A declaração de *Yahweh* é confiável, dá sabedoria ao
        ingênuo.
8. Os preceitos de *Yahweh* são retos, alegram a mente.
    O mandamento de *Yahweh* é límpido, ilumina os olhos.
9. O temor de *Yahweh* é puro, permanece para sempre.
    As decisões de *Yahweh* são verdadeiras; são todas elas
        fiéis.
10. São mais desejáveis do que o ouro, do que muito ouro puro;
    são mais doces do que o mel, do que o suco de favos de
        mel.
11. Sim, o teu servo recebe advertência deles,
    e em guardá-los há grandes resultados.

> ¹² Quem pode compreender os erros? —
>   livra-me de coisas que estão escondidas;
> ¹³ sim, detenha o teu servo de atos obstinados.
>   Que eles não governem sobre mim;
>   então, serei íntegro e livre de grande rebelião.
> ¹⁴ Que as palavras da minha boca sejam favoráveis a ti,
>   e que o falar da minha mente esteja diante de ti,
>   *Yahweh*, meu rochedo e meu restaurador.

Um cristão que conheço envolveu-se em casos extraconjugais e teve, pelo menos, três desses relacionamentos, mas conseguiu manter dois deles em segredo. Então, alguém descobriu sobre o terceiro (não sei se a esposa dele suspeitava de algo), o que o levou a falar comigo. Eu não sabia se ele estava arrependido ou apenas com remorso por ter sido flagrado, mas fiquei impactado pelo que ele disse sobre não reconhecer a tentação como tal, por ser capaz de racionalizar a sua ação e acreditar não haver problemas em agir de uma forma considerada errada pela comunidade cristã (sobre a qual a Escritura é muito clara). No entanto, sei que ele representa um exemplo extremo de algo que todos nós, de algum modo, experimentamos. Romanos 7 se refere a isso como falhar em fazer algo que, teoricamente, devemos e queremos fazer, e fazer aquilo que, teoricamente, não queremos.

O salmo 19 discorre sobre algo nesse sentido. Ao falar sobre erros, provavelmente o salmista não está se referindo a, digamos, devolver o troco recebido em excesso, mas a erros morais ou religiosos; sobre desviar-se do caminho reto moral e religioso. Por que nos desviamos dessa maneira? É difícil compreender. O salmista expressa a ideia ao pedir para ser liberto de coisas escondidas, que fazemos em segredo porque sabemos que são erradas. Pode ser um caso extraconjugal (engraçado como mantemos essas ações em segredo, mesmo quando estamos convencidos de que são erros), ou algo referente ao nosso relacionamento com Deus — para um israelita, seria buscar a bênção de outros deuses que não *Yahweh*, na privacidade de seu lar. A expressão "grande rebelião" é usada em Israel e em outros lugares como referência a ter um caso; como se a infidelidade conjugal constituísse um dos "erros" realmente terríveis — daí estar incluído nos Dez Mandamentos. Existe uma ligação com o paralelo feito em Israel da relação conjugal com o relacionamento com Deus. Os dois "erros" mais terríveis são a infidelidade ao cônjuge e a Deus.

Se encararmos os fatos, reconheceremos que estes são atos deliberados. Há um mistério quanto à nossa predisposição em cometê-los, como se eles nos controlassem em vez de os controlarmos. No entanto, a "grande rebelião" inicia-se como um ato, aparentemente, pequeno e inocente, mas que, talvez, oculte uma vulnerabilidade a algo grande e não tão inocente. Com o tempo, isso significa que precisamos nos lançar à misericórdia de Deus e implorar que ele nos ajude a resistir a essas tentações. Necessitamos da capacitação de Deus para dizer as palavras certas a outras pessoas (p. ex., não posso dizer "Eu te amo" a alguém que não seja o meu cônjuge) e a Deus (p. ex., devo dizer "Eu confio em ti" somente a *Yahweh*). Ainda, precisamos do auxílio divino com as palavras que dizemos tanto interna quanto externamente.

Como as duas primeiras partes do salmo conduzem à reflexão e à oração final? A primeira parte fala sobre o cosmos declarar o esplendor de Deus. Em certo sentido, a mensagem do cosmos é muito clara, mas isso não nos leva muito longe. Em sociedades tradicionais e no mundo ocidental, as pessoas acabam admirando e confiando na criação em vez de no Criador (como Romanos 1 expressa). Com respeito à questão sobre o que faz as pessoas viverem no caminho de Deus, a parte intermediária do salmo acrescenta importância ao ensino concreto encontrado na **Torá** e, portanto, é outro salmo que aborda as implicações do salmo 1. A sua percepção é aquela tipicamente israelita e judaica de que a Torá não é uma carga, mas uma bênção. O fato de Deus nos revelar em detalhes como devemos viver é algo incrível. Isso aumenta o mistério de ignorarmos o que Deus diz e a importância da reflexão e da oração que encerra o salmo.

Como somos afortunados por Deus ser o nosso rochedo e nos proteger de nós mesmos e de outras pessoas e também por ele ser o nosso restaurador.

SALMO 20
COMO SER CODEPENDENTE

Ao líder. Uma composição de Davi.

1. Que *Yahweh* te responda no dia da tribulação;
    o nome do Deus de Jacó te proteja.
2. Que ele te envie auxílio do santuário,
    o ampare de Sião.
3. Que ele esteja atento a todas as tuas ofertas,
    aceite todos os teus sacrifícios queimados. (*Pausa*)
4. Que ele te conceda de acordo com o teu pensamento
    e cumpra todos os teus planos.
5. Que ressoemos a tua libertação;
    no nome do nosso Deus, ergueremos os nossos
        estandartes:
    que *Yahweh* cumpra todos os teus pedidos.

6. Agora reconheço
    que Deus liberta o seu ungido.
    Ele lhe responde dos seus santos céus
    com os poderosos atos da sua mão direita.

> 7 Aquelas pessoas [louvam] carruagens, e aquelas pessoas, cavalos,
> mas, quanto a nós, louvamos o nome de *Yahweh*, o nosso Deus.
> 8 Aquelas pessoas se ajoelharam e caíram,
> mas, quanto a nós, nos levantamos e assumimos a nossa posição.
> 9 "*Yahweh*, liberta o rei!"
> Que ele nos responda no dia em que clamarmos.

Em nossa igreja, estamos no processo de aceitar que não podemos mais arcar com as despesas de um reitor em tempo integral. Como resultado, estou me tornando o único clérigo envolvido com a igreja de modo regular, presidindo aos cultos e pregando, exceto quando eu convidar outro pregador. Estou triste com as circunstâncias, mas sinto-me ansioso para presidir e pregar. Igualmente, estou ciente da minha responsabilidade. Há uma via de mão dupla no relacionamento entre pessoas envolvidas na liderança e os liderados, o que se aplica aos líderes leigos da congregação e também a mim, em nossa relação com a congregação como um todo. Pode-se chamá-la de relação codependente, caso você a use de forma positiva. Trata-se de um relacionamento de reciprocidade e de mutualidade. Há a responsabilidade que os líderes aceitam e uma outra responsabilidade exercida pela congregação como um todo. Cada um depende do outro para que as coisas funcionem. Codependência não significa ser passivo, esperar que a outra pessoa tenha a iniciativa de "fazer algo"; significa corresponsabilidade.

Na forma pela qual o salmo 20 retrata essa codependência, a responsabilidade atribuída às pessoas como um todo é de orar para Deus abençoar o seu líder. Como explicitado pela última linha, o líder era o rei, e um aspecto-chave da responsabilidade real era liderar o exército nas batalhas. Não era possível ser o comandante-chefe trancado em um gabinete em Washington. O rei encara o inimigo diretamente, quando a tribulação atinge o povo. Assim, eles oram para que Deus responda às suas orações quando esse dia chegar. O **paralelismo** na primeira linha sugere que essa resposta envolve ação, assim como reafirmação — isso envolve a proteção de Deus. A segunda linha expressa o ponto. Embora Deus habite entre as pessoas no monte **Sião**, o rei pode ter de lutar em outros lugares; assim, o pedido é para que Deus, de sua habitação, envie auxílio e apoio para onde for necessário. A terceira linha retoma a ideia de o rei orar por auxílio. A oração não é apenas uma questão de palavras, mas também de ações; o rei apelará a Deus por meio de ofertas e, igualmente, por palavras. Assim, o seu povo ora para que as ofertas feitas pelo rei sejam aceitas por Deus. A quarta linha reconhece que o rei terá de elaborar planos de batalha, mas Provérbios gosta de enfatizar que é bom fazer planos, mas a implementação deles depende de Deus. Portanto, existe um motivo adicional para orarmos pedindo a Deus para se envolver nos eventos. Afinal (o salmo, mais adiante, observa), é habitual crer que o poderio militar decide o resultado das batalhas, mas, na realidade, as coisas, com frequência, funcionam de outra maneira.

A segunda metade do salmo inicia-se, pelo menos, com a resposta do rei à oração de bênção do povo. Ouvi-la seria, obviamente, encorajador. Saber que as pessoas estão orando por você é uma bênção, não apenas porque isso indica a preocupação delas, mas também porque você sabe que o gabinete de Deus nos céus toma nota de todos os pedidos que lhe são enviados. Deus responde não somente de sua habitação, no monte Sião, mas do céu, onde o gabinete se encontra e as decisões são despachadas.

A mescla de tempos verbais nos versículos 6-8 significa que as pessoas podem usar esse salmo em mais de uma ocasião. Podem usá-lo quando houver uma ameaça de aflição, quando o rei experimentar uma grande **libertação**, e quando não houver crise nenhuma, mas o povo deve louvar pela natureza contínua do compromisso de Deus com eles e com o seu rei.

SALMO 21
SER ABENÇOADO E SER UMA BÊNÇÃO
Ao líder. Uma composição de Davi.

1. *Yahweh*, o rei se alegra na tua força;
   quão grandemente ele exulta na tua libertação!
2. Tu lhe concedeste o anseio do seu coração;
   o pedido de seus lábios tu não negaste.
3. Pois tu o encontras com bênçãos de bem,
   colocas em sua cabeça uma coroa de ouro puro.
4. Quando te pediu por vida,
   concedeste-lhe longura de dias para todo o sempre.
5. Grande é sua honra pela tua libertação;
   esplendor e majestade lhe concedeste.
6. Fizeste dele uma [personificação] de grande
      bênção para sempre
   e o alegras com júbilo pela tua presença.
7. O rei confia em *Yahweh*,
   e, por causa do compromisso de *Elyon*, ele não vacilará.

8. A tua mão encontra todos os teus inimigos,
   a tua mão direita encontra os teus oponentes.
9. Tu os torna em uma fornalha ardente
   no tempo da tua aparição.
   Yahweh, em ira, os engole;
   o fogo os consome.
10. Tu destróis a descendência deles da terra,
    a posteridade deles dentre a humanidade.

> ¹¹ Quando direcionarem o mal contra ti,
>   pensarem em um esquema, eles não terão sucesso.
> ¹² Pois tu os impedirás
>   quando mirares o rosto deles com os teus arcos.
> ¹³ Sê exaltado, *Yahweh*, na tua força —
>   cantaremos e faremos músicas sobre o teu poder.

Ontem, um homem cristão detonou uma explosão em Oslo, capital da Noruega, para desviar a atenção das forças de segurança. A seguir, pegou uma balsa em direção a uma pequena ilha nas proximidades da cidade. Centenas de jovens com conexões políticas ou envolvimento político estavam acampados ali, sem possibilidade de fuga, e ele atirou e matou quase uma centena deles. O homem agiu em nome de Deus, pois acreditava que o propósito divino no Ocidente cristão estava em perigo com a expansão do multiculturalismo e, especialmente, pelo aumento de muçulmanos vivendo na Europa, o que fazia crescer o seu temor de que a Europa fosse dominada pela cultura islâmica em vez da cristã. Uma das inúmeras questões suscitadas pela ação desse homem é se o Antigo Testamento fornece algum subsídio para essa espécie de ação.

O salmo 21 nada diz sobre seres humanos tomarem a iniciativa de salvaguardar o propósito divino no mundo. Há outros salmos que podem pressupor a ação humana, mas, pelo menos, nesse salmo toda a ênfase recai na ação de Deus. Talvez o rei tenha saído para iniciar uma batalha, mas, ainda assim, esse fato não é visto como o fator-chave na situação. A palavra recorrente no salmo é **"libertação"**. Essa mesma palavra e outras relacionadas, como o verbo "libertar", aparecem algumas vezes no salmo anterior, do mesmo modo que serão usadas no salmo seguinte (igualmente, recorrem no salmo 18). Algumas vezes, é possível ver conexões desse tipo entre salmos sucessivos; a presente sequência, por exemplo, nos convida a ver o salmo 20 como um modelo para se orar pelo líder antes de uma crise, e o salmo 21 como modelo de oração após Deus ter respondido à oração anterior. O ponto quanto à palavra "libertação" é que ela denota algo que você jamais lograria, pois envolve Deus libertando, salvando e resgatando você. O Antigo Testamento contém muitas histórias sobre Israel ganhar uma batalha contra todas as probabilidades ou de, às vezes, ganhá-la sem nem mesmo lutar (como ocorreu, por exemplo, no êxodo e em Jericó). O outro lado tinha submetralhadoras, mas, de algum modo, elas emperravam.

Embora seja possível ler a segunda metade do salmo como relativa ao rei, o texto indica a atividade de **Yahweh** em batalha, o que coaduna com a ênfase na libertação e com a declaração de encerramento do salmo a *Yahweh*. Todo o salmo aborda *Yahweh* como alguém que detém os recursos para implementar o seu propósito no mundo e proteger o seu povo. Ele atua para desafiar o rei e o povo a confiar nesses recursos, não em seu próprio poderio militar.

A menção a bênçãos aponta para a presunção vigente no Antigo Testamento de que as ações de Deus em relação a Israel não são empreendidas somente para o benefício de Israel. Por um lado, Deus vai ao encontro do rei com "bênçãos de bem". Compreendida de modo literal, a expressão soa como uma tautologia, uma redundância — não existe algo como "bênçãos do mal". As duas palavras reforçam uma à outra; essas são as ricas bênçãos com as quais Deus sai ao encontro do rei (quanto ele retorna da batalha?). Elas incluem uma vida admiravelmente longa; viver "para sempre" pode implicar viver até o fim de uma vida humana regular em vez de morrer antes disso, ou pode ser puramente convencional (em 1Reis 1, Bate-Seba expressa esse desejo quando Davi está em seu leito de morte).

Por outro lado, além de abençoar o rei, Deus "fez dele bênção" — como diz o versículo 6. A expressão significa mais do que "Tu lhe deste bênçãos"; implica: "Tu fizeste dele bênção" ou "uma grande bênção". É semelhante à promessa divina feita a Abraão de que ele seria uma bênção (Gênesis 12). A ideia é que Abraão (e, no caso, o rei de Israel) seria tão abençoado que outras pessoas o considerariam como um padrão de bênção e pediriam para serem abençoadas do mesmo modo que ele foi abençoado. Isso não quer dizer que Abraão ou o rei precisam fazer algo para serem uma bênção; eles apenas devem deixar que as pessoas vejam como eles são abençoados. Portanto, o fato de Israel obter a libertação de determinados inimigos, aos quais *Yahweh* aniquila, não implica que ele não se preocupa com outros povos. Na verdade, isso implica o contrário. Os povos que se submetem a *Yahweh*, em lugar de agirem como seus inimigos, são abençoados do mesmo modo que Israel.

SALMO 22:1–18
MEU DEUS, MEU DEUS, POR QUÊ?

Ao líder. Conforme a Corça da Manhã [talvez uma melodia].
Uma composição de Davi.

1. Meu Deus, meus Deus, por que me abandonaste,
    distante de me libertar, da palavra que eu grito?
2. Meu Deus, eu clamo de dia, mas não respondes,
    e de noite não há sossego para mim.

3. Mas tu estás entronizado como o santo,
    o grande louvor de Israel.
4. Em ti nossos ancestrais confiaram —
    eles confiaram, e tu os resgataste.
5. Eles clamaram a ti e escaparam;
    em ti confiaram, e não foram envergonhados.

⁶ Mas eu sou um verme, não uma pessoa,
　　um objeto de injúria para a humanidade,
　　um objeto de desprezo para o povo.
⁷ Todos os que me veem zombam de mim,
　　abrem a boca, balançam a cabeça.
⁸ "Ele deveria submeter isso a *Yahweh*. Ele deve resgatá-lo,
　　deve salvá-lo, pois ele se deleita nele."

⁹ Porque tu és aquele que me permitiu sair do ventre,
　　capacitou-me a confiar no seio da minha mãe.
¹⁰ A ti fui lançado desde o nascimento;
　　desde o ventre da minha mãe és o meu Deus.

¹¹ Não permaneças longe de mim,
　　porque a tribulação está próxima,
　　e não há ninguém que me socorra.
¹² Muitos touros têm me cercado,
　　poderosos novilhos de Basã me rodeiam.
¹³ Leões rugidores e despedaçadores
　　abrem a boca contra mim.

¹⁴ Tenho me derramado como água,
　　e todos os meus ossos se soltaram.
　Minha mente se tornou como cera;
　　derreteu-se dentro de mim.
¹⁵ Minha força secou-se como um caco de vaso,
　　e minha língua gruda-se ao meu palato.
　Tu me colocaste no pó da morte,
¹⁶ 　porque os cães me cercam.
　Uma assembleia de pessoas malignas me cercou;
　　minhas mãos e pés enrugaram.
¹⁷ Posso contar todos os meus ossos,
　　enquanto essas pessoas me observam e me veem.
¹⁸ Dividem as minhas roupas entre si;
　　pelas minhas vestes lançam sortes.

SALMO 22:1-18 • MEU DEUS, MEU DEUS, POR QUÊ?

A cada Domingo de Ramos, como parte do culto da nossa igreja, lemos a história do julgamento e da execução de Jesus, com os membros da congregação desempenhando os diferentes papéis. Há inúmeros momentos assustadores no relato, especialmente aquele no qual toda a multidão passa a gritar: "Crucifica-o", e, quando Pilatos resiste, novamente bradam: "Crucifica-o!" Igualmente aterrador é o evento no qual Jesus clama as palavras de abertura desse salmo: "Meu Deus, meus Deus, por que me abandonaste?" Essa não é a única passagem na qual os Evangelhos utilizam a linguagem do salmo 22. Quando os executores dividem as roupas de Jesus entre si, João 19 vê o cumprimento do versículo 18. Algumas traduções do versículo 16 falam sobre perfurações nas mãos e nos pés, o que lembra o que aconteceu durante a crucificação de Jesus.

O salmo não é uma profecia no sentido de ser uma passagem que diz: "Um dia, haverá um messias a quem isso acontecerá." Antes, é uma oração a ser proferida pelos israelitas quando necessário, com o fim de ser grandemente encorajadora, pois lhes permite reconhecer o seu sentimento de abandono e os seus temores sem se envergonharem. Contudo, igualmente, é uma das orações mais terríveis que o Saltério oferece aos israelitas, e, portanto, não é surpreendente que, ao passar por seu martírio, essas palavras se adequem perfeitamente aos lábios do Messias de Israel. Ao orar esse salmo, paradoxalmente Cristo nos ajuda a ver o que expressaríamos ao orá-lo. Jesus não foi abandonado no sentido de Deus não estar presente em sua execução. Deus, com certeza, estava lá, como implicado pelo fato de Jesus ter orado; não se pode falar a alguém que está ausente. Deus está atento, assistindo a Jesus ser executado, sofrendo em seu espírito tão profundamente quanto Jesus sofre em seu corpo e em seu espírito. Na verdade, é deveras difícil imaginar a profundidade da agonia envolvida em testemunhar a execução do seu próprio filho quando você nada pode fazer para impedi-la. A exemplo do que declaram algumas testemunhas do martírio, seria apropriado a Deus resgatar Jesus caso ele fosse realmente seu filho. Mas Deus não o resgatou. Ele ouviu Jesus clamando: "Por que me abandonaste?" e nada fez. O abandono de Deus não consistiu em ir embora, mas em estar presente, sem intervir.

Essa também é a natureza do abandono de Deus em relação a outras pessoas. Quando mulheres são estupradas ou crianças são sequestradas, abusadas e mortas, Deus as abandona. Ele permanece assentado nos céus, consciente, mas de braços cruzados. Como pode ser?

Em certo sentido, quando Jesus pergunta: "Por quê?", ele sabe a resposta. Ele objetiva levar os seus discípulos a compreenderem a inevitabilidade e a lógica do martírio, que ele sabe ser o seu destino. Há uma resposta específica à questão quando aplicada a Jesus. Portanto, quando ele questiona: "Por quê?", provavelmente o significado atribuído a essa pergunta é o mesmo quando feita por outra pessoa. Observamos em nosso comentário sobre o salmo 10 que a pergunta constitui mais uma expressão de dor e protesto do que uma solicitação de informações, mas há uma resposta geral quanto ao motivo pelo qual Deus não intervém. Deus não criou o mundo para ser um lugar no qual ele, continuamente, impediria os seres humanos de fazerem mal uns aos outros. É possível que você pense que Deus deveria criar o nosso mundo assim, mas ele não o fez. Às vezes, Deus intervém; mas, geralmente, não. A presença do salmo 22 no Saltério como uma oração a ser proferida pelas pessoas nos possibilita questionar: "Por quê?" e expressar o nosso protesto. O fato de Jesus tê-la verbalizado nos encoraja a assumir que também podemos expressá-la; isso pressupõe que Deus está lá, pronto a ouvir. Como ocorreu na cruz, Deus não está a quilômetros de distância, em um asséptico ambiente celestial. Deus está atento, ouvindo e observando, e sofrendo conosco.

SALMO 22:19-31
SOBRE ENFRENTAR DOIS CONJUNTOS DE FATOS

¹⁹ Mas tu, Yahweh, não fiques distante —
   minha força, vem rapidamente como meu socorro.
²⁰ Salva a minha vida da espada,
   meu próprio ser do poder dos cães.
²¹ Livra-me da boca do leão;
   que me respondas, dos chifres dos búfalos.

²² Contarei do teu nome à minha parentela;
   no meio da congregação, eu te louvarei.
²³ Vocês que estão no temor de Yahweh, louvem-no,
   toda a descendência de Jacó, honrem-no,
   estejam no temor dele, toda a descendência de Israel!
²⁴ Porque ele não desprezou,
   não desdenhou o lamento do humilde.
   Não desviou o seu rosto dele,
   mas ouviu o seu clamor a ele por socorro.
²⁵ De ti vem o meu louvor na grande congregação;
   cumprirei minhas promessas diante do povo que está no
      temor dele.
²⁶ As pessoas humildes comerão e ficarão cheias;
   pessoas que perguntam de Deus o louvarão —
   que o teu coração viva para sempre.
²⁷ Todos os confins da terra atentarão e se voltarão a
      Yahweh;
   todas as famílias das nações se prostrarão diante de ti.
²⁸ Porque a soberania pertence a Yahweh;
   ele governa sobre as nações.

SALMO 22:19-31 • SOBRE ENFRENTAR DOIS CONJUNTOS DE FATOS

²⁹ Todos os abastados da terra comerão e se prostrarão;
    diante dele todas as pessoas que descem ao pó se
        ajoelharão,
    e a pessoa que não for capaz de se manter viva.
³⁰ A descendência o servirá;
    uma geração por vir ouvirá do meu Senhor.
³¹ Proclamarão a sua fidelidade a um povo que há de nascer,
    porque ele agiu.

Um casal amigo estava nos fazendo um divertido relato sobre como eles discerniram uma diferença na maneira pela qual abordam os problemas na relação deles e em outros aspectos da vida. Apesar de engraçado, o relato foi também sério e profundo. Quando há um problema, o homem é propenso a desviar o olhar, fingindo que não está lá, pois a sua confiança na vida ou no relacionamento é ameaçada pela possibilidade de um problema. Em contraste, a mulher inclina-se a sentir que o problema ocupa todo o horizonte, de maneira que, na sua visão, igualmente o problema coloca em risco a sua confiança na vida e na relação a dois, embora ela reconheça o problema, mas ele não. De alguma forma, isso é análogo ao modo pelo qual reagimos a Deus quando uma tragédia acontece. Certas pessoas evitam encarar o que ocorreu, pois isso ameaça a sua compreensão fundamental de Deus como aquele que é fiel, amoroso e envolvido. Outras, enfrentam a natureza do ocorrido e, realmente, consideram que a compreensão fundamental delas sobre Deus está em grande perigo.

A genialidade do salmo 22 é que o salmista se recusa a adotar uma dessas duas opções. Ele, resolutamente, insiste em enfrentar os dois conjuntos de fatos; convida as pessoas a olhar diretamente na face da adversidade que lhes sobreveio, mas também a ficarem atentas aos fatos sobre Deus que elas já conhecem. O salmo, portanto, move-se entre "Por que me abandonaste" e "Tu está entronizado como o santo"; entre "Eu sou um verme, não uma pessoa" e "Tu és aquele que me permitiu sair do ventre"; e entre "Tu me colocaste no pó da morte" e "minha força, venha rapidamente como meu socorro" (a exemplo do que ocorre, com frequência a descrição da situação do sofredor, nos versículos 19-21, é expressa por meio de metáforas em vez de termos literais; o efeito é tornar possível que outras pessoas orem o salmo por ele não ser muito específico quanto à espécie de problema ao qual se refere. Sejam quais forem os "animais selvagens" que nos ameaçam, podemos usar as palavras do salmo). Então, o terço final do salmo surge em contraste aos dois terços anteriores, pois estes incluem grande material que sugere desesperança, mas o terço derradeiro mostra-se tão confiante na **libertação de *Yahweh*** que fala como se a libertação já tivesse ocorrido.

O salmo, portanto, nos convida a não negar a realidade do que nos acometeu, nem negar a realidade do que já conhecemos sobre Deus. Igualmente, nos convida a não negarmos a realidade do presente, mas também a não considerarmos o presente como tudo o que há. A exemplo de outros salmos, mas em maior extensão e, portanto, provavelmente em maior profundidade, o salmo 22 efetua uma extraordinária transição final entre falar dos sombrios fatos do presente para falar sobre os gloriosos fatos quanto ao futuro, na convicção de que Deus ouviu essa oração, ainda que não tenha começado a agir. O salmo não fornece nenhum indício de que algo mudou após o versículo 21. A severidade sombria do presente tem a primeira palavra; o louvor do futuro tem a última. Portanto, uma vez mais, o salmo modela algo.

A exemplo do que, frequentemente, ocorre, o salmo 22 também deixa claro que não se trata apenas de olhar para o futuro e agradecer a Deus pelo ato de libertação que, certamente, virá. Trata-se de olhar para a frente com o fim de testemunhar a outras pessoas desse ato de libertação, pois esse testemunho irá edificar a fé delas e possibilitará que elas também enfrentem os dois conjuntos de fatos quando necessitarem fazer isso. Trata-se de falar em termos incrivelmente ambiciosos sobre pessoas de todas as partes do mundo ouvirem o que Deus fez, tanto na presente geração quanto nas futuras. Essa ambição, no entanto, é plenamente justificável, pois o salmo tem sido usado por pessoas em todo o planeta por dois ou três milênios.

Do mesmo modo que lemos em Mateus e Marcos as primeiras palavras do salmo 22 sendo proferidas pelos lábios de Jesus durante a sua execução, igualmente lemos em Hebreus 2 as palavras inaugurais do terço final desse salmo nos lábios de Jesus ressurreto, quando o salmista diz: "Contarei do teu **nome** à minha parentela; no meio da congregação, eu te louvarei." Jesus trabalhou duro com o fim de preparar os seus discípulos para o seu martírio, em parte por lhes assegurar que isso não seria o fim, embora não tenha logrado êxito em capacitá-los para estarem prontos quando a execução veio. Antes de sua morte, Jesus sabia que ela não seria o fim — essa consciência resultou do que ele conhecia sobre Deus e do que lera nas Escrituras. Ele, portanto, foi capaz de enfrentar os dois conjuntos de fatos.

SALMO 23
NA ESCURIDÃO DO VALE

Uma composição de Davi.

1 Sendo *Yahweh* meu pastor, nada me falta;
2   ele me permite deitar em pastagens verdejantes.
Ele me conduz a águas que estão totalmente calmas;
3   restaura a minha vida.
Guia-me em veredas fiéis
    por amor do seu nome.

⁴ Mesmo quando andar em um vale mortalmente escuro,
   não terei medo do desastre,
  pois tu estás comigo;
   a tua vara e o teu cajado me consolam.

⁵ Abres uma mesa diante de mim
   à plena vista das pessoas que me observam.
  Banhas a minha cabeça com óleo;
   o meu cálice transborda.
⁶ Sim, a bondade e o compromisso me perseguem
   todos os dias da minha vida.
  Retornarei à casa de *Yahweh*
   por longos dias.

No sopé das montanhas, próximas do local onde residimos, há um centro de retiro no qual, a cada outono, realizamos uma reunião do corpo docente. Dois anos atrás, um diretor novo do centro nos deu alguns conselhos que jamais nos foram dados antes. Caso encontrássemos um urso nas imediações, fomos alertados de não tentar correr, pois os ursos são muito mais velozes do que nós. Não me recordo o que deveríamos fazer em contrapartida, mas, por precaução, decidi não fazer caminhadas, especialmente quando o diretor nos contou que, provavelmente, não seríamos atacados por nenhuma serpente, caso permanecêssemos nas trilhas, e que pumas não haviam sido avistados nos últimos tempos. De uma locação como aquela do centro, inúmeros vales ou cânions saem em direção às montanhas, e posso imaginar pastores que, outrora, conduziam seus rebanhos por eles. Os pastores saberiam tudo sobre ursos, pumas e serpentes e a melhor forma de lidar com eles. No tocante a certas criaturas, a vara ou o cajado seria um importante acessório para a segurança deles.

SALMO 23 • NA ESCURIDÃO DO VALE

Os vales são profundos, e, com frequência, há riachos correndo por eles, pelo menos no inverno e na primavera. Desse modo, eles são densamente arborizados, pois possuem o suprimento de água ausente nas regiões fora dos vales. Portanto, são escuros e um pouco sinistros, e essa escuridão profunda contrasta fortemente com o brilho do sol acima deles. Talvez a correnteza mais veloz dos riachos fosse um pouco assustadora para as ovelhas, mas o pastor saberia encontrar os locais nos quais os cursos d'água formassem piscinas naturais. Igualmente, conheceria as regiões nas quais a presença de umidade faria a grama crescer, e a presença de sombra evitaria que ela murchasse sob o calor inclemente. Da mesma forma, saberia a localização de árvores e outros arbustos cujos frutos poderia derrubar com o seu cajado. Assim, os animais são protegidos e alimentados. O pastor é **fiel** em seu cuidado ao rebanho, e assim ocorre ao ser humano cujo pastor é **Yahweh**. Ser *Yahweh* significa ser o Deus que é fiel, ativo em providenciar proteção e alimento para o seu povo. Portanto, *Yahweh* assim age "por amor do seu **nome**", para ser a pessoa que o seu nome proclama ser.

Na segunda metade do salmo, a realidade literal emerge. O salmista nos encoraja a declarar a nossa confiança de podermos enfrentar a ameaça de seres humanos, que é equivalente ao perigo representado por ursos, serpentes e pumas (compare com os touros, novilhos, leões e cães do salmo 22), porque Deus nos protege com o seu cajado, como um pastor protege as suas ovelhas. Do mesmo modo que um pastor leva as suas ovelhas a pastos verdejantes, *Yahweh* provê o que necessitamos — na verdade, além das nossas necessidades. O salmo imagina os inimigos fora do nosso acampamento, mas capazes de nos ver ali dentro, asseados, dispostos e desfrutando de uma boa refeição, mas incapazes de chegar a nós, como animais nas cercanias de uma clareira, impotentes para atacar as ovelhas no aprisco. Embora as ovelhas possam ser caçadas por animais selvagens, e os seres humanos por seus adversários no campo de batalha, somos perseguidos apenas por dois agentes de Deus: a bondade e o **compromisso**. No campo de batalha, somos afastados do lugar de adoração no qual nos encontramos com Deus e do lugar de comunhão no qual nos encontramos com o povo de Deus, mas sabemos que esse não será o fim da história.

SALMO 24
DEUS O DEIXARÁ ENTRAR? VOCÊ DEIXARÁ DEUS ENTRAR?

Uma composição de Davi.

1. A terra e o que a preenche são de *Yahweh*,
   o mundo e as pessoas que nele vivem.
2. Pois ele a fundou sobre os mares,
   a estabeleceu sobre os rios.

3. Quem sobe à montanha de *Yahweh*?
   Quem se levanta em seu santo lugar?
4. A pessoa que é limpa de mãos e pura de mente,
   que não se elevou ao vazio
   e que não jurou para enganar.
5. Receberá uma bênção de *Yahweh*
   e fidelidade de Deus, o seu libertador.
6. Essa é a companhia das pessoas que o buscam,
   [esse é] Jacó, que olha para o teu rosto. (*Pausa*)

7. Levantem as suas cabeças, ó portais;
   levantem, portas antigas,
   para que o glorioso rei possa entrar.
8. "Quem é ele, o glorioso Rei?" —
   Yahweh, forte e guerreiro,
   Yahweh, o guerreiro da batalha.

SALMO 24 • DEUS O DEIXARÁ ENTRAR? VOCÊ DEIXARÁ DEUS ENTRAR?

⁹ Levantem as suas cabeças, ó portais;
   levantem, portas antigas,
   para que o glorioso rei possa entrar.
¹⁰ "Quem é, então, o glorioso Rei?" —
   o glorioso Rei é *Yahweh* dos Exércitos. (*Pausa*)

Cinco dias antes de o exército egípcio atravessar o canal de Suez, em setembro de 1973, com o objetivo de recapturar o Sinai do domínio de Israel, eu estava no Sinai, subindo o que em árabe é chamado de "monte Moisés", a montanha tradicionalmente considerada como o monte Sinai no Antigo Testamento. Saindo do nosso acampamento no sopé da montanha, começamos a subir ao amanhecer. O grupo, na maioria, era constituído de israelitas, mas eu poderia dizer que havia umas poucas pessoas para as quais subir o monte Sinai tinha uma importância religiosa; o fim de semana fazia parte do programa da Sociedade para a Proteção da Natureza em Israel. Quanto a mim, aquela era uma subida que inspirava temor. Durante toda a caminhada de 1.200 metros, monte acima, me vi repetindo as palavras do salmo 24. Quem poderá ascender ao monte do Senhor? O salmo refere-se ao monte **Sião**, mas, instintivamente, senti que as mesmas questões eram levantadas ao colocar os meus pés no monte Sinai.

A exemplo do salmo 15, a parte intermediária do salmo 24 nos lembra, uma vez mais, da asserção de abertura do Saltério sobre a pessoa não poder se envolver em louvor e oração, a não ser que esteja também vivendo de forma moral e religiosa genuína, com outras pessoas e com *Yahweh*. Você deseja ser o receptor final da espécie de bênção e da fidelidade relatada no salmo 23 e retornar para longos dias na casa de *Yahweh*? Então, preste atenção ao versículo 4, que apresenta quatro pontos dinâmicos e entrelaçados sobre relacionamentos com outras pessoas e com Deus. Primeiro, as nossas mãos precisam estar limpas — isto é, não pode ter sangue nelas (compare com Isaías 1:15-16). Trata-se de uma exigência desafiadora a pessoas em países ocidentais, quando há tanto sangue nas mãos pelo envolvimento em guerras e pela negligência em relação a outras partes do mundo. O segundo ponto é que a nossa limpeza não deve ser apenas uma questão de atitude externa, mas também interna. Terceiro, não devemos nos elevar ao vazio — ou seja, elevar nosso rosto e nossas orações a deuses que não possuem existência real, olhar para outros lugares que não Deus, como nossa confiança. Quarto, não devemos jurar falsamente no **nome** de Deus. Quando o povo de Deus se apresenta diante dele, deve ser capaz de dizer: "Essa é a espécie de povo que nós somos."

A questão complexa no salmo 24 é a relação entre a seção intermediária e os versículos de abertura e de encerramento. Talvez o salmo constitua uma liturgia, com os versículos inaugurais sendo um cântico de louvor entoado pela congregação. Eles afirmam que *Yahweh* é o criador do mundo e, portanto, o seu proprietário. Eles operam com o retrato comum do mundo como uma espécie de ilha flutuando sobre os mares ou rios que fluem debaixo dela, seguro porque *Yahweh* o ancorou em segurança ali. Paradoxalmente, o fato de *Yahweh* ser o criador do mundo é seguido pelo fato de *Yahweh* ter um monte e um lugar santo em particular, no qual é possível encontrá-lo. À medida que eles se aproximam da presença do criador do mundo ali, emerge a questão sobre que espécie de pessoa você precisa ser para ir até lá.

Com um paradoxo adicional, o último parágrafo do salmo apresenta *Yahweh* fora da cidade e pessoas conclamando os seus habitantes a saudarem a sua entrada. Embora haja um sentido no qual Deus está em toda parte, existe também um sentido no qual Deus pode ser especialmente conhecido em certos lugares e contextos. Em nosso comentário sobre o salmo 14, observamos a promessa de Jesus: "Pois onde se reunirem dois ou três em meu nome, ali eu estou no meio deles" (Mateus 18:20). E, apesar de haver um sentido no qual Deus pode ser especialmente conhecido em certos lugares e contextos, isso não o impede de aparecer em qualquer outro lugar. Portanto, é possível que o salmo pressuponha que ***Yahweh* dos Exércitos** saia com o exército de Israel para a batalha; ele e os combatentes, agora, retornam. Isso, igualmente, pressupõe que, de uma forma ou de outra, é possível ao povo de Deus mantê-lo fora do seu meio, a exemplo do que Apocalipse 3 indica, com seu retrato de Jesus, do lado de fora de uma igreja, batendo na porta para ver se ele será admitido.

SALMO 25
MAL POSSO ESPERAR
De Davi.

1. A ti, *Yahweh*, elevo o meu coração.
2.   Meu Deus, confio em ti.
   Não devo ser envergonhado;
       meus inimigos não devem exultar sobre mim.
3. Sim, todas as pessoas que esperam em ti não serão envergonhadas;
       aquelas pessoas que são falsas, sem motivo, serão envergonhadas.

4. Capacita-me a reconhecer os teus caminhos, *Yahweh*,
       ensina-me as tuas veredas.
5. Direciona-me na tua veracidade e ensina-me,
       pois tu és o meu Deus que liberta;
   por ti tenho esperado o dia todo.

⁶ Esteja atento à tua compaixão, *Yahweh*,
e ao teu compromisso, porque eles são antigos.
⁷ Não atentes para os erros da minha juventude
e os meus atos de rebelião.
De acordo com o teu compromisso, atenta para mim,
por amor da tua bondade, *Yahweh*.

⁸ *Yahweh* é bom e reto;
portanto, ele instrui os malfeitores no caminho.
⁹ Direciona os humildes com autoridade,
ensina aos humildes o seu caminho.
¹⁰ Todas as veredas de *Yahweh* são compromisso e veracidade
a pessoas que guardam a sua aliança, as suas
declarações.

¹¹ Por amor do teu nome, *Yahweh*,
perdoa a minha transgressão, porque ela é grande.
¹² Quem, então, é a pessoa que está no temor de *Yahweh*? —
ele a instrui no caminho que ela deve escolher.
¹³ Sua vida permanece na bondade,
e sua descendência possui a terra.
¹⁴ O conselho de *Yahweh* vem a pessoas que estão no temor
dele,
e a sua aliança, em capacitá-las a reconhecê-lo.
¹⁵ Os meus olhos estão continuamente voltados para *Yahweh*,
pois ele é aquele que tira os meus pés da rede.

¹⁶ Volta o teu rosto para mim e sê gracioso comigo,
pois estou só e humilde.
¹⁷ Os problemas em minha mente se espalharam;
tira-me dos meus estreitos.
¹⁸ Olha para a minha humildade e pressão;
carrega todas as minhas ofensas.
¹⁹ Olha para os meus inimigos, como eles são muitos;
com violenta oposição, eles estão contra mim.

²⁰ Guarda a minha vida, resgata-me;
   eu não devo ser envergonhado, pois confio em ti.
²¹ A integridade e a retidão devem cuidar de mim,
   porque espero em ti.
²² Deus, redime Israel
   de todas as suas tribulações.

Certo amigo nas Filipinas disse: "Mal podemos esperar até que você venha nos visitar no ano que vem." Um cantor e compositor afirmou: "Mal posso esperar pelo *show* no sábado." "Não vejo a hora de conhecer a sua esposa", comentou um amigo. "Mal posso esperar pelo Natal", outro amigo expressou. "Não vejo a hora de nos mudarmos para a casa nova", meu filho comentou. "Mal posso esperar pelo nosso casamento", disse a minha então noiva. "Não vejo a hora de as aulas terminarem", desabafou um aluno. Divirto-me cada vez que alguém usa essas expressões tão comuns nos Estados Unidos; tenho vontade de responder: "É só esperar mais um pouco", mas isso significaria perder o foco. Se eu disser: "Mal posso esperar o fim do trimestre" (por exemplo), quero expressar que não irei esperar; irei à praia a*gora*. Todavia, a expressão simplesmente significa: "Estou realmente ansioso por isso e gostaria de não ter de esperar."

No livro de Salmos, pensar sobre o futuro é importante, do mesmo modo que esperar. O salmo 25 refere-se três vezes à espera. Essa atitude está relacionada à esperança, mas em nosso idioma a palavra "esperança" sugere um sentimento que pode ou não ser justificado por eventos. A pessoa tenta ser esperançosa como uma forma de seguir vivendo (a não ser que seja como eu e apenas evite pensar no futuro). Esperar é mais como ficar na expectativa e relaciona-se a algo que você sabe ou crê que irá acontecer. Todos aqueles comentários com a expressão "mal posso esperar" estão relacionados a eventos que as pessoas sabiam que aconteceriam. O "problema" não era se ocorreriam ou não, mas o fato de não ocorrerem imediatamente. Mas, exatamente porque as pessoas sabiam que os eventos iriam ocorrer, a espera podia ser reconfortante e agradável à sua própria maneira.

A espera, no salmo, é a expectativa nessa forma concreta que não é difícil de conviver, porém o fundamento para essa confiante expectativa é muito distinto. A exemplo de inúmeros salmos, esse pressupõe tribulação, conflito e pressão, e, quando a nossa experiência inclui esses elementos, é possível não se ter um motivo concreto e tangível que nos dê a confiança de que conseguiremos chegar ao outro lado desse vale. Podemos tentar ser esperançosos, mas talvez não sejamos capazes de justificar essa expectativa. A base do salmo para a confiança reside em quem é Deus; o Deus que **liberta**, que é caracterizado pela compaixão, pelo **compromisso** e pela veracidade.

É com base nesse fundamento que o salmista nos convida a esperar pelo agir de Deus. Essa atitude é expressa de variadas formas. Significa elevar nosso coração a Deus — mais literalmente, nos elevarmos a Deus; nos colocarmos diante dos olhos de Deus para que ele nos veja e entre em ação. Significa confiar em Deus, elevar os olhos a Deus para que ele veja a nossa súplica; não olharmos apenas para as tribulações e para todos os outros recursos. Portanto, significa confiar em ***Yahweh***.

O salmo expressa duas outras atitudes em relação a Deus que parecem conflitantes entre si. É mais acessível do que a maioria dos salmos com uma consciência das deficiências, obstinações e rebeldias no passado e na idade adulta. O salmista sabe que, quando temos consciência dessas realidades, devemos nos lançar à misericórdia de Deus e pedir-lhe para não se lembrar delas, como um amigo ou cônjuge que está disposto a esquecer os nossos erros, a perdoá-los como um rei ou presidente, a carregá-los como pais que aceitam a responsabilidade pelos atos de seus filhos, mesmo não sendo eles que agiram errado. Por outro lado, em conflito com esses apelos, o salmo enfatiza a importância de manter-se comprometido com os caminhos de Deus, para termos uma base que justifique o nosso apelo para ele responder às nossas orações; precisamos aceitar a responsabilidade pelas nossas ações. Contudo, aumentando o dilema, o salmo reconhece que precisamos que Deus nos ensine para vivermos a vida que ele procura ver em nós. Deus precisa operar em nós para reconhecermos os caminhos divinos e andar neles.

O salmo 25 é outro salmo alfabético; permitindo um pouco de desordem nas extremidades para fazer funcionar a estrutura alfabética, ele cobre a natureza da oração de A a Z. O fato de deixar essas tensões sem solução é parte de sua força.

SALMO 26
LAVO AS MÃOS NA INOCÊNCIA

De Davi.

1. Decide por mim, *Yahweh*,
    pois eu tenho andado em integridade.
   Em *Yahweh* eu tenho confiado,
    sem vacilar.
2. Sonda-me, *Yahweh*, prova-me,
    testa o meu coração e a minha mente.
3. Pois o teu compromisso está diante dos meus olhos;
    eu ando pela tua veracidade.

4. Não me assentei com homens vazios;
    não sigo com pessoas enganosas.
5. Eu me oponho à congregação de pessoas malignas;
    não me assento com os infiéis.

SALMO 26 • LAVO AS MÃOS NA INOCÊNCIA

⁶ Lavo as minhas mãos na inocência
 para que possa ir ao teu altar, *Yahweh*,
⁷ para permitir que as pessoas ouçam o som do testemunho,
 para declarar todas as tuas maravilhas.

⁸ *Yahweh*, eu amo a morada que é a tua casa,
 a habitação do teu esplendor.
⁹ Não me reúna aos malfeitores,
 a minha vida com homens de sangue,
¹⁰ que têm esquemas em suas mãos,
 cuja mão direita é cheia de suborno.
¹¹ Mas eu ando de acordo com a minha integridade;
 redime-me, sê gracioso comigo!
¹² O meu pé tem permanecido em solo plano;
 na grande congregação, adorarei *Yahweh*.

Na igreja episcopal, quando nos movemos da primeira parte do culto, dedicada à leitura da Escritura, para a celebração da comunhão, alguém derrama um litro de água sobre as minhas mãos como sacerdote, e eu expresso algumas palavras do salmo 26: "Lavo as minhas mãos na inocência para que possa ir ao teu **altar** e contar todos os teus maravilhosos feitos." A prática, que remonta ao tempo de Cirilo, bispo de Jerusalém, no século IV, significa muito para mim, pois declarar os maravilhosos atos de Deus (nesse contexto, falar da celebração da Páscoa de Jesus com os seus discípulos, sua morte por nós e sua ressurreição dentre os mortos) é uma atividade de grande responsabilidade, designada a glorificar a Deus e ser uma bênção para o seu povo. No mesmo século, João Crisóstomo, arcebispo de Constantinopla, menciona uma prática por meio da qual todos lavavam as mãos antes de irem à igreja para a adoração. Todos nós precisamos estar preparados para ouvir essa história. A nossa igreja mantém uma bacia de água benta junto à porta de entrada para

SALMO 26 • LAVO AS MÃOS NA INOCÊNCIA

as pessoas mergulharem o dedo e fazerem o sinal da cruz, o que pode cumprir uma função similar.

Constitui uma oração ainda mais solene quando pensamos sobre o significado da expressão "lavar as nossas mãos em inocência". Entre a última ceia de Jesus e a sua execução, Pilatos busca se eximir da culpa pela morte de Jesus mediante o lavar de suas mãos e a declaração de sua inocência quanto àquele sangue que seria derramado. A alternativa a mãos limpas é tê-las sujas de sangue. O salmista, portanto, pede para não ser reunido (ser enterrado com os ancestrais) aos homens de sangue, ou seja, pessoas que têm as mãos sujas de sangue. Já observamos que é difícil para os cidadãos de países poderosos como a Grã-Bretanha e os Estados Unidos se esquivarem da responsabilidade por grande parte do derramamento de sangue no mundo. Quando nos apresentamos para a adoração, de fato necessitamos lavar as nossas mãos na inocência, nos arrependermos do sangue que temos nelas e nos comprometermos a lutar e trabalhar com políticas que as mantenham sem sangue. Não podemos participar da adoração ou orarmos se pretendemos continuar manchando as nossas mãos.

O próprio salmo é designado a pessoas que correm o perigo de ter o sangue derramado, possivelmente por serem falsamente acusadas de algum delito capital. Elas precisam que Deus exerça a sua **autoridade** e decida por elas. Igualmente, devem permitir que Deus verifique a integridade delas, o que envolve o coração, o seu íntimo, do mesmo modo que o seu comportamento exterior (a ofensa capital pode envolver a consulta e a busca a outros deuses, o que pode ter ocorrido secreta, não publicamente).

Quando os sacerdotes falam sobre os maravilhosos feitos de Deus enquanto expressam essa oração, eles se referem à morte e à ressurreição de Jesus Cristo por nós; no entanto, o salmista tem algo diferente em mente. A proclamação dos prodigiosos atos de Deus serão "o som do testemunho". Em outras palavras, o salmo nos convida a esperar pelo tempo no qual Deus toma a espécie de **decisão** necessária e nos justifica para sermos libertos da pressão da falsa acusação. Nós, então, temos um testemunho a dar com respeito aos maravilhosos atos de Deus por nós. As ações divinas não incluem apenas aquelas em favor do povo, longo tempo atrás, mas abrangem as que praticamos no presente. Essa é a expectativa à qual o salmista nos convida.

SALMO 27
UMA COISA
De Davi.

1. *Yahweh* é a minha luz, a minha libertação —
    a quem deverei temer?
Yahweh é a fortaleza da minha vida —
    de quem deverei ter medo?
2. Quando pessoas malignas se aproximarem de mim
    para devorar a minha carne —
os meus adversários e os meus inimigos —,
    eles colapsarão, cairão.
3. Se um exército acampar contra mim,
    meu coração não temerá.
Se a batalha se levantar contra mim,
    nisso eu confio.

4. Uma coisa pedi a *Yahweh*,
    isso é o que busco,
que eu possa viver na casa de *Yahweh*
    todos os dias da minha vida,
para contemplar a beleza de *Yahweh*
    e entrar a cada manhã em seu palácio.

SALMO 27 • UMA COISA

⁵ Pois ele me mantém seguro em seu refúgio
   no dia da tribulação.
Ele oculta-me em sua tenda como um esconderijo;
   eleva-me alto sobre uma rocha.
⁶ Então, agora, a minha cabeça está elevada
   acima dos inimigos que me rodeiam.
Em sua tenda, oferecerei sacrifícios ruidosos;
   cantarei e farei música para *Yahweh*.

⁷ Ouve, *Yahweh*, a minha voz quando clamo;
   sê gracioso comigo, responde-me.
⁸ A respeito de ti, a minha mente disse:
   "Indague sobre a sua face!"
Sobre a tua face eu indago, *Yahweh*:
⁹   não ocultes a tua face de mim.
Não te desvies do teu servo em ira;
   tu tens sido o meu socorro.
Não me desampares, não me abandones,
   Deus, meu libertador.
¹⁰ Se o meu pai e a minha mãe me abandonarem,
   então *Yahweh* me acolherá.
¹¹ Ensina-me o teu caminho, *Yahweh*,
   conduze-me por uma vereda plana.
À vista das pessoas que me observam,
¹²   não me entregues à vontade daqueles que me
      perturbam.
Pois eles têm levantado falso testemunho contra mim,
   pessoas que testificam violência.

¹³ A menos que eu acreditasse que veria coisas boas de
      Yahweh
   na terra dos vivos. [...]
¹⁴ Espere por *Yahweh*,
   seja forte, que a sua mente se encoraje,
   espere por *Yahweh*!

Logo após chegar aos Estados Unidos, compareci a uma palestra inaugural de um homem que (assim nos disseram) era um pastor de tempo integral e um professor de meio período. Ri-me por dentro, pois imaginei que fosse uma piada — como é possível exercer uma função em tempo integral e outra parcialmente? (Ele também nos revelou que estava escrevendo um livro em suas horas de "descanso", o qual, posteriormente, publicou.) Quão ingênuo eu era sobre os Estados Unidos! Quantas tarefas e funções as pessoas aqui são capazes de executar ao mesmo tempo! Como isso me faz sentir inferior! Um jovem rapaz que conheço trabalha em dois empregos, é organista em nossa igreja, frequenta um curso de graduação em engenharia e ainda tem uma esposa e um filho para dar atenção. Não surpreende que seja difícil nos encontrarmos para discutir a seleção de hinos para os cultos no próximo mês. Outro conhecido é estudante de teologia, trabalha como garçom em um restaurante (ou talvez sejam dois restaurantes), pertence a um grupo de estudo inaciano, candidatou-se para o ministério batista e ainda tem uma namorada. Portanto, é compreensível que, às vezes, ele não esteja presente em nosso grupo de estudo bíblico.

"Uma coisa", diz o salmista. "Uma coisa faço", escreve Paulo (Filipenses 3:13). "Falta-lhe uma coisa", afirmou Jesus ao jovem rico (Marcos 10:21). "Apenas uma coisa é necessária", disse Jesus a Marta (Lucas 10:42). "Uma coisa sei", afirmou o homem cego a quem Jesus havia curado (João 9:25). Essas declarações sobre "uma coisa" variam, mas todas elas reconhecem que há momentos em que é preciso focar. Na cultura ocidental, nos acostumamos à ideia de "multitarefas", em parte pela necessidade, em parte por escolha. Imaginamos conseguir incluir mais uma atividade à nossa agenda sem perguntar o que iremos eliminar para abrir espaço, e não somos bons em recuar para ver o que é prioritário ou não. É difícil perceber o momento em que devemos ter foco, muito mais mantê-lo. Talvez a recorrência dessa expressão "uma coisa", na Bíblia, indique que esse não seja um problema exclusivo do Ocidente.

A sentença, no salmo, é "uma coisa pedi". O que você pede revela o que você é. "O que você quer", portanto, é uma pergunta reveladora que Deus faz a Salomão (1Reis 3:5), do mesmo modo que é quando Jesus a faz ao homem cego (Marcos 10:51). As duas histórias indicam que a pessoa poderia ter dado outras respostas a essa questão. O salmo, no entanto, é outro no Saltério que pressupõe a situação de estar sob ataque; as pessoas estão me observando, e quero receber proteção e que elas recebam a devida retribuição. Entretanto, a expressão "uma coisa" do salmo está em outro lugar, além dessas praticidades, ou em algum lugar por trás delas. Essa "uma coisa" é habitar na casa de *Yahweh*. Dificilmente, isso significa morar no interior do templo, pelo que sabemos, pois ninguém é capaz de viver ali, exceto *Yahweh*. A expressão é uma imagem para viver na presença de *Yahweh*, de viver na sua companhia e, portanto, de estar sob a proteção dele. Isso faz que tudo o mais, exceto "uma coisa", desapareça.

A julgar pelo salmo 90, a "beleza" de *Yahweh* denota as coisas belas que *Yahweh* tem guardadas e que pretende realizar, as "coisas boas" que o versículo 13 cita. Essas expressões sugerem outra perspectiva quanto à compreensão do salmo sobre como a vida com Deus funciona. Isso pressupõe que possuímos uma experiência anterior da **libertação** de Deus; ir à presença de Deus nos lembra essa realidade. Igualmente, nos apresenta a realidade do que Deus pretende fazer para nós e, portanto, fomenta a nossa confiança e a nossa capacidade de viver em esperança, de ansiarmos. Contudo, viver em esperança relaciona-se a viver com foco em "uma coisa" — não viver com a esperança de que seremos capazes de alcançar e de obter tudo, mas na esperança de ganharmos apenas "uma coisa".

SALMO 28
A NOSSA OBRA E A DE DEUS
De Davi.

1. *Yahweh*, eu clamo a ti;
   meu rochedo, não sejas surdo para comigo,
 para que não fiques em silêncio em relação a mim
   e eu seja como as pessoas que descem ao Poço.
2. Ouve o som das minhas orações por graça
   quando clamo a ti por socorro,
     quando levanto as minhas mãos para o teu Lugar Santíssimo.
3. Não me arrastes com as pessoas infiéis,
   com pessoas que praticam maldades,
 pessoas que falam de bem-estar com o seu próximo
   quando há o mal em sua mente.
4. Concede-lhes de acordo com suas ações,
   de acordo com o mal de seus feitos.
 De acordo com a obra de suas mãos,
   pague-lhes os seus salários.
5. Pois não consideram os atos de *Yahweh*,
   a obra de suas mãos;
   que ele possa derrubá-las e não as edifique.

6. *Yahweh* seja adorado,
   pois ele ouviu o som das minhas orações por graça.
7. *Yahweh* é a minha força e o meu escudo;
   nele a minha alma confia, e encontrarei socorro.
 Minha alma exulta,
   e o glorificarei com o meu cântico.
8. *Yahweh* é a força e a fortaleza [do seu povo];
   ele é a grande libertação do seu ungido.
9. Liberta o teu povo, abençoa os que são teus,
   pastoreia-os e conduze-os para sempre.

O noticiário da semana passada trazia a história sobre um cabeleireiro desempregado e extremamente endividado, com pouco mais de quarenta anos, que participou de uma conferência "O dinheiro vem para você", realizada em uma igreja de Vermont. Lá, ele ouviu um pregador visitante prometer que o Senhor não apenas poderia salvá-lo e levá-lo ao céu, mas também lhe daria uma grande fortuna e solucionaria os seus piores problemas financeiros — na verdade, o tornaria muito próspero. O pregador falou sobre a sua mansão de quase dois mil metros quadrados e de seu avião particular, um Falcon 900B, para divulgar a sua mensagem. Afinal, ele disse, Mateus escreveu sobre buscar o reino de Deus e a sua justiça e como todas essas coisas lhe seriam acrescentadas. O cabeleireiro tirou do bolso os sessenta dólares com os quais tinha ido ao culto e saiu sem nada, mas também deixou ali a sua culpa e a sua vergonha.

O problema com a heresia é ser uma meia verdade; as coisas seriam mais fáceis se elas fossem simplesmente erradas. Jesus não fala em ter "todas essas coisas". Na verdade, elas não incluem uma casa espaçosa, mas incluem comida, bebida e roupas, o que se adequaria ao cabeleireiro. O salmo 28 faz a mesma suposição sobre o modo pelo qual Deus se relaciona com as pessoas. A referência ao "ungido" no verso 8, às vezes implica que essa seja uma oração para o rei fazer, mas no salmo nada mais sugere esse uso particular. O salmo constitui uma oração para indivíduos normais e comuns. Ele não faz menção a problemas específicos que poderiam ser levados a Deus, o que significa que pode ser facilmente proferido por pessoas nas circunstâncias mais distintas. Ainda, implica que as pessoas que oram esse salmo enfrentam algumas tribulações e necessitam de socorro, de **libertação**; precisam de um rochedo no qual possam subir, pois estão em risco de morte, de terminarem no poço antes do tempo. É nesse contexto que elas necessitam da graça divina. Algumas merecem esse destino; o salmo é para pessoas que podem reivindicar outro destino.

O salmo presume que você pertença a uma de duas comunidades e que Deus se relacione com essas comunidades de duas formas diferentes. Por um lado, estão os **infiéis**, os que praticam maldades, que falam coisas boas, mas, na verdade, planejam cometer malfeitos. Caso tais pessoas morram antes do tempo, isso é muito apropriado. Do outro, está a comunidade que é posse de **Yahweh**, o povo encabeçado por aquele que *Yahweh* ungiu. São as pessoas que Jesus descreverá como aquelas que provam que buscar o reino de Deus significa também receber alimento, bebida e roupas. Nem o salmo nem Jesus assumem que tais pessoas são perfeitas; tanto o Antigo quanto o Novo Testamentos mostram que as pessoas basicamente fiéis, às vezes, agem infielmente.

O salmo possui uma forma distinta de diferenciar os dois grupos pelo modo com que discorre sobre ações e obras. O primeiro grupo abrange pessoas que merecem ver os resultados de suas próprias ações por dizerem uma coisa e fazerem outra; essa é a "obra de suas mãos". É como se trabalhassem durante uma semana, e o salmo afirma que elas deveriam receber o pagamento merecido; mas, embora seja uma semana de trabalho, não é um trabalho bom.

O segundo grupo inclui pessoas que reconhecem a natureza dos atos divinos, a obra das mãos de Deus. Pode haver duas maneiras por meio das quais o salmista espera que as pessoas ajam. Uma é que a nossa vida deveria ser vivida à luz do que Deus fez, como expressão de gratidão pelas obras de Deus por nós; assim, é um viver na imitação das prioridades de Deus, como fidelidade em vez de infidelidade. A outra é viver a nossa vida à luz do que Deus irá fazer. Caso vivamos de modo infiel, experimentaremos Deus nos derrubando, em lugar de nos edificar. Essa sentença é recorrente em Jeremias, com relação à escolha que se apresenta diante de Israel, e a história israelita mostra como o povo de Deus pôde experimentar um destino ou outro. O salmo pressupõe que você tenha de decidir a que grupo deseja pertencer, mas deve orar por libertação apenas se pertencer ao segundo grupo. A oração por libertação, que encerra o salmo, coloca-se entre o primeiro e o segundo estágios de uma resposta à oração. O salmista reconhece que Deus viu e respondeu às suas mãos levantadas; ele ainda ora pelo estágio dois. Sabe que Jesus prometeu "todas essas coisas", mas pede a Deus para que essa promessa seja cumprida. Quando sabemos de cristãos cuja vida não funciona dessa forma, a oração nos impulsiona a orar da mesma maneira.

SALMO 29
QUEM É REALMENTE DEUS (E VOCÊ O TRATA COMO TAL)?

Uma composição de Davi.

1. Deem a *Yahweh*, ó seres divinos,
    deem a *Yahweh* honra e força.
2. Deem a *Yahweh* a glória de seu nome,
    prostrem-se a *Yahweh* em santa formação.

3. A voz de *Yahweh* estava sobre as águas,
    o glorioso Deus trovejou,
    Yahweh estava sobre poderosas águas.
4. A voz de *Yahweh* estava com poder;
    a voz de *Yahweh* estava com majestade.
5. A voz de *Yahweh* quebra os cedros;
    Yahweh despedaça os cedros do Líbano.
6. Ele os faz saltar como um bezerro,
    o Líbano e o Siriom — como um jovem búfalo.

⁷ A voz de *Yahweh* divide chamas de fogo,
⁸ a voz de *Yahweh* convulsiona o deserto,
a voz de *Yahweh* convulsiona o deserto de Cades.
⁹ A voz de *Yahweh* convulsiona carvalhos, desnuda florestas;
em seu palácio todos nele dizem:
¹⁰ "Em glória *Yahweh* assentou-se nas alturas;
Yahweh assentou-se como rei para sempre."

¹¹ *Yahweh* dá força ao seu povo;
Yahweh abençoa o seu povo com bem-estar.

Sem ter plena consciência do que estava fazendo, na véspera do casamento de sua filha, inocentemente, a minha então futura esposa concordou com a mãe de seu futuro genro (que era a matriarca de uma grande família católica romana do México) que os noivos proferiram uma novena para a próxima geração — para os seus filhos e netos. Estritamente falando, uma novena é uma oração que você expressa por nove dias, mas a mãe do meu futuro enteado manobrou a minha esposa para fazer isso por dois anos, de tal modo que, quando eu me casei, herdei esse compromisso. No entanto, isso se mostrou uma excelente disciplina. Parte dessa novena em particular envolve expressar duas vezes a Oração do Pai-nosso, o que a minha oração focou, especialmente a petição: "Venha o teu reino; seja feita a tua vontade, assim na terra como no céu." Contudo, acho essa petição intrigante, pois tanto o Antigo quanto o Novo Testamentos deixam claro que existem forças no céu (pelo menos, no mundo sobrenatural) contrárias à vontade de Deus, do mesmo modo que há na terra. Talvez a implicação seja a de que precisamos apelar a Deus para que a sua vontade seja implementada tanto no céu quanto na terra.

O salmo 29 começa com o reconhecimento da existência de muitos seres divinos e que eles não necessariamente honram o único e verdadeiro Deus. Embora o nosso idioma tenha uma forma convencional de distinguir entre *Deus* e *deuses*, pelo uso do D, em letra maiúscula, o hebraico e o grego não seguem essa convenção, de modo que Paulo escreve, em 1Coríntios 8, sobre haver muitos "deuses" e "senhores", e o salmo pode fazer o mesmo. Ainda, o salmo deixa claro que isso não significa que todos esses seres divinos tenham o mesmo *status* de **Yahweh**; *Yahweh* é tão diferente deles que é muito útil ter uma convenção para distinguir entre deuses e Deus. Todavia, os seres divinos são como *Yahweh* no fato de serem sobrenaturais e de outro mundo. Assim, eles detêm algum poder no céu e na terra e são capazes de usá-lo incorretamente. Daí o motivo de a Oração do Pai-nosso pressupor que eles tenham algum poder, mas que, no fim das contas, o poder deles está subordinado ao de Deus (de fato, é uma versão turbinada do poder humano).

Na adoração, então, os israelitas os desafiam a reconhecer quem eles são e o que é Deus — em outras palavras, e quem é realmente Deus. Talvez uma inferência seja de que haja algum sentido no qual os adoradores tenham poder em relação a eles. Pode ser que esses seres sejam como alguns governantes de países nos quais não há eleições e que detêm o poder apenas pelo tempo que o povo consentir nisso; quando a população decide não mais aceitar esse poder, os governantes perdem a sua autoridade. Se o paralelo for válido, então, quando os adoradores dizem aos seres sobrenaturais que eles devem reconhecer o verdadeiro Deus, eles também perdem o seu poder. Esses governantes mundiais possuem poder apenas pelo tempo em que concordarmos com isso.

A Bíblia não está interessada no monoteísmo, a questão sobre quantos deuses existem. Ela tem interesse na questão: "Quem é Deus?" Sua preocupação não é afirmar que existe somente um Deus, mas que *Yahweh* é o único Deus. Embora isso implique monoteísmo, o monoteísmo não é um assunto de interesse da Escritura. Assim, o salmo 29 objetiva afirmar que apenas *Yahweh* é Deus e pressionar outros seres divinos a reconhecerem esse fato e honrarem *Yahweh* como ele merece. Devem fazê-lo porque o poder deles é nulo, comparado com o poder de *Yahweh*. Apenas examine o mundo criado, o salmo instrui. Observe como o mundo convulsiona durante uma tempestade, quando relâmpagos aparecem, o chão treme e o vento sopra com uma força capaz de levar enormes árvores ao chão. Pense sobre como essa asserção do poder divino se conecta com a ação de Deus durante a criação, quando *Yahweh* exerceu autoridade sobre as outras forças dinâmicas que poderiam tentar se afirmar, e tomou o seu lugar no trono, sendo entronizado rei para sempre.

Formalmente, o salmo, portanto, é direcionado aos seres divinos nos céus. Contudo, a sua presença no Saltério sugere que o salmo pertença ao contexto da adoração de Israel, e, quer os seres divinos estejam prestando atenção quer não, os seres terrenos que adoram no templo estão totalmente atentos. É possível que esse seja o ponto real do salmo; às vezes, ouvimos com mais atenção a algo que não é diretamente designado a nós. Durante grande parte da história de Israel, os israelitas foram tentados a aumentar suas chances por meio da adoração a outros deuses, além de *Yahweh*. Mas, se até os seres divinos deveriam reconhecer que *Yahweh* é o único Deus como poder real, então os adoradores no templo, que voltavam para suas casas após o culto e faziam ofertas secretas a outros deuses, eram, de fato, estúpidos. Existem muitos deuses, mas há somente um Deus. A última linha aponta para um corolário. *Yahweh* é o único e verdadeiro Deus e está comprometido com Israel. Ele é a fonte de sua força, bênção e **bem-estar**.

A mensagem aos adoradores no templo, então, é: "Olhem para *Yahweh* por essas dádivas. O seu Deus é um grande Deus!"

SALMO 30
RESPOSTA À ORAÇÃO FASE DOIS

*Uma composição. Um cântico para a
dedicação da casa. De Davi.*

1 Eu te exaltarei, *Yahweh*, pois me derrubaste,
    mas não deixaste os meus inimigos se regozijarem sobre mim.
2 *Yahweh*, meu Deus, clamei a ti por socorro,
    e me curaste.
3 *Yahweh*, tiraste a minha vida do Sheol,
    mantiveste-me vivo para que eu não descesse ao Poço.
4 Façam música para *Yahweh*, vocês, que são comprometidos com ele,
    confessem a sua santa lembrança,
5 pois há um momento em sua ira,
    mas uma vida em seu favor.
  À noite, há choro em casa,
    mas, pela manhã, há retumbância.

6 Eu disse quando estava à vontade:
    "Jamais colapsarei."
7 *Yahweh*, em teu favor
    tu estabeleceste força para a minha montanha.
  Escondeste o teu rosto;
    eu fiquei perturbado.
8 A ti, *Yahweh*, eu clamei,
    ao meu Senhor supliquei por graça.
9 Qual seria o ganho de eu ser morto,
    de minha descida ao Sheol?
  Pode o pó te confessar,
    pode declarar a tua veracidade?

> [10] Ouve, *Yahweh*, sê gracioso comigo;
> *Yahweh*, sê o meu socorro.
> [11] Transformaste o meu lamento em dança para mim,
> desfizeste o meu pano de saco e cingiste-me com alegria,
> [12] para que o meu coração fizesse música e não parasse;
> *Yahweh*, meu Deus, confessarei a ti para sempre.

No comentário sobre o salmo 16, mencionei como, alguns meses atrás, conheci, me apaixonei e pedi em casamento alguém e, então, fui diagnosticado com um câncer de próstata e marquei uma cirurgia. Tivemos um comovente período de oração na igreja, e eu sabia que Deus ouvira as orações das pessoas. Aquela foi a fase um da resposta de oração, da maneira pela qual o Saltério retrata a oração. Isso significa que você começa a louvar a Deus por responder à sua oração, mas reconhece que ainda é a fase um e não cessa de orar. Somente após a fase dois, quando é possível ver a resposta divina, não apenas ouvi-la, é que cessamos a oração e passamos, simplesmente, a louvar. Para mim, mesmo esse processo pareceu um pouco mais complicado, pois os médicos estavam muito satisfeitos logo após a cirurgia. Nesse sentido, pode-se dizer que a fase dois havia chegado, mas, para mim, voltar a me sentir normal ainda demorou algumas semanas. Assim, na semana passada, após realizar o teste e constatar que o nível do antígeno em meu sangue estava em valores corretos, é que senti a chegada da fase dois. Agora, eu *realmente* sei que Deus respondeu àquelas orações. (Bem, exceto se você ouvir, daqui a um ano ou dois, que eu morri por causa do alastramento do câncer.)

O salmo 30 ilustra a maneira de orar após a fase dois — ou, melhor, ilustra como agradecer a Deus por responder às nossas orações após a fase dois e a maneira de prestar testemunho pelo que Deus fez. Um motivo para usar a palavra "testemunho" é que a ação de graças envolve contar uma história, em três partes: relata-se como as coisas deram errado, como você orou e como Deus respondeu. O salmo ilustra outra característica recorrente no Saltério: ele diz o que é preciso dizer, mas, então, diz novamente. O salmo em questão poderia terminar no versículo 5 sem que pensássemos que o salmo terminou abruptamente; no entanto, ele recomeça no versículo 6. Talvez o salmista tenha sentido que os primeiros cinco versículos não eram suficientes para fazer justiça ao que Deus tinha realizado.

Quando a segunda metade do salmo reconta a história, ela recua ainda mais em relação ao primeiro relato ao recordar como as coisas eram excelentes antes do golpe. Talvez as palavras impliquem que o salmista vivia excessivamente confiante, embora, no meu caso, não considere que estivesse equivocadamente entusiasmado pelo desenrolar da minha vida, antes de descobrir que estava com câncer. Contudo, a linha de abertura, na segunda versão do testemunho, levanta uma questão sobre a qual eu deveria refletir. Ela também nos fornece mais informações sobre o modo pelo qual o salmista orou, que lembra o salmo 6 (pode-se imaginar alguém orando o salmo 6 após a fase um da resposta à oração e, então, orar o salmo 30 após a fase dois).

O salmo ilustra três outros aspectos interligados quanto a dar testemunho. Primeiro, o salmo assume que a experiência da libertação de Deus não é um evento único e ímpar, mas constitui uma ilustração concreta do que Deus é. Deus é aquele que derruba, mas a sua ira dura apenas um instante (talvez porque não demore a firmar o ponto de que a transgressão é algo sério), e sua amorosa aceitação ao seu povo é mais característico dele. O segundo aspecto é que experimentar a libertação de Deus não é algo que afeta a pessoa apenas no ato. A experiência a muda para sempre, assim como muda a maneira em que ela ora. O terceiro é que o libertado não é o único a ser afetado. Um salmo de ação de graças é, igualmente, um salmo de testemunho, pois é designado para ser ouvido por outras pessoas e para reuni-las, porque os fatos sobre Deus que ele ilustra são relevantes tanto para a pessoa que é curada quanto para o restante da congregação.

É fácil ver como alguém pode usar o salmo para louvar a Deus por uma experiência de cura ou de libertação. Mas e quanto à introdução? Qual é a ligação com a dedicação da casa? A casa é, presumidamente, a casa de Deus (uma ligação com um palácio real ou a residência de uma pessoa comum é menos plausível). Assim, talvez o salmo tenha sido usado na dedicação do templo, nos dias de Ageu e Zacarias, em 515 a.C., quando o povo recebeu permissão para voltar do **exílio**. Ou pode ter sido usado na rededicação do templo após a sua profanação por Antíoco Epifânio, em 167 a.C., em cumprimento das visões no livro de Daniel. A palavra hebraica para dedicação é *hanukkah*, sendo o nome dado a um festival judaico que celebra a libertação do domínio de Antíoco. Seja como for, um salmo concebido como testemunho de um indivíduo tornou-se um meio de transmitir o testemunho de toda uma congregação, o que ilustra a flexibilidade com a qual um salmo pode ser usado.

SALMO 31
ELES ESTÃO TENTANDO NOS ARRASTAR

Ao líder. Uma composição de Davi.

¹ Por confiar em ti, *Yahweh*,
 que eu jamais seja envergonhado;
 resgata-me na tua fidelidade.
² Inclina os teus ouvidos para mim,
 apressa-te e salva-me.
 Sê para mim um rochedo, uma fortaleza,
 um castelo, para me libertar.

³ Pois tu és a minha rocha, a minha fortaleza;
  por amor do teu nome, conduze-me e guia-me.
⁴ Podes me tirar da rede que eles ocultaram para mim,
  pois tu és a minha fortaleza.
⁵ Nas tuas mãos, entrego o meu espírito;
  tu me redimiste, *Yahweh*, Deus verdadeiro.
⁶ Oponho-me a pessoas que se agarram a vaidades vazias;
  eu, porém, confio em *Yahweh*.
⁷ Celebrarei e regozijarei em teu compromisso,
  tu, que viste a minha humilhação;
  reconheceste as minhas profundas tribulações.
⁸ Não me entregaste nas mãos do inimigo;
  puseste os meus pés em um lugar amplo.

⁹ Sê gracioso comigo, *Yahweh*,
  pois estou em apuros.
  Meus olhos definham por causa da aflição —
  meu espírito e meu corpo também.
¹⁰ Pois a minha vida consome-se em tristeza,
  e meus anos em gemidos.
  Minha força vacila por causa da minha transgressão,
  e meus ossos se consomem.
¹¹ Diante de todo o povo que me observa, tornei-me um objeto de injúria,
  e muito mais para os meus vizinhos.
  Um terror para os meus conhecidos,
  as pessoas que me veem na rua fogem de mim.
¹² Fui retirado da mente como alguém que morreu;
  tornei-me como um vaso, perecendo.
¹³ Pois tenho ouvido as difamações de muitas pessoas,
  alarme por todos os lados.
  Eles planejam juntos contra mim,
  tramam para tirar a minha vida.

¹⁴ Mas eu confio em ti, *Yahweh*;
  eu disse: "Tu és o meu Deus."

¹⁵ O meu tempo está em tuas mãos;
    resgata-me das mãos dos meus inimigos, dos meus
        perseguidores.
¹⁶ Que o teu rosto brilhe sobre o teu servo;
    liberta-me, por teu compromisso.
¹⁷ *Yahweh*, que eu não seja envergonhado, pois tenho
        clamado a ti;
    que as pessoas infiéis sejam envergonhadas.
    Enquanto elas vão em silêncio para o Sheol,
¹⁸   que os lábios mentirosos fiquem quietos,
    os quais falam arrogantemente contra os fiéis,
        com orgulho e desprezo.

¹⁹ Quanta bondade tu tens,
        a qual armazenaste para aqueles que estão em temor de ti,
    que fizeste para aqueles que confiam em ti,
        diante do povo.
²⁰ Tu os proteges em um lugar de refúgio na tua presença
        das tramas humanas.
    Tu os escondes em um abrigo
        das línguas contenciosas.
²¹ *Yahweh* seja adorado,
        porque tem sido maravilhoso em seu compromisso
            comigo,
        como uma cidade sitiada.
²² Eu disse a mim mesmo em minha inquietação:
        "Fui cortado de diante dos teus olhos."
    Pelo contrário, ouvistes a minha voz suplicando por graça
        quando clamei a ti por socorro.
²³ Deem-se a *Yahweh*, todos vocês que são comprometidos
        com ele;
    Yahweh guarda as pessoas que são verdadeiras,
        mas retribui plenamente à pessoa que age com orgulho.
²⁴ Sejam fortes; o seu coração deve tomar coragem,
        todos vocês que esperam em *Yahweh*.

Ontem à noite, fomos a um concerto de Marcia Ball, uma grande cantora de *blues* que nasceu na Louisiana. A sua apresentação foi encerrada com a incrivelmente tocante "Louisiana", de Randy Newman. A canção descreve como o rio Mississippi subiu o dia todo e a noite toda e retrata o grande volume de água com a recorrente sentença "seis pés de água nas ruas de Evangeline". A letra relata a resposta, no mínimo, indiferente do governo federal e repete o lamento: "Eles estão tentando nos arrastar." A primeira vez que ouvi essa canção foi após a passagem do furacão Katrina, e não me dei conta, na época, que ela não havia sido escrita por causa daquele evento. Newman a compôs três décadas antes, para contar a história da inundação do Mississippi, em 1927, que deixou setecentas mil pessoas desabrigadas.

Pode-se imaginar as linhas do salmo 31 nos lábios de pessoas que, impotentes, assistem ao nível do rio subir durante o dia todo e a noite toda. Elas não tinham alternativa, exceto dizer a Deus: "Nas tuas mãos, entrego o meu espírito." Essas palavras, do versículo 5, reaparecem nos lábios de Jesus, do mesmo modo que a linha do salmo 22: "Meu Deus, meu Deus, por que me abandonaste?" Mais literalmente, isso é: "Em tuas mãos, eu rendo/delego o meu espírito." A expressão é impactante. Em geral, alguém poderoso designa ou aponta um subordinado para algum cargo ou para ser responsável por algo. Talvez o salmo implique que a última coisa que mesmo os mais fracos detêm é o seu espírito. Pode-se apegar a ele ou estar preparado a rendê-lo.

Quando há seis pés de água nas ruas de Evangeline, as pessoas sentem a necessidade de encontrar algum lugar que seja sete pés mais alto que as ruas de Evangeline. No salmo, Deus é o rochedo no qual as pessoas sobem em busca de segurança enquanto as águas sobem. Os israelitas sempre estão sob a tentação de confiar em alguém mais, além de **Yahweh**, e a elevação do nível das águas faz elevar também essa tentação. O salmo declara: "Nós continuaremos a confiar."

Como de costume, o salmo evita ficar restrito ao pensamento sobre o presente. Quando o salmista utiliza expressões como "Tu me redimiste", as pessoas que usam o salmo podem se lembrar de ocasiões nas quais Deus as resgatou. Essa recordação leva à conclusão: "Deus nos resgatou no passado e pode fazer isso novamente." Igualmente, mantém aqueles eventos na consciência daqueles que oram e, portanto, fortalece a possibilidade de as pessoas resistirem enquanto as águas sobem. Todavia, talvez sejam pessoas que não passaram por essa experiência; as declarações sobre o que Deus fez são, então, feitas na fé. Elas se referem a atos que Deus ainda não realizou, mas que ele decidiu e, assim, iniciou. São como as declarações que os profetas, às vezes, fazem quando falam sobre eventos vindouros como se eles já tivessem acontecido. Seja como for, o salmo objetiva que as pessoas que oram olhem tanto para o futuro quanto para o passado, permitindo, assim, a perspectiva de um resgate. Talvez haja uma possibilidade na qual não conseguimos pensar, um resgate que somente Deus poderia conceber. Podemos perder ou negar isso caso não acreditemos que seja possível. Assim, refletir sobre o passado possibilita pensar nas boas dádivas que Deus tem guardado para o seu povo.

Do mesmo modo que o salmo 30 não se restringiu a contar apenas uma vez a história sobre o resgate de Deus, o salmo 31 não se restringe a fazer a sua oração somente uma vez. Se o salmo terminasse no versículo 8, nada lhe faltaria. O salmista suplicou a Deus para ouvi-lo e agir, declarou sua fé em Deus e olhou à frente, para o que Deus poderia fazer, e ansiou celebrar Deus firmando os seus pés em um lugar amplo ou seco em vez do local estreito ou úmido no qual eles estão agora. Os versículos 9-20, igualmente, poderiam constituir um salmo separado. Mas pode ser significativo que essa segunda seção dê espaço para uma descrição mais dolorosa e aflita da situação. Algumas vezes, necessitamos de liberdade para dizer o que é dito aqui. Entretanto, do mesmo modo que o protesto é mais intenso, as declarações de confiança e esperança também o são. Elas chegam a um clímax com as linhas que falam como se a **libertação** já tivesse chegado, mas as águas ainda estão subindo. As pessoas que oram são convidadas a acreditar e a declarar que Deus já ouviu a oração delas, mesmo quando não há nenhuma evidência, a incentivar uns aos outros a crer nisso, e a ter a devida coragem. Às vezes, é necessário repetir uma oração seguidamente para que as pessoas que oram acreditem no que estão proferindo, especialmente quando a situação não apresenta mudanças imediatas. E há momentos nos quais precisamos repeti-las inúmeras vezes para que as vozes dos que desejam nos arrastar não afoguem a nossa esperança.

Quando o papa João Paulo II discursou no Yad Vashem, o memorial do Holocausto, em Jerusalém, ele começou e terminou mencionando esse salmo. Ele comentou: "Somos sobrepujados pelos ecos dos penosos lamentos de tantos." Mas não somos esmagados porque sabemos que "o mal não terá a última palavra. Das profundezas da dor e da tristeza, o coração do que crê clama: 'Confio em ti, Senhor; eu digo: "Tu és o meu Deus."'"

SALMO 32
O AMOR COBRE UMA MULTIDÃO DE PECADOS

De Davi. Uma instrução.

1. Abençoado aquele rebelião é carregada,
   cuja ofensa é coberta!
2. Abençoada a pessoa para a qual *Yahweh* não conta a
   transgressão,
   em cujo espírito não há engano!

SALMO 32 • O AMOR COBRE UMA MULTIDÃO DE PECADOS

³ Quando fiquei em silêncio, meus ossos se consumiram
  com a minha angústia o dia todo.
⁴ Pois, dia e noite, a tua mão pesava sobre mim;
  a minha força foi minada [como] na seca de verão.
    (*Pausa*)
⁵ Reconheci a minha ofensa a ti;
  não encobri a minha transgressão.
  Eu disse: "Confessarei as minhas rebeliões a *Yahweh*",
  e tu carregaste a transgressão da minha ofensa. (*Pausa*)
⁶ Por isso, todo aquele que é comprometido deve suplicar a ti
  no momento em que for encontrado.
  Sim, quando as muitas águas transbordarem,
  elas não o alcançarão.
⁷ Tu és um esconderijo para mim;
  tu me proteges da aflição,
  tu me cercas com gritos de resgate. (*Pausa*)

⁸ "Eu o instruirei, o ensinarei no caminho em que você
    deve ir;
  oferecerei conselho — meus olhos estão sobre você."
⁹ Não seja como um cavalo, como uma mula que não tem
    senso,
  cujo avanço requer restrição com freio e rédeas,
  ou não há como chegar perto.
¹⁰ Muitas são as dores do infiel,
   mas a pessoa que confia em *Yahweh* —
   o compromisso a cerca.
¹¹ Regozije-se em *Yahweh*, celebre, ó fiel;
   gritem, todos vocês retos de mente.

Ontem, uma corte federal julgou seis oficiais de polícia culpados de atirar em seis cidadãos no rescaldo do furacão Katrina. Minha esposa e eu estávamos refletindo sobre como nós, simplesmente, não conseguimos nos dissociar de um evento como um tiroteio. A polícia nos representa; nós os comissionamos para manter a ordem na *polis*, isto é, na cidade. A defesa argumentou que deveríamos permitir erros cometidos pelas pessoas em situações perigosas, como essa, pois elas precisam tomar decisões de vida ou morte em instantes. Quer isso seja válido quer não, as ofensas adicionais envolvidas na orquestração de um acobertamento sistemático do que realmente ocorreu reduziram a simpatia pelos oficiais, enredados nas horrendas pressões dessa dramática situação. Ainda assim, temos de ver a falha dos oficiais como nossa, do mesmo modo que lhes devemos o nosso apoio.

O salmo 32 incorpora algumas palavras-chave do Antigo Testamento para a reflexão sobre tais eventos em relação aos seres humanos e em relação a Deus. A primeira é o verbo "carregar", o sentido literal do termo hebraico que, mais frequentemente, está por trás do verbo "perdoar", nas traduções do Antigo Testamento para a língua portuguesa. Quando alguém faz algo errado com outra pessoa, a parte prejudicada "carrega" o delito, aceita a responsabilidade pelas consequências, mesmo que ele ou ela não seja responsável pelo delito em si. Em lugar de buscar reparação, a parte ofendida se recusa a deixar que o malfeito se interponha entre as duas pessoas. Embora seja função do Estado decidir se e como o malfeitor deve ser punido, o trabalho da pessoa prejudicada ou ofendida é "carregar" o delito cometido contra ela.

A segunda palavra é "cobrir", que pode ser usada de duas maneiras. Potencialmente, há um acobertamento feito pelo malfeitor, e outro, feito pela pessoa que foi prejudicada. O incidente em Nova Orleans levou a uma tentativa de ocultação, de encobrimento, e o salmo espera que sejamos capazes de dizer que não nos envolvemos nisso. Igualmente, o salmo fala sobre a parte prejudicada estar envolvida num encobrimento positivo. O Antigo Testamento, com frequência, discorre sobre a transgressão causar uma mancha; o assassinato, de modo literal, faz isso, pois o sangue da vítima é derramado ao chão. Uma das vítimas de Nova Orleans perdeu a mão direita durante o tiroteio e teve de fazer o juramento no tribunal erguendo a sua mão esquerda. Suponha que ela usasse aquela mão para cobrir o sangue que fluía de sua mão direita, no sentido de se recusar a chamar a atenção para a sua perda e pedir por vingança?

A terceira palavra é o verbo "contar". Isso sugere a imagem de um registro do tribunal. Ao cometer uma infração de trânsito algumas semanas atrás, eu paguei uma multa, mas a infração foi incluída em meus registros. Minha declaração de culpa não afetaria esse processo. Os relacionamentos pessoais funcionam de maneira distinta. Não mantemos um registro dos erros cometidos contra nós pelas outras pessoas. Reconhecidamente, não podemos presumir que alguém agirá dessa forma, especialmente se tentarmos encobrir os atos — daí o comentário do salmo sobre não haver engano em nosso espírito. Não se trata de a relação funcionar de maneira contratual; uma vez mais, existe uma devida distinção entre a operação da lei e o funcionamento das relações pessoais. Não podemos dizer: "Eu vim limpo; você tem de me perdoar." Mas, se não formos limpos, não temos o direito a tal esperança. Por outro lado, não podemos dizer: "Ele não veio limpo; portanto, não preciso perdoá-lo." Nesse contexto também não se trata de uma relação contratual ou legal.

Essa é a maneira pela qual os relacionamentos devem funcionar. O ponto do salmo é que os relacionamentos com Deus funcionam dessa forma. Deus carrega os nossos delitos, assume a responsabilidade por evitar que eles se coloquem entre nós e ele. Deus cobre a nossa transgressão, coloca a sua mão sobre ela para que não a possa ver. Deus se recusa a contá-la, rejeita manter um registro dela. O Antigo Testamento é a história de Deus agindo dessa forma em relação a Israel, com frequência disciplinando, mas jamais expulsando os israelitas para sempre. É a história que chega ao clímax quando Deus permite que o seu Filho seja executado. Esse é o ápice no tocante a assumir a responsabilidade pela relação conosco em vez de nos fazer carregar a responsabilidade. Claro que Deus carrega, cobre e não registra contagem somente se cooperarmos, se lhe dermos permissão. Essa é a implicação do testemunho do salmo. Se tentarmos encobrir, ocultar a nossa transgressão e nos recusar a reconhecer isso, então corremos o risco de frustrar a disposição de Deus para carregar, cobrir e não abrir contagem, além de aumentar o perigo de um efeito contínuo disso.

SALMO 33
O COMPROMISSO DE DEUS ENCHE A TERRA

1. Ressoem, povo fiel, em *Yahweh*;
    o louvor é adequado aos retos.
2. Confessem a *Yahweh* com harpa;
    façam música para ele com a lira de dez cordas.
3. Cantem-lhe um novo cântico;
    toquem bem, com júbilo.
4. Pois a palavra de *Yahweh* é reta,
    e todos os seus atos são feitos em veracidade.
5. Ele se entrega à fidelidade no exercício de autoridade;
    o compromisso de *Yahweh* enche a terra.

6. Pela palavra de *Yahweh*, os céus foram feitos,
    pelo sopro de sua boca todo o exército deles,
7. reunindo a água do mar como em uma represa,
    colocando as profundezas em reservatórios.

SALMO 33 • O COMPROMISSO DE DEUS ENCHE A TERRA

⁸ Toda a terra deve estar em temor de *Yahweh*;
   todos os habitantes do mundo devem reverenciá-lo.
⁹ Pois ele é aquele que falou, e aconteceu;
   ele é aquele que ordenou, e surgiu.
¹⁰ *Yahweh* anula a política das nações,
   frustra as intenções dos povos.
¹¹ A política de *Yahweh* permanece para sempre;
   as intenções de sua mente, de geração em geração.
¹² Abençoada a nação para a qual *Yahweh* é o seu Deus,
   o povo que ele escolheu como seu próprio!
¹³ Dos céus, *Yahweh* observa,
   vê toda a humanidade.
¹⁴ Do lugar onde vive, ele olha
   todas as pessoas que vivem na terra,
¹⁵ aquele que molda as suas mentes, todas juntas,
   que discerne todas as suas ações.
¹⁶ Não há rei que liberta a si mesmo por meio de um grande poder;
   um guerreiro não resgata a si mesmo por meio de uma grande força.
¹⁷ O cavalo é um engano para libertação
   e, com a grandeza de sua força, ele não escapa.

¹⁸ Eis que os olhos de *Yahweh* estão sobre as pessoas que estão no temor dele,
   pessoas que esperam por seu compromisso,
¹⁹ para resgatá-las da morte
   e mantê-las vivas na fome.
²⁰ Nosso espírito espera por *Yahweh*;
   ele é o nosso socorro e o nosso escudo.
²¹ Porque nele o nosso coração se regozija;
   pois em seu santo nome confiamos.
²² Que o teu compromisso esteja sobre nós, *Yahweh*,
   enquanto esperamos por ti.

Ontem fomos à praia. Na verdade, foi uma aventura tola, pois era um sábado de agosto; esqueci-me que todos teriam a mesma ideia e que seria impossível achar uma vaga para estacionar o carro. Todavia, no fim da tarde, finalmente nos sentamos na areia, em uma pequena enseada, e ficamos olhando as enormes ondas com suas cristas brancas batendo na costa. Quando decidimos dar uma pequena caminhada, assegurei à minha esposa que poderíamos deixar a nossa barraca na areia; o mar jamais chegaria até aquele ponto da praia. Eu estava quase certo; pouco tempo depois, para surpresa geral, uma gigantesca onda avançou sobre a praia, próximo a nós e de alguns pequenos grupos que ali se acomodaram pensando ser um local seguro. Ao dirigirmos de volta para casa (passamos mais tempo na estrada do que na praia), minha esposa comentou que ela ainda guardava na mente a imagem daquelas assombrosas ondas.

Alguns israelitas já conheciam sobre ondas gigantes. A história de Jonas sugere algum conhecimento delas. Se você subir até o promontório de Jaffa, o porto do qual Jonas partiu quando estava tentando fugir do chamado de Deus, poderá observar as ondas batendo nos rochedos da mesma forma que na Europa ou nos Estados Unidos. Elas não são, em si mesmas, uma indicação de que "o **compromisso** de *Yahweh* enche a terra". As ondas podem, às vezes, nos surpreender e mesmo ameaçar nos arrastar (veja o comentário sobre o salmo 31). Poderiam até nos fazer questionar o que aconteceu com o compromisso de *Yahweh*. Na orla da praia, decidi subir em alguns rochedos, mas a minha esposa me impediu, pois, segundo ela, não queria que eu desse trabalho para os salva-vidas. Enquanto saíamos da praia, os vimos correndo em direção aos rochedos e em torno do promontório, aparentemente para socorrer alguém que se meteu em apuros ali.

O salmista se recusa a permitir que esses eventos contestem a verdade de que Deus mantém os mares sob controle. Se observarmos os seus padrões, na quase totalidade do tempo os oceanos não constituem um perigo para nós; a nossa maior ameaça somos nós mesmos, ao presumirmos que sairemos impunes de algo cuja periculosidade deveríamos reconhecer. O salmo declara que o ato criador de Deus lembra a obra de um engenheiro que constrói uma represa para conter as águas. Ou, mais provavelmente, lembra o ato mais humilde de um pastor que ergue um pequeno dique com algumas pedras e um punhado de areia para represar as águas de um riacho e torná-las em águas tranquilas que não afugentem as suas ovelhas (veja o salmo 23). Ainda, pode lembrar a ação de um fazendeiro que edifica uma represa similar para armazenar as chuvas de inverno com o propósito de irrigar as suas plantações durante os períodos de seca. O poderoso ato da criação que mantém as águas no lugar não é mais problemático para Deus do que esses feitos da engenharia. A criação é uma personificação do compromisso e do amor de Deus por nós.

Embora o salmista fale sobre os eventos passados da criação, ele também aborda os eventos presentes da política e declara que o compromisso de Deus opera, igualmente, ali. Talvez haja um motivo além da sua impressionante força inerente que fez a minha esposa refletir sobre as ondas. Ocorre que aquela praia possui conexões traumáticas para ela, por causa de experiências de um passado distante. Essas experiências poderiam ser mais avassaladoras — na verdade, parecem muito opressoras, mas Kathleen não se sente oprimida por elas. Como o salmista expressa, ela esperou pelo compromisso de Deus, ansiou por ele, confiou nele e o provou.

Deus mostra-se **fiel** no exercício de **autoridade** em seu envolvimento atual com o seu povo, com as nações e com os indivíduos. A contínua ação divina de restringir o caos nesses outros reinos é igualmente importante para nós quanto a sua obra no passado para ordenar a criação e impedir o caos de imperar. No mundo de Israel, a exemplo do nosso, havia inúmeras evidências de que o mundo das nações estava fora de controle, mas o salmo declara que não é assim. Quando o Antigo Testamento fala das "nações", com frequência é uma referência ao poder imperial do dia, a superpotência — **Assíria**, **Babilônia**, **Pérsia** ou **Grécia**. Pode parecer que as políticas desses impérios sejam o fator determinante no mundo, mas o salmista sabe que a política de *Yahweh* é, na realidade, o fator decisivo. O poderio militar não é o que define os eventos, como qualquer consulta aos documentos da história moderna também indica. A questão-chave é se Deus mantém os olhos sobre você. Essa expressão, às vezes, assume conotações negativas ("Em cada movimento que você fizer, eu estarei observando-o"). Em outras, possui conotações positivas ("Pode manter os olhos nas crianças por uns minutos?"). No caso desse salmo, as conotações são extremamente positivas. Os olhos de Deus veem e, então, ele protege e abençoa. Apesar de parecer que os governantes humanos estão sempre à beira de lançar o mundo em um caos, a verdade é que ainda estamos aqui, e ainda temos uma porção de terra seca onde habitarmos, mesmo que os mares rujam violentamente.

SALMO 34
EU SOBREVIVEREI

De Davi. Quando ele ocultou a sua sanidade diante de Abimeleque para que ele o expulsasse, e ele partiu.

1. Adorarei *Yahweh* em todo o tempo;
    seu louvor estará continuamente em minha boca.
2. Em *Yahweh* o meu espírito exulta;
    os humildes devem ouvir e celebrar.

³ Engrandeçam *Yahweh* comigo;
    exaltaremos o seu nome juntos.
⁴ Busquei socorro em *Yahweh*, e ele me respondeu
    e resgatou-me de todos os meus terrores.
⁵ As pessoas o reconhecem e se tornam radiantes;
    seus rostos não precisam ser envergonhados.
⁶ Este homem humilde clamou, e *Yahweh* ouviu
    e o libertou de todas as suas tribulações.
⁷ O ajudante de *Yahweh* acampa ao redor das pessoas
    que estão no temor dele e as resgata.
⁸ Provem e vejam que Deus é bom —
    abençoado o homem que confia nele!
⁹ Estejam no temor de *Yahweh*, vocês que são os seus santos,
    pois nada falta às pessoas que estão no temor dele.
¹⁰ Os leões estão em necessidade e famintos,
    mas às pessoas que buscam o socorro de *Yahweh* nada
    lhes falta de bom.

¹¹ Venham, filhos, ouçam-me;
    eu lhes ensinarei o temor de *Yahweh*.
¹² Quem é a pessoa que aprecia a vida,
    que ama os dias por ver coisas boas?
¹³ Guarde a sua língua do mal,
    e os seus lábios de falar mentiras.
¹⁴ Desvie-se do mal e faça o bem;
    busque o bem-estar das pessoas, persiga-o.
¹⁵ Os olhos de *Yahweh* estão sobre os fiéis,
    e seus ouvidos atentos ao clamor deles por socorro.
¹⁶ O rosto de *Yahweh* está contra os que fazem o mal,
    para eliminar a menção deles da terra.
¹⁷ As pessoas clamam, e *Yahweh* ouve
    e as resgata de todas as suas tribulações.
¹⁸ *Yahweh* está perto das pessoas que estão quebrantadas por
    dentro
    e liberta as pessoas que estão esmagadas em espírito.

> ¹⁹ Quando os males que vêm aos fiéis são muitos,
>   *Yahweh* os salva de todos eles.
> ²⁰   Ele cuida de todos os seus ossos;
>   nenhum deles se quebra.
> ²¹   Algo maligno pode matar a pessoa infiel,
>   e os oponentes do fiel podem sofrer punição;
> ²²   *Yahweh* redime a vida dos seus servos,
>   e todos os que nele confiam não sofrem punição.

Ontem, a nossa pregadora nos revelou como, dois anos atrás, ela se casou com um homem que logo passou a ter um comportamento abusivo. Assim, após um breve período, ela decidiu deixá-lo, embora fosse tempo suficiente para ela engravidar. Então, aquela mulher logo descobriu-se divorciada, desempregada e mãe solteira. De maneira compreensível, podemos imaginá-la desiludida com a vida e com Deus, mas o texto para o seu sermão foi extraído de Filipenses 4, no qual Paulo encoraja as pessoas a não se preocuparem e não ficarem ansiosas, mas alegrarem-se em Deus; então, descobrirão que a paz de Deus reina em seu coração. A nossa pregadora está prestes a ser ordenada, embora a sua atribuição ministerial não inclua um salário e, portanto, ela ainda precisa arrumar um emprego, mas ela está confiante de que Deus virá em seu socorro. Na discussão que se seguiu ao sermão, alguém a procurou para dar o próprio testemunho sobre a forma pela qual Deus a havia conduzido por uma experiência similar.

O salmo 34 coloca em nossos lábios um testemunho semelhante. Ele retrata uma pessoa que passou por terrores — talvez, circunstâncias objetivamente aterradoras ou, ainda, temores subjetivos. Trata-se de uma pessoa humilde, comum e impotente, não alguém de elevada posição social ou riqueza; alguém que tem "clamado por socorro"; a palavra no hebraico é similar à expressão para Deus **libertar** alguém, de maneira que a própria palavra indica o conteúdo do clamor. É alguém que tem **clamado**, um termo diferente, usado em outras passagens para expressar o clamor dos israelitas sob a escravidão no **Egito**; aquela situação é a espécie de circunstância que essa pessoa, agora, enfrenta, mas é possível que Deus lhe responda como respondeu naquela época. Ela tem passado por "tribulações"; o salmista usa esse termo duas vezes. O salmo é uma oração para pessoas "quebrantadas por dentro" e "esmagadas em espírito". As pressões sobre Davi, quando estava fugindo de Saul, podem ilustrar essa experiência.

Todavia, trata-se de uma pessoa que sobreviveu, não porque tenha (a exemplo de Gloria Gaynor, na famosa canção) determinado que: "*I will survive*" [Eu sobreviverei], e o fez ainda que isso tenha exigido toda a sua força para não desmoronar. Ela, agora, mantém a sua cabeça levantada e se tornou uma "nova pessoa", mas não porque foi capaz de reunir todos os seus recursos interiores para lograr isso. Ela sobreviveu porque Deus lhe respondeu e a resgatou, Deus a ouviu e a libertou, pois ele ouve e resgata, está perto e liberta. Esse salmo, a exemplo de outros, opera com a compreensão de duas fases para a resposta de oração. Primeiro, Deus ouve e responde, o que por si só é suficiente para mudar o semblante da pessoa que ora; as pessoas olham para Deus, e o rosto delas começa a brilhar. Então, Deus resgata e liberta; é como se o **ajudante** de Deus que lidera o exército divino acampasse ao redor da pessoa que está sob ataque e evitasse que ela fosse atingida.

A famosa canção "*I will survive*" [Eu sobreviverei] é endereçada a um antigo amante cuja amada, que ele abandonou, se recusa a voltar para ele. O salmo é dirigido a outras pessoas que podem ter passado pela experiência que o texto pressupõe. Descrevi, antes, como uma pessoa de nossa congregação foi movida a prestar o seu próprio testemunho que correspondia à experiência da pregadora. Talvez ainda houvesse outros na igreja assolados por problemas que as motivasse a reforçar internamente: "Eu sobreviverei", não por possuírem os recursos necessários, mas porque, agora, elas creem que Deus pode socorrê-las.

Para isso acontecer, o salmista diz, a pessoa deve se voltar para Deus. Ele também enfatiza que ela não deve esperar ter expectativas quanto a ser capaz de olhar para Deus e pedir pelo resgate divino, caso ainda não tenha se desviado de sua transgressão que a impede de andar no caminho de Deus. Por quatro vezes o salmo fala sobre o **temor** diante de Deus. Trata-se de um termo que denota reverência em relação a Deus, mas, igualmente, obediência (algumas traduções usam o verbo "temer", mas isso transmite uma noção equivocada). Se você deseja que Deus o proteja de outras pessoas, é necessário que seja a espécie de pessoa cujos relacionamentos interpessoais estejam em ordem.

Nesta manhã, visitei um homem da nossa congregação que não pôde ir à igreja ontem, pois na semana passada, submeteu-se a um procedimento para implante de um marca-passo, e deve repousar alguns dias em casa. Inúmeras conversas com ele resultaram em histórias que me fazem refletir. Hoje mesmo, ele me revelou como retornou para casa, após servir na Segunda Guerra Mundial, e descobriu que os cultos da sua igreja eram cheios de vida espiritual, mas que as pessoas que eram espiritualmente vivas na congregação começavam a fofocar sobre seus vizinhos tão logo colocavam os pés fora do templo. Isso o fez abandonar a igreja durante alguns anos. As que se beneficiam com as promessas do salmo 34 não são pessoas fofoqueiras ou que dão falso testemunho com o fim de se apropriar da terra ou da propriedade alheia. Antes, estão mais interessadas em buscar o **bem-estar** do próximo do que o seu próprio bem, ou mais interessadas em perseguir a paz do que em enganar os outros. Portanto, elas buscam a paz e o bem-estar do próximo.

SALMO 35
ELES ME ODIARAM SEM MOTIVO; E O TRATARÃO DA MESMA FORMA

De Davi.

1. Contende com as pessoas que contendem comigo, *Yahweh*,
    luta contra as pessoas que lutam contra mim.
2. Toma em tua mão o broquel e o escudo de corpo
    e levanta como meu socorro.
3. Empunha a lança e o pique para encontrar os meus
        perseguidores;
    dize-me: "Eu sou a sua libertação."
4. Devem ser desonradas e envergonhadas
    as pessoas que buscam a minha vida.
    Devem retroceder e ficar desanimadas
    as pessoas que planejam o mal contra mim.
5. Devem ser como a palha diante do vento,
    com o ajudante de *Yahweh* em perseguição.
6. Que o caminho deles seja escuro e escorregadio,
    com o ajudante de *Yahweh* perseguindo-os.
7. Pois, sem motivo, ocultaram a rede da cova deles para mim,
    sem motivo a cavaram para a minha vida.
8. O desastre deve vir de modo que ele não o reconheça:
    sua própria rede, que escondeu, deve prendê-lo; como
        desastre,
    que isso caia sobre ele.

9. Mas o meu espírito se regozijará em *Yahweh*,
    estará alegre em sua libertação.

¹⁰ Todos os meus ossos dirão:
  "*Yahweh*, quem é como tu,
 que resgatas a pessoa humilde daquele que é mais forte que ela,
  livras a pessoa humilde e necessitada do ladrão?"

¹¹ Testemunhas violentas tomam a sua posição,
  pessoas que me perguntam sobre o que eu não sei.
¹² Elas retribuem o bem com o mal,
  lamentam pelo meu espírito.
¹³ Contudo, eu, quando estavam doentes,
  minha roupa era pano de saco.
 Humilhei-me com jejum,
  e a minha súplica retornava ao meu coração.
¹⁴ Eu andava como se fosse meu amigo, como se fosse um irmão;
  como se eu fosse uma mãe enlutada, curvava-me,
   entristecido.
¹⁵ Mas em meu tropeço eles se regozijaram e se reuniram,
  uniram-se contra mim como assaltantes.
 Pessoas que eu não conhecia me dilaceraram
  e não pararam.
¹⁶ Como os zombadores mais profanos,
  cerraram os dentes contra mim.
¹⁷ Meu Senhor, até quando ficarás olhando? —
  restaura a minha vida da devastação deles,
  a minha querida vida, dos leões.
¹⁸ Confessarei a ti na grande congregação,
  no meio de um povo poderoso eu te louvarei.
¹⁹ Que os meus mentirosos inimigos não se regozijem às minhas custas,
  as pessoas que estão contra mim sem motivo, cujos olhos brilham.
²⁰ Pois não falam de paz;
  estão contra as pessoas tranquilas da terra.
 Planejam declarações falsas

> ²¹ e abrem a sua grande boca contra mim.
> Disseram: "Bem feito,
> nossos olhos viram!"
> ²² Tu viste, *Yahweh*, não fiques em silêncio;
> meu Senhor, não fiques distante de mim!
> ²³ Mexe-te, desperta, para tomar uma decisão por mim,
> para contender por mim, meu Deus e meu Senhor!
> ²⁴ Decide por mim de acordo com a tua fidelidade, *Yahweh*,
> meu Deus;
> eles não devem se regozijar às minhas custas.
> ²⁵ Não devem dizer no íntimo: "Ei, o nosso desejo!" —
> não devem dizer: "Nós o devoramos!"
> ²⁶ Devem ser desonradas e ficar desanimadas todas
> as pessoas que se regozijam com o mal sobre mim.
> Devem ser revestidas de desonra e vergonha
> as pessoas que agem grande sobre mim.
> ²⁷ Devem ressoar e se alegrar
> as pessoas que se deleitam na fidelidade mostrada a
> mim
> e dizerem continuamente:
> "*Yahweh* é grande, aquele que se deleita no bem-estar
> do seu servo",
> ²⁸ e a minha língua possa contar da tua fidelidade,
> do teu louvor o dia todo.

É interessante constatar que as partes mais desagradáveis do Antigo Testamento não parecem suscitar problemas para Jesus do mesmo modo que suscitam para os ocidentais. Isso nos auxilia a ver que a nossa bondade nada tem a ver com o fato de sermos cristãos (judeus muçulmanos, ateus e outros do Ocidente também são bons). Em João 15, Jesus instrui os seus discípulos a esperarem que as pessoas os persigam, porque, afinal de contas, elas o perseguiram antes, e comenta que a resistência delas contra ele as torna culpadas diante de Deus de uma forma que não eram antes. Nesse contexto, ele declara que, em sua oposição a ele e ao Pai, essas pessoas estão cumprindo ou exemplificando o que é dito no salmo 35 sobre odiar alguém sem motivo.

Nos Estados Unidos, a política tem se tornado mais polarizada, e o sistema político mais conflitante, à medida que cada vez mais pessoas passam a viver abaixo da linha da pobreza. Enquanto escrevo, os britânicos estão indo às ruas protestar, em parte por fatores similares. Uma relevância do salmo 35 para os leitores ocidentais é nos lembrar das realidades da vida para inúmeras pessoas, em muitas regiões do mundo e em muitas épocas da história. Isso nos adverte de levarmos essas realidades ao trono de Deus. O salmo 34 fala sobre sermos pacificadores, outro tema do Antigo Testamento reafirmado por Jesus. Paradoxalmente, podemos inferir do salmo 35, a exemplo de inúmeros outros salmos, que apresentar a Deus qualquer tratamento injustificado, hostil e corrupto, recebido de outras pessoas, pode tornar mais fácil resistir à tentação de pagar a essas pessoas na mesma moeda. A nossa confiança de que Deus é justo e está envolvido no mundo facilita a aceitação de que não precisamos fazer justiça com as próprias mãos (como se a nossa justiça pudesse ser tão justa quanto a de Deus!).

Jeremias ilustra essa dinâmica (veja Jeremias 18; 20; 38). Ele, igualmente, fala sobre ser odiado sem motivo e de pessoas retribuindo o bem com o mal. O profeta discorre sobre pessoas que escondem armadilhas para os pés dele e cavam um poço para ali jogá-lo, e a sua história subsequente mostra que este último não foi apenas uma metáfora. Ele também fala confiadamente sobre a maneira pela qual Deus transformará as coisas em derredor e cuidará para que os seus perseguidores recebam a merecida retribuição. E parece que a sua liberdade de falar com Deus sobre essas realidades e a sua convicção quanto ao agir de Deus são elementos-chave para ele seguir adiante. Reconhecidamente, trata-se de uma convicção vacilante em vez de inabalável. Talvez esse fato levante a questão quanto ao mesmo ser verdadeiro em relação a alguém que ore esse salmo. Exatamente por estar em apuros é que você precisa falar do mesmo modo que o salmista. Caso estivesse menos encrencado, estaria orando o salmo 23 ou o salmo 27. Uma das grandes características do Saltério é que ele fornece exemplos de oração que podem ser usados por pessoas em toda sorte de situações e circunstâncias. Não é preciso que você se coloque em uma situação específica.

Dentro desse salmo, a exemplo de outros, também há espaço de manobra para inserir outras necessidades pelas quais queremos orar. A conversa sobre **Yahweh** "contender" usa uma linguagem jurídica, e seria possível a alguém que foi acusado falsamente usar o salmo como uma oração para *Yahweh* agir como um advogado e usar os termos sobre armamento de modo mais metafórico. Por outro lado, alguém que estivesse sob ataque físico poderia usar a linguagem de batalha de maneira mais literal. Outros salmos mostram que, no fim, pode não haver grande distinção entre um ataque no tribunal e um ataque na rua, pois um veredito de culpa poderia significar a perda da propriedade e, assim, dos meios de o culpado subsistir, caso a sentença não determine uma execução real. Seja como for, o salmista ora por justiça e, portanto, pelo restabelecimento da honra de alguém e, consequentemente, a definição do descrédito e da vergonha dos acusadores. Pelo conhecimento de que Deus trará a justiça, podemos abrir mão e seguir com a nossa vida em vez de, constantemente, tentar pagar na mesma moeda. Uma vez mais, Jesus confirma o instinto do salmo de que a nossa tarefa não é agir contra os que nos atacam, mas que cabe a Deus cuidar da queda deles com o fim de confirmar a estrutura moral do universo, para que sejam apanhados pelas próprias armadilhas que tentaram usar contra pessoas que não as mereciam.

Claro que será possível orar dessa maneira somente se a pessoa puder verdadeiramente reivindicar (como o salmista) ter vivido com integridade nas relações com as demais pessoas e, especialmente, com os seus inimigos. O salmo, portanto, nos força a um autoexame, antes de ousarmos orar dessa forma.

SALMO 36
SOBRE VIVER EM DOIS MUNDOS DIFERENTES

Ao líder. De Davi, servo de Yahweh.

1. Uma declaração rebelde de uma pessoa infiel está na
   minha mente;
   não há temor em relação a Deus diante dos seus olhos.
2. Pois vangloria-se aos seus próprios olhos,
   em relação a ser descoberta por sua transgressão,
   quanto a ser repudiada.
3. As palavras de sua boca são maldade e engano;
   ela evita ser sábia, fazer o bem.
4. Planeja a maldade em sua cama,
   coloca-se em uma vereda não boa,
   não rejeita o mal.

5. *Yahweh*, o teu compromisso está nos céus,
   a tua veracidade alcança o firmamento.
6. A tua fidelidade é como as montanhas majestosas,
   a tua autoridade é como a grande profundeza.
   O ser humano e o animal, tu libertas, *Yahweh*;
7. quão valioso é o teu compromisso.
   Os seres divinos e os humanos confiam
   na sombra das tuas asas.

⁸ Eles se banqueteiam nas riquezas da tua casa,
  tu os deixas beber do teu agradável rio.
⁹ Pois contigo há uma fonte viva;
  em tua luz, vemos luz.

¹⁰ Continua o teu compromisso com as pessoas que te reconhecem,
   a tua fidelidade aos retos em espírito.
¹¹ O pé elevado não deve vir sobre mim,
   as mãos das pessoas infiéis não devem me fazer fugir.
¹² As pessoas que praticam a maldade caíram ali,
   foram lançadas ao chão, não conseguem se levantar.

Recentemente o governador do Texas, promoveu uma reunião de oração que suscitou a ira de pessoas que acreditavam que ele estrava transgredindo os limites entre a igreja e o Estado. Isso também resultou em uma grande incompreensão dos comentaristas. Um deles observou: "Foi um espetáculo que — sejamos honestos — a maioria de nós, na mídia, realmente não compreende." Orar como uma reação diante da consciência dos infortúnios do país parece suscitar a descrença; isso não funciona com base na razão. Parece haver um abismo estabelecido entre a fé e a oração, de um lado, e as grandes questões da vida nacional, do outro. No entanto (o comentarista seguiu dizendo), a fé não está envolvida em respostas mais seculares às mazelas do país? Os economistas têm perspectivas fortes sobre como lidar com a recessão e com o teto da dívida, mas elas diferem, e essas visões, à direita e à esquerda, são baseadas na fé. Todos desejamos que haja uma resposta, mas a economia não é, na realidade, uma ciência exata, e o salto do problema para a solução é um salto de fé.

SALMO 36 • SOBRE VIVER EM DOIS MUNDOS DIFERENTES

O salmo 36 justapõe duas realidades, de certa forma relacionadas a esse conceito de desconexão entre os problemas do país e a prática da oração. As tribulações do salmo são de caráter moral. Existem pessoas más na comunidade, caracterizadas pela rebeldia contra Deus, pela **infidelidade**, pela confiança em deixar Deus fora da equação e por ignorarem as expectativas divinas. Ainda, são conhecidas pela desobediência, pela maldade, pelo engano, pelos esquemas secretos e pela convicção de que podem sair impunes desse estilo de vida, sem perderem a aceitação da comunidade.

A outra realidade é *Yahweh*, a quem a pessoa má ignora, o Deus que é caracterizado pelo **compromisso**, pela veracidade no sentido de confiabilidade e de firmeza, pela **fidelidade**, pela **autoridade** exercida na tomada de decisões de maneira justa, e pelo envolvimento na **libertação**, tanto de seres humanos quanto de animais. O salmo empilha termos familiares para um comportamento apropriado e declara que *Yahweh* os manifesta abundantemente. Portanto, isso retrata em cores vívidas o contraste entre a pessoa descrita por meio de uma lista de termos familiares correlativos da transgressão humana. Então, concede mais distinção e individualidade ao retrato de Deus. Por um lado, não são apenas criaturas terrenas que confiam em Deus; outros seres celestiais também. Além disso, a provisão divina opera não apenas para sobrevivência; mas é abundante. Quando a pessoa vive com Deus, ela desfruta de um banquete. Vive-se bem. Água e luz são expressões para bênção. Embora não haja uma fonte literal no monte do templo, há provisão para as nossas necessidades fluindo da presença de Deus. Quando a luz brilha do rosto de Deus, resultam a proteção e a vida.

A oração que ocupa os três últimos versículos do salmo constitui os meios de unir essas duas realidades opostas.

A abordagem de abertura do salmo sobre os infiéis não era simples teoria, a exemplo de grande parte de nossa discussão quanto ao problema do mal. Os que tramam esquemas rebeldes são indivíduos cujos pés e mãos podem estar direcionados contra os fiéis, para derrubá-los e expulsá-los. Quando você não possui meios de garantir que a primeira realidade não irá triunfar (e, talvez, mesmo se tiver esses meios), deve-se buscar a Deus para que a segunda realidade triunfe, e com os olhos da fé pode-se ver esse triunfo.

SALMO **37:1–20**
OS HUMILDES HERDARÃO A TERRA

De Davi.

1 Não se irrite por causa de pessoas más;
  não se exaspere por causa de pessoas que praticam o mal.
2 Pois como grama elas desaparecem rapidamente,
  como plantas verdes logo murcham.

3 Confie em *Yahweh* e faça o bem,
  habite na terra e alimente-se da veracidade.
4 Agrade-se de *Yahweh*,
  e ele lhe concederá os pedidos do seu coração.
5 Comprometa o seu caminho com *Yahweh*;
  confie nele, e ele agirá.
6 Ele trará fidelidade a você como luz,
  uma decisão para você como o meio-dia.
7 Fique quieto diante de *Yahweh*
  e espere pacientemente por ele.
  Não se perturbe pela pessoa que faz o seu caminho bem-sucedido,
    nem por aquela que age por seus esquemas.
8 Deixe a ira, abandone a fúria;
  não se irrite, pois isso apenas leva ao mal.

SALMO 37:1-20 • OS HUMILDES HERDARÃO A TERRA

⁹ Pois as pessoas más serão cortadas,
    mas os que olham para *Yahweh*, estes herdarão a terra.

¹⁰ Ainda mais um pouco, e não haverá pessoa infiel;
    você olhará para o lugar dela, e não haverá nenhuma.
¹¹ Os humildes, eles entrarão na posse da terra
    e apreciarão grande bem-estar.
¹² A pessoa infiel conspira contra o fiel
    e cerra os dentes contra ele.
¹³ O Senhor ri-se dela,
    pois viu que o seu dia chegará.
¹⁴ Pessoas infiéis desembainham a espada
    e direcionam o seu arco,
para derrubar o humilde e necessitado,
    para matar pessoas que são retas em seu caminho.
¹⁵ A espada delas irá atingir o próprio coração,
    seus arcos se quebrarão.

¹⁶ Melhor é o pouco do fiel
    do que a grande abundância dos infiéis.
¹⁷ Pois os braços dos infiéis se quebrarão,
    mas *Yahweh* sustém o fiel.
¹⁸ *Yahweh* reconhecerá os dias das pessoas que têm integridade,
    e a posse delas durará para sempre.
¹⁹ Elas não serão envergonhadas no tempo mau
    e em dias de fome serão saciadas.
²⁰ Porque os infiéis perecerão,
    os inimigos de *Yahweh*.
Chegarão ao fim como a mais valiosa das pastagens,
    chegarão ao fim como fumaça.

Anteontem, em uma manifestação que se tornou violenta, a delegacia de polícia, distante pouco mais de um quilômetro da casa na qual eu morava quando criança, em Birmingham, e à mesma distância da igreja que então eu frequentava, foi incendiada. Pode-se ter certa simpatia pelas pessoas envolvidas em manifestações na Inglaterra, nos Estados Unidos e em outros países, que desejam expressar o seu apoio quando os líderes da sociedade na qual vivem agem de modo justo, a exemplo de pessoas beneficiadas por políticas governamentais, embora muitos cidadãos comuns estejam desempregados e/ou desabrigados, nada possuindo para ou pelo que viver. Além disso, a crise econômica que se instalou três ou quatro anos atrás gerou situações e políticas que tornaram a vida dos que viviam de modo minimamente viável em uma vida totalmente inviável.

Nesse contexto, o salmo 37 pode ser tanto desagradável quanto encorajador; possivelmente, ambos, em certos momentos. Imagine ser uma pessoa comum que está desempregada e sem perspectivas de ser contratada, ciente de que os membros do governo, os homens de negócios e os professores têm maneiras mais satisfatórias de passar os dias e mais dinheiro do que você. Caso essa diferença seja inerentemente errada ou se o uso que essas pessoas fazem de suas oportunidades e de seu dinheiro for errado, então o salmo encoraja você a lembrar que elas pagarão o preço por isso no devido tempo. É possível que não definhem rapidamente no sentido imediato, mas desaparecerão repentinamente, talvez quando se acharem mais seguras.

O salmo incentiva as pessoas a não se deixarem ser arrastadas para baixo por eles. Se forem agentes de opressão e meios de exercer uma "violência institucionalizada", você se rebaixa ao desistir de um viver fiel e se unir a eles. Por três vezes, o salmo instrui as pessoas a não "se irritarem", a não se inflamarem como fogo por causa de uma situação pela qual nada podem fazer. A palavra hebraica e o seu pronome relacionado são quase sempre usadas em relação a Deus, e, quando seres humanos se enfurecem, a implicação é de que eles estão usurpando uma prerrogativa de Deus. Nem sempre é assim; o melhor dia da vida de Saul foi quando o espírito de Deus veio sobre ele, tornando-o furioso e levando-o a cometer ações decisivas e violentas (veja 1Samuel 11). Mas, regularmente, precisamos ser contidos de agir em ira e confiar em que Deus assim agirá. Se não formos afetados diretamente, é útil não assumir a responsabilidade por tudo no mundo. A nossa atitude em relação à situação que enfrentamos é escolha nossa, não algo lançado a nós pelas circunstâncias externas. Somos capazes de decidir não nos preocuparmos mais com os pecados dos outros e focar a nossa relação com Deus e nas boas obras. Isso pode ser um alívio.

Expressando de forma positiva, o oposto de irritar-se ou exasperar-se é confiar em Deus ou agradar-se de Deus. Há uma calma em relação à confiança, mas há calma e também paixão com respeito à apreciação, o que torna ser grato a Deus o oposto de irritar-se ou exasperar-se. Isso honra a sua energia e se oferece para direcioná-la. Se você está confiando, sendo grato e se recusando a ser tragado pelas pessoas que o estão puxando para baixo, então poderá ver o fruto de sua atitude. Pode viver na sua terra e não ser expulso por essas pessoas; pode se alimentar da veracidade; por causa da veracidade divina e/ou da sua, você terá alimento para saciar a sua fome. Lindamente, no centro da primeira metade do salmo, a promessa é a mesma que Jesus afirma quando diz que os humildes herdarão o campo ou a terra (tanto o hebreu quanto o grego usam palavras que podem significar um "campo" ou "terra").

O salmo não diz que não devemos nos manifestar ou nos envolver politicamente. Trata-se de um salmo para pessoas que se sentem impotentes e desamparadas; ele é designado a ajudá-las a ver que a sensação de impotência e desamparo não significa desesperança. Ao terem espaço para se firmarem, elas são atraídas para os motivos de esperança e também para a cautela que necessitam observar ao fazer isso.

Igualmente, é um salmo para pessoas no governo, líderes de negócios e professores lerem e compreenderem o que Deus diz às pessoas comuns e sem poder para, assim, descobrirem o que elas devem fazer a respeito.

SALMO 37:21-40
VOCÊ FECHOU OS OLHOS ENTÃO?

21 A pessoa infiel toma emprestado e não pode restituir,
    mas a pessoa fiel é graciosa e dá.
22 Pois as pessoas abençoadas por ele entrarão na posse da terra,
    mas as pessoas menosprezadas por ele serão cortadas.
23 Os passos de um homem são firmados por *Yahweh*
    quando este se deleita em seu caminho.
24 Quando ele cai, não é atirado de cabeça,
    pois *Yahweh* o sustenta com sua mão.

25 Eu era jovem e agora sou velho,
    mas nunca vi uma pessoa fiel abandonada
    ou a sua descendência mendigando o pão.
26 Todos os dias, ele é gracioso e empresta,
    e a sua descendência é uma bênção.
27 Afaste-se do mal e faça o bem
    e habite para sempre.
28 Pois *Yahweh* entrega-se ao exercício de autoridade
    e não abandona as pessoas comprometidas com ele.
    Elas serão protegidas para sempre,
    mas a descendência dos infiéis será cortada.
29 As pessoas fiéis entrarão na posse da terra
    e habitarão para todo o sempre.

SALMO 37:21-40 • VOCÊ FECHOU OS OLHOS ENTÃO?

³⁰ A boca da pessoa fiel profere sabedoria,
  e sua língua fala com autoridade.
³¹ O ensino do seu Deus está em sua mente;
  seus passos não vacilam.

³² A pessoa infiel vigia a fiel
  e procura matá-la.
³³ *Yahweh* não a abandona nas suas mãos
  e não permite que seja condenada quando estão
    tomando uma decisão sobre ela.
³⁴ Olhe para *Yahweh* e guarde o seu caminho,
  e ele o levantará
  para que você entre na posse da terra.
³⁵ Vi um homem infiel, brutal,
  despertando como uma árvore nativa florescente,
³⁶ mas ele passou — eis que se foi;
  busquei-o e não pude encontrá-lo.

³⁷ Observe a pessoa de integridade, veja a pessoa reta,
  pois há um futuro para o homem de paz.
³⁸ Mas os rebeldes são destruídos todos de uma vez;
  o futuro do infiel é cortado.
³⁹ A libertação dos fiéis vem de *Yahweh*,
  a fortaleza deles em tempo de tribulação.
⁴⁰ *Yahweh* os socorre e os resgata,
  os salva dos infiéis e os liberta,
    porque confiam nele.

Existe um poema, escrito por Jacqueline Osherow, no qual ela imagina um garoto judeu que aprendeu os Salmos de cor, repetindo-os enquanto estava em Auschwitz, mas intrigado com o salmo 37 (*"Psalm 37 at Auschwitz"* [Salmo 37 em Auschwitz]), na obra *Dead Men's Praise* [Louvor de homens mortos] (Nova York: Grove Press, 1999], p. 60-64). Como poderia alguém jamais ter visto o fiel mendigando o pão? Isso está relacionado à convicção de que eles são "alimentados pela fé" (adaptado da sua tradução do versículo 3)? Ela se refere a como essa linha é usada na ação de graças judaica após as refeições (e, portanto, na liturgia da Páscoa). Declara que, quando criança, jamais disse isso, pois conhecia sobre Auschwitz e o que acontecera aos membros de sua família. Seu rabino lhe disse que o salmo não era para ser considerado historicamente, mas como um sonho. Contudo, o tempo verbal da declaração é o pretérito, como se tivesse acontecido. Ela ama cantar esse salmo agora. Talvez seja uma espécie de confissão; os famintos estavam lá, mas o salmista não os viu. Entretanto, pelo menos, é possível imaginar alguém na fila em Auschwitz sendo capaz de repetir o versículo 10. Só mais um pouco, e os atormentadores desaparecerão. E assim ocorreu.

Outras pessoas descreveram a declaração no salmo como uma visão ou uma profecia. Ou sugeriram que, talvez, a pessoa expressando o salmo assegurou que o fiel não precisasse mendigar o pão ao oferecer, ela mesma, pão aos necessitados. Ainda, questionaram se o salmista pertencia a um contexto social no qual as pessoas, em geral, viviam da maneira predita pela **Torá**, o que teria as mesmas implicações. Por fim, talvez o uso do salmo em orações de ação de graças após a refeição signifique que ele nos propicie a oportunidade de expressar a nossa gratidão pela nossa própria experiência de provisão.

A declaração do salmo é da mesma categoria das que os amigos de Jó fizeram e, portanto, o tipo de afirmação que o livro de Jó é designado a questionar. Não é preciso ir tão longe quanto o livro de Jó para procurar declarações conflitantes. O Saltério está repleto delas. Elas estão presentes em todo o salmo 37. Tudo o que o salmo 37 faz é afirmar, particular e concretamente, as promessas do salmo 1, recorrentes em toda a Escritura. A afirmação nesse salmo não é menos verídica que a promessa de Jesus de que as pessoas que buscam o reino de Deus terão comida, bebida e roupas; Jesus diz que concorda com o salmo 37.

Podemos ser pouco criativos na forma pela qual lemos a Bíblia. Se lermos as afirmações do livro de Salmos relativas ao sofrimento de maneira literal, isso nos transmitirá uma impressão irreal sobre a experiência das pessoas (retroceda ao salmo 22:11-18, ou leia o salmo 38). A Bíblia ama hipérboles; considere os números de mortos em Josué ou o tamanho dos exércitos em Crônicas. "Tudo é possível àquele que crê", afirma Jesus em Marcos 9:23. Creio que não é bem assim. Caso as objeções ao salmo 37, feitas por nós, leitores ocidentais, fossem direcionadas ao salmista, ele ou ela poderiam apenas ficar em silêncio. Além disso, precisamos ter em mente que o salmo está presente no Saltério não apenas por as coisas parecerem ser dessa forma para um só indivíduo, que poderia estar evitando encarar os fatos. Evidentemente, isso obteve a aprovação da comunidade que reuniu o Saltério e, igualmente, da comunidade que incluiu o Saltério nas Escrituras. O indivíduo e a comunidade sabiam que uma declaração, similar àquela do versículo 25, estava expressando, vívida e pessoalmente, a verdade sobre o cuidado de Deus por seu povo, quando este passava por necessidades. É vergonhoso que a nossa rigidez nos leve a perder o ponto do salmo.

SALMO 38
QUANDO O SOFRIMENTO ESTÁ LIGADO AO PECADO

Uma composição de Davi. Para comemoração.

1. *Yahweh*, não me repreendas em ira
   ou me disciplines em furor.
2. Pois as tuas flechas desceram sobre mim,
   a tua mão desceu sobre mim.

SALMO 38 • QUANDO O SOFRIMENTO ESTÁ LIGADO AO PECADO

³ Não há inteireza em meu corpo por causa da tua fúria;
    não há bem-estar em meus ossos por causa das minhas ofensas.
⁴ Pois os meus atos rebeldes ultrapassaram a minha cabeça;
    como um fardo excessivo, eles são muito pesados para mim.
⁵ Minhas feridas cheiram mal e infeccionaram
    por causa da minha estupidez.
⁶ Tornei-me abatido, totalmente prostrado;
    o dia todo, eu ando sombrio.
⁷ Pois os meus lombos estão queimando,
    e não há inteireza em meu corpo.
⁸ Tornei-me dormente, totalmente esmagado;
    eu uivo por causa do estrondo em minha mente.

⁹ Meu Senhor, todos os meus anseios estão diante de ti;
    o meu gemido não te é oculto.
¹⁰ Meu coração alçou voo, a minha força me abandonou;
    a luz em meus olhos — essa mesma, não está comigo.
¹¹ Meus amigos e vizinhos
    se afastam da minha aflição.
   As pessoas próximas a mim permanecem a distância,
¹²   e as pessoas que buscam pela minha vida colocaram armadilhas.
   As pessoas que almejam o mal para mim falam de destruição;
    o dia todo elas proferem mentiras.
¹³ Mas eu sou como uma pessoa surda que não pode ouvir,
    como uma pessoa muda que não pode abrir a boca.
¹⁴ Tornei-me como alguém que não ouve;
    não há repreensão em minha boca.
¹⁵ Pois tenho esperado em ti, *Yahweh*;
    tu responderás, Senhor, meu Deus.
¹⁶ Pois eu disse: "Eles não devem se regozijar em relação a mim;
    quando o meu pé vacilou, eles se engrandeceram sobre mim."

ⁱ⁷ Estou pronto a tropeçar;
    minha dor está diante de mim continuamente.
¹⁸ Pois admito a minha transgressão,
    estou ansioso por causa das minhas ofensas.
¹⁹ Meus inimigos mortais são fortes,
    as pessoas que estão contra mim com falsidade são
      muitas.
²⁰ As pessoas que retribuem o bem com o mal
    me atacam por minha busca do bem.
²¹ Não me abandone, *Yahweh*;
    meu Deus, não fiques distante de mim.
²² Apressa-te em socorrer-me,
    meu Deus, minha libertação.

Recentemente um amigo meu fez-me uma tocante descrição do grupo dos Alcoólicos Anônimos (AA), ao qual ele pertence. As pessoas comparecem às reuniões porque estão desesperadas, pois sabem que não conseguem lidar com o vício por contra própria. É como uma doença, e elas têm plena consciência de que necessitam do auxílio divino e que sem ele estão condenadas. Algumas descobrirão que a ajuda e a força de vontade possibilitam uma libertação espetacular; outras não. Escrevo poucas semanas após a morte de uma grande intérprete, Amy Winehouse, que gravou dois grandiosos álbuns; em seu primeiro e maior sucesso, ela cantou: "Eles tentaram me fazer ir à reabilitação, mas eu disse: 'Não, não, não.'" Ela jamais conseguiu escapar dos efeitos de seus vícios e morreu aos 27 anos. Com o tempo, os alcoólatras percebem que vão às reuniões como pessoas responsáveis tanto pelo caos no qual se meteram quanto pelo mal causado a outras pessoas ao entrarem naquele caos. Assim, comparecem como indivíduos que, simplesmente, estão em grandes apuros.

Eles precisam se arrepender e assumir a responsabilidade por seu comportamento, mas isso não é suficiente; também precisam de ajuda. Necessitam de assistência externa para lograrem sair da confusão na qual se meteram, mas isso não é suficiente; é preciso que assumam a própria responsabilidade pelo poço no qual estão.

O salmo 38 constitui um exemplo incomum de um salmo que mescla a consciência do pecado com a percepção de estar em tribulação. Embora muitos salmos tenham como objetivo pessoas que experimentam ataques, aflições, dor e sofrimento, a maioria declara ou implica que essa tribulação não está relacionada à transgressão praticada por aquele que sofre. Eles não implicam que deveríamos nos declarar sem pecado, mas, a exemplo da história de Jó, indicam que a tribulação é desproporcional à pecaminosidade que a pessoa compartilha com outras pessoas e não é relativa a qualquer delito particular em razão do qual a aflição seria uma punição resultante. É mais fácil ser capaz de dissociar o pecado do sofrimento. Quer eu me apresente a Deus como pecador e busque o perdão quer vá como alguém em apuros buscando libertação (ou posso assumir que, se sou um pecador, então não deveria ir a Deus como alguém em tribulação).

O salmo 38 é para pessoas que sabem que essas duas realidades estão mescladas, a exemplo de um viciado. Não é para alguém como o homem cego, em João 9, orar, cuja cegueira não era atribuível ao seu pecado. Trata-se de um salmo para pessoas como o homem paralítico, de Marcos 2, cujos pecados são perdoados por Jesus. Meu amigo o descreveu como um grande salmo para os alcoólatras. A exemplo de outros salmos, ele expressa uma consciência de que Deus está por trás das tribulações que surgem; ele fala em relação a Deus sobre "tuas flechas"; "tua mão"; "tua fúria", tal qual outros salmos.

Todavia, ao contrário de outros salmos, o salmista não vê isso como inexplicável e também fala sobre se afogar na própria transgressão, além de reconhecer a estupidez nesse processo — não a falta de cérebro, mas a recusa em usá-lo. O salmo abre espaço para reconhecermos que fizemos algo estúpido, mas, apesar disso, apelarmos a Deus em busca de socorro.

O salmista descreve os meus pecados como um fardo pesado. Isso não significa que eu me *sinto* sobrecarregado, nem que será um fardo que me priva da vida eterna. Antes, os pecados são como um fardo no sentido de acarretarem problemas esmagadores sobre mim. A referência a buscar o bem, no fim do salmo, talvez sugira a capacidade de reivindicar que ele se relaciona com as demais pessoas de modo adequado e fiel; a transgressão é relativa a Deus. Podemos (por exemplo) estar depositando a nossa confiança em recursos outros que não Deus. O salmo expressa uma consciência de ter os próprios sentidos afetados nessa conexão, quando afirma não poder falar ou proferir repreensão. Todas as queixas são endereçadas a Deus, não a outras pessoas, particularmente aquelas que ou ignoram os problemas ou buscam aumentá-los.

Há motivos para as flechas, a mão pesada e a fúria, mas elas não são meramente uma expressão de castigo. Antes, são "repreensões" ou "disciplina", cujo desígnio é impedir que eu aja de uma forma e me leve a agir de outra. Com frequência, os viciados são forçados a buscar auxílio pela consciência de que estão causando desastres, não apenas em sua vida, mas na vida de pessoa próximas a eles; no entanto, eles precisam chegar ao ponto de receberem uma intervenção (ser flagrado dirigindo embriagado ou levado para a emergência pode ser uma bênção). Isso é o que Deus objetiva ao fazer pesar a sua mão sobre nós, pecadores. Talvez Deus necessite fazer a sua mão cair sobre nós de maneira mais pesada a ponto de clamarmos em dor: "Não me disciplines na tua ira" — em outras palavras, aceito muito bem a disciplina, mas não poderias pegar um pouco mais leve? Resposta — não, se assim for necessário para chamar a sua atenção.

Contudo, a severidade da ação divina não significa que a disciplina não seja feita em amor, como indica o Novo Testamento, em Hebreus 12; nem que não seja permitido que você clame: "Isso dói muito, por favor, para!" Esse clamor pode indicar que o propósito de Deus foi alcançado; ele nos fez recobrar o bom senso. Na lei do Ocidente, uma penalidade pode ser mitigada quando a pessoa culpada enxerga a transgressão e se arrepende. A ação de Deus não se enquadra nessa categoria; é mais como uma punição dada por um pai ou um professor. Dessa maneira, as pessoas que sabem que estão em apuros por causa de seus pecados podem apelar não apenas por perdão, mas também por alívio.

SALMO 39
EU IREI MORRER

Ao líder. A Jedutum. Uma composição de Davi.

1. Eu disse: "Guardarei os meus caminhos,
   para que eu não ofenda com a minha língua.
   Manterei uma focinheira em minha boca
   enquanto uma pessoa infiel estiver na minha presença."
2. Fiquei mudo, em silêncio;
   permaneci quieto, mais do que seria bom.
   Mas, enquanto a minha dor se agitava,
3. a minha mente esquentou dentro de mim.
   Enquanto eu falava, o fogo queimava;
   eu falei com a minha língua.

4. Faze-me reconhecer o meu fim, *Yahweh*,
   o número dos meus dias.

⁵ Ora, fizeste dos meus dias palmos;
  minha extensão é como nada diante de ti.
 Sim, todo ser humano, permanecendo firme,
  é simplesmente um sopro; (*Pausa*)
⁶ sim, é como uma sombra sobre a qual alguém anda.
 Sim, é por um sopro que as pessoas se agitam;
  uma pessoa pode acumular, mas sem saber quem irá ajuntar.
⁷ Então, agora, pelo que tenho procurado, meu Senhor? —
  minha esperança repousa em ti.
⁸ Resgata-me de todos os meus atos de rebelião,
  não me tornes em objeto de injúria para o enganador.
⁹ Fiquei mudo, não abri a minha boca,
  pois foste tu aquele que agiu.
¹⁰ Desvia a tua aflição de mim;
  por causa do golpe da tua mão, eu estou acabado.
¹¹ Com repreensões pela transgressão, tu disciplinaste um homem
  e consumiste como uma traça o que ele valoriza;
  sim, todo ser humano é um sopro. (*Pausa*)
¹² Ouve a minha súplica, *Yahweh*,
  dê ouvidos ao meu clamor por socorro,
  não silencies ao meu lamento.
 Pois sou um peregrino contigo,
  um transiente como todos os meus ancestrais.
¹³ Desvia o olhar de mim para que eu possa sorrir,
  antes que eu vá e nada haja de mim.

Nunca refleti muito sobre a morte até o meu neto nascer e, então, o pensamento de que eu poderia morrer agora me assaltou; cumpri o meu trabalho para o futuro da raça humana ao gerar um filho que me gerou um neto. Pensei nisso, novamente, três ou quatro anos depois, quando fiz sessenta anos — de algum modo, atingir essa idade trouxe a presença da minha mortalidade. Pensei nesse assunto, uma vez mais, três ou quatro anos depois, ao alcançar a idade que meu pai tinha quando faleceu; senti-me aliviado por ultrapassar essa marca. Três ou quatro anos mais tarde, esse tema voltou novamente à minha mente, quando concordei em escrever a série *Antigo Testamento para todos*: pareceria estúpido se tivesse aceitado esse compromisso e então, falecido. Refleti de novo quando a minha primeira esposa faleceu; por ela ser totalmente dependente de mim, sempre me senti um pouco apreensivo com a possibilidade de morrer antes dela, pois isso suscitaria questões complexas quanto ao que sucederia a ela. E, então, pensei no assunto, uma vez mais, ao conhecer a minha segunda esposa, que, obviamente, preferiria que eu não morresse logo. Agora, sinto um entusiasmo renovado para viver uma velhice madura e irresponsável.

Temos pouco ou nenhum controle sobre quando iremos morrer, e a morte pode ocorrer muito antes de alcançarmos sessenta ou setenta anos de idade. A parte intermediária do salmo pede pela disposição de reconhecer essa falta de controle. O salmista sabe que precisamos encarar a nossa mortalidade. A vida de Deus é eterna; a nossa vida tem um começo e, certamente, terá um fim. (Claro que o salmista irá, na realidade, desfrutar da vida ressurreta, mas, para ele, isso será uma surpresa — somente a futura crucificação e ressurreição de Jesus tornará isso possível.) Em relação a Deus, a nossa vida é como uma régua em comparação a uma longa estrada. Ou é fugaz como um sopro; as pessoas podem até dar a impressão de estarem firmes e de poderem viver eternamente, porém subitamente morrem. Ou é tão insubstancial quanto uma sombra; não há nada sólido nela. Portanto, a agitação das pessoas pode levá-las a lugar nenhum; elas podem não viver o suficiente para desfrutar aquilo pelo qual se esforçam.

O pano de fundo da reflexão do salmista sobre a mortalidade é uma experiência similar à do salmo 38. Ele pressupõe a realidade da aflição e da dor e reconhece que, às vezes, isso ocorre porque merecemos. O sofrimento não é casual e aleatório, não é exatamente uma punição, mas uma repreensão e uma disciplina que nos atinge por nossa rebeldia e transgressão. Presumidamente, a consciência quanto à própria rebeldia e transgressão, e de estar sendo castigado em consequência disso, jaz por trás da tentativa de permanecer em silêncio, citada na primeira parte do salmo. "Já estou encrencado o suficiente", diz o salmista. "É melhor não arriscar piorar a situação ao abrir a minha boca grande para reclamar por um merecido sofrimento, especialmente na presença de pessoas que ficariam muito felizes em usar as minhas queixas para me causar mais problemas." No entanto, as tentativas de manter a boca fechada nem sempre funcionam.

O conteúdo da fala talvez seja, então, a súplica na última parte do salmo em vez da reflexão sobre a mortalidade. Quando estamos sofrendo e temos consciência de que iremos morrer, talvez precisemos falar sobre isso, e o salmo não aconselha a falarmos com outros seres humanos, mas abordar o tema com Deus. Além disso, a exemplo do salmo anterior, o salmo 39 não sugere ou presume que a nossa responsabilidade pelos problemas nos quais nos metemos significa um impedimento para falarmos com Deus sobre eles. A única pessoa que pode fazer algo em relação à nossa aflição é Deus; daí o apelo tanto para resgatar quanto para "desviar o olhar", no sentido de não olhar para nós de modo hostil. Não precisamos ceder à tentativa inútil do silêncio.

O Jedutum presente na introdução do salmo é mencionado em 1Crônicas como um músico líder no templo, nos dias de Davi e de Salomão.

SALMO 40
LOUVOR E AÇÕES DE GRAÇAS COMO CHAVE PARA A ORAÇÃO – II

Ao líder. Uma composição de Davi.

1. Olhei, simplesmente, para *Yahweh*,
    e ele se inclinou para mim e ouviu o meu clamor por socorro.
2. Tirou-me de um poço rugidor,
    da lama transbordante.
   Colocou os meus pés sobre um rochedo
    e estabeleceu os meus passos.
3. Colocou um novo cântico em minha boca,
    um ato de louvor ao nosso Deus.
   Muitos viram isso e temeram
    e confiaram em *Yahweh*.

4. Abençoado o homem que faz
    de *Yahweh* a sua confiança
   e que não vai atrás do arrogante
    ou das pessoas que seguem o que é falso!
5. Tu, *Yahweh*, meu Deus, tens feito muitas coisas;
    tuas maravilhas e teus planos para nós —
    não há ninguém comparável a ti.
   Se eu declarasse e falasse,
    eles são numerosos demais para serem contados.

6. Sacrifício e oferta não quiseste —
    cavaste ouvidos para mim;
   oferta queimada e de purificação
    tu não pediste.
7. Então, eu disse: "Eis que vim;
    em um rolo escrito está inscrito para mim."
8. Quis fazer o que te agrada, meu Deus;
    o teu ensino estava no meu mais íntimo ser.

⁹ Trouxe as novas da tua fidelidade
   na grande congregação.
Ali não fecharia os meus lábios;
   Yahweh, tu sabes.
¹⁰ Não ocultei a tua fidelidade dentro do meu coração;
   contei da tua veracidade e da tua libertação.
Não escondi o teu verdadeiro compromisso
   diante da grande congregação.

¹¹ Tu, *Yahweh*, não feches
   a tua compaixão de mim;
que o teu verdadeiro compromisso
   proteja-me continuamente.
¹² Pois males além da conta
   me cercam.
Os meus atos obstinados me alcançaram;
   não sou capaz de ver.
São mais numerosos que os cabelos da minha cabeça;
   minha mente falhou comigo.
¹³ Mostra favor, *Yahweh*, resgatando-me;
   Yahweh, apressa-te em meu socorro.
¹⁴ Que sejam todas envergonhadas e desfavorecidas
   as pessoas que buscam a minha vida para destruí-la.
Que retrocedam e sejam desonradas
   as pessoas que querem o mal para mim.
¹⁵ Que sejam desoladas por causa da vergonha
   as pessoas que me dizem: "Bem feito."
¹⁶ Mas que possam celebrar e se alegrar em ti
   todas as pessoas que buscam o teu socorro.
Que as pessoas que se entregam à tua libertação
   digam continuamente: "*Yahweh* é grande."
¹⁷ Assim, sou humilde e necessitado;
   que o Senhor pense em mim.
Tu és o meu socorro e o meu resgatador;
   meu Deus, não te demores.

Como de costume, compartilhamos um tempo de louvor e oração na igreja ontem, e, como sempre, logrei mais sucesso em levar as pessoas a partilharem orações de súplicas por suas preocupações do que de gratidão e ações de graças. Até onde consigo recordar, o único motivo pelo qual alguém agradeceu foi por ter despertado e estar vivo naquela manhã. Estar vivo é, de fato, uma grande dádiva pela qual agradecer, mas isso não conta como ação de graças na compreensão do Antigo Testamento. A ação de graças está vinculada a bênçãos particulares que Deus nos concede, como quando agradecemos, uma vez por ano, pela colheita, ou quando incentivamos os filhos a escreverem notas de agradecimento após o Natal. Além disso, nos dois exemplos citados há uma ligação entre a oração e a ação de graças. Oramos por uma colheita abundante e, caso isso ocorra, agradecemos a Deus por responder à nossa oração. Uma criança pede ao seu avô ou avó um jogo vitalmente importante e escreve para agradecer ao ganhar o que pediu. Conheço algumas pessoas que mantêm um registro de orações em que anotam o motivo pelo qual elas estão orando; então, podem olhar os registros feitos ao longo do tempo e serem impactadas ao constatarem quantas orações já foram respondidas — o que as encoraja a orar ainda mais.

O salmo 40 chama a atenção para a ligação entre a ação de graças e a oração, e esse vínculo é o que poderia ser importante à nossa congregação. Embora a oração conduza à ação de graças, como indicado pelos salmos 18 e 30, a oração também resulta da ação de graças; a consciência de que Deus já respondeu às orações do passado encoraja você a crer que pode ir a Deus, novamente, com o seu pedido por socorro, e lhe dá uma base para recostar-se em Deus como um filho ou um neto ("Deus fez isso antes e pode fazer novamente").

Portanto, esse salmo de oração utiliza mais da metade de sua extensão para relembrar algo que Deus fez no passado, e pode-se imaginá-lo simplesmente como um salmo de ação de graças, embora, talvez, a sua agenda secreta como oração desponte na primeira parte. Há menos detalhes sobre a natureza da resposta à oração do que aparece em salmos de gratidão, embora haja a suposição de que a morte estava rondando a pessoa. Ele enfatiza como a oração alcançou **Yahweh** em vez de pessoas que se desviaram dele e buscaram auxílio em falsos deuses; sublinha como a pessoa que ora havia, então, dado testemunho sobre o que o verdadeiro Deus fez. "Sacrifício e oferta não quiseste", provavelmente, indique que isso não era tudo o que Deus desejava. O salmista segue falando sobre prestar atenção a um rolo escrito e ao ensino de *Yahweh*, a **torá** de *Yahweh*, e seria impossível a alguém que tivesse lido a Torá poder falar em termos de *Yahweh* simplesmente não querer ofertas. Antes, *Yahweh* não queria apenas ofertas. Pois, enquanto meras palavras são destituídas de valor, meras ofertas são mudas; do mesmo modo que as palavras precisam das ofertas, estas necessitam de palavras que (nesse caso) relatem a maneira pela qual Deus respondeu à oração para que funcionem como um testemunho. Portanto, o salmista pode dizer: "Não me sentia grato apenas em meu íntimo, mas exteriormente também. Eu não agi com timidez. Não ofereci o meu sacrifício quando ninguém mais podia estar ali, ou sentei-me em silêncio no templo quando pessoas estavam ali. Dei testemunho sobre o que Deus fez por mim." (A expressão "cavaste ouvidos para mim", no versículo 6, pode ser uma referência a Deus abrir os furos em nossa cabeça, nos quais os nossos ouvidos estão.)

É com base nisso que o salmista pode pedir para que Deus demonstre compaixão e **compromisso** uma vez mais. A exemplo dos salmos precedentes, todas as declarações, na primeira parte, não sugerem uma reclamação de que a tribulação era imerecida, nem que a culpa signifique um impedimento para pedirmos pelo resgate de Deus. Talvez a ironia implícita seja a de que o salmista não tenha mantido a confiança em *Yahweh* e que a transgressão da qual o salmo discorre consista na busca do socorro de outros deuses; nesse caso, o salmista, agora, retornou e se uniu ao círculo daqueles que buscam auxílio somente em *Yahweh*, não em outros lugares.

SALMO 41:1-12
COMO APRENDER COM OS POBRES

Ao líder. Uma composição de Davi.

1. Abençoado aquele que pensa sobre a pessoa pobre
   a quem *Yahweh* resgata no dia mau!
2. *Yahweh* o guarda e o mantém vivo,
   e o abençoa na terra,
   e não o entregará à vontade dos seus inimigos.
3. *Yahweh* o sustenta em seu leito de enfermidade;
   sua cama inteira transformaste, em sua doença.

4. Eu disse: "*Yahweh*, sê gracioso comigo;
   cura-me, porque eu te ofendi."
5. Os meus inimigos falam mal de mim:
   "Quando ele morrerá e o seu nome perecerá?"
6. Se [alguém] vem me ver,
   fala com falsidade.
   Sua mente coleta maldade para si mesmo;
   quando sai, fala [disso].
7. Todas as pessoas que estão contra mim sussurram juntas
   contra mim;
   elas pensam o mal contra mim.
8. "Uma pestilência letal o assole; que nela ele se deite,
   e não se levante novamente."
9. Mesmo o meu amigo, em quem eu confiava, aquele que
   come pão comigo,
   engrandeceu-se contra mim como uma fraude.

> ¹⁰ Mas tu, *Yahweh*, sejas gracioso comigo,
>   levanta-me, e serei amigo deles.
>
> ¹¹ Por isso, reconheci que te deleitas em mim,
>   pois o meu inimigo não exulta sobre mim,
> ¹² e, em minha integridade, tu me susténs
>   e me estabeleces diante de ti para sempre.

Ao chegar à igreja no domingo, um homem desabrigado, chamado Alex, que às vezes vem à igreja, estava assentado à sombra do saguão paroquial, tragando um cigarro, enquanto aguardava o início do culto. Durante o culto, lemos a história da mulher cananeia que procura Jesus para curar a sua filha, a princípio sem sucesso, mas, por fim, é bem-sucedida. Alex era a única pessoa na congregação que reagia com um suspiro ou uma exclamação, em momentos apropriados dessa história notável. Quando chegamos ao momento de compartilharmos necessidades de oração, Alex pediu orações para que aquele cigarro, que o vimos fumando antes do culto, fosse o último: por duas vezes, Alex constituiu uma bênção para mim no domingo: em sua inequívoca interação com a leitura da Escritura e na simplicidade de sua oração.

E, exatamente agora, em particular, experimentando algumas bênçãos que surgiram da reflexão sobre essa pobre pessoa. A palavra hebraica para "aquele que pensa" é a mesma para "instrução", que aparece na introdução de alguns salmos didáticos (incluindo o salmo 42). O salmo é o testemunho de uma pessoa pobre cuja experiência é designada a ser instrutiva para outras pessoas.

Há muitas pessoas desabrigadas em nossa cidade que não possuem um testemunho sobre Deus resgatando-as no dia mau. No domingo, também recebemos um relatório de alguém que havia se envolvido em uma espécie de recenseamento dos desabrigados da cidade, com uma preocupação particular de identificar e socorrer os especialmente vulneráveis; das seiscentas pessoas recenseadas pela equipe, duzentas estavam em um estado de saúde tão grave que corriam o risco de não sobreviverem ao próximo inverno. Uma delas acabara de perder um filho e não tinha dinheiro para enterrá-lo. No entanto, há alguns desabrigados com os quais a igreja mantém contato que podem afirmar que Deus os resgatou em um dia mau. O salmo fornece um testemunho para essa pessoa compartilhar, mediante o qual ele ou ela pode reconhecer que os dias maus vêm, mas também pode testificar que Deus é capaz de resgatar você quando vierem. Talvez algumas daquelas pessoas vulneráveis que acabei de mencionar possam, igualmente, compartilhar esse testemunho.

Assim, o salmo começa com uma generalização e, então, dedica a maior parte de seu espaço ao relato de como a pessoa orou quando passou pelo dia mau e, por fim, sumariza os resultados da oração que fornece a base para a generalização. Caso você seja uma pessoa desabrigada, que não quer continuar vivendo nas ruas e que anseia por cuidados médicos, então, ao ouvir que Deus resgata, guarda, mantém a vida, abençoa e sustenta, pode revirar os olhos e sentir vontade de bater na pessoa que está lhe dizendo isso. Entretanto, se o seu interlocutor for alguém semelhante a você, que conhece o que são dias maus e pode falar com base em uma experiência pessoal, então a sua reação pode ser diferente.

O trecho intermediário do salmo, que relata a oração que a pobre pessoa fez no dia mau, inicia e termina com um apelo à graça de Deus. Esses apelos, com frequência, aparecem nos salmos, mas, aqui, há um motivo particular para isso; o salmo constitui outro reconhecimento da pecaminosidade da pessoa que ora, mas que, ainda assim, apela a Deus para responder à sua oração. A minha esposa me contou sobre como uma igreja, à qual ela pertencia, certa feita encorajava os membros a fazerem uma aliança anual com respeito a diferentes aspectos da vida delas, incluindo a oração. Nas alianças sobre a oração, a maioria das pessoas dizia não apenas desconhecer como orar, mas, igualmente, expressava relutância em orar por X, pois sentiam não ter esse direito por terem feito Y. Os salmos nos encorajam a não sentir essa hesitação.

Inúmeras pessoas são pobres ou desabrigadas em consequência do que outras pessoas fizeram a elas, ou por causa de uma suposta "má sorte" — em Israel, poderia ocorrer de a terra ser pouco produtiva ou das pessoas serem expulsas de sua propriedade por pessoas mais ricas ou povos mais poderosos, ou mesmo por conta de enfermidades. No caso de outras pessoas pobres ou desabrigadas, elas devem aceitar a responsabilidade pela situação na qual vivem — em Israel, talvez a incompetência ou preguiça como produtores as tenha levado a dívidas e, com o tempo, à perda de sua terra. Os fatores podem se combinar; assim, o salmista fala tanto da responsabilidade pessoal quanto da doença, do mesmo modo que cita as falsas acusações feitas por pessoas da comunidade. A exemplo de outros salmos, esse testemunho também logra mesclar o reconhecimento do pecado a uma reivindicação de integridade. Talvez o salmista se refira a uma integridade em relação a outras pessoas da comunidade que contrasta com a posição assumida por elas, conforme descrito pela oração recordada. Não buscamos a Deus com uma reivindicação de não termos pecado, mas devemos ser capazes de ir a Deus com a alegação de uma integridade básica ou com o máximo de veracidade que conseguirmos.

SALMO 41:13
UM ATO DE LOUVOR INTERMEDIÁRIO DE ENCERRAMENTO

13 *Yahweh*, o Deus de Israel seja louvado,
   de uma era a outra.
   Amém, amém.

O Saltério, a exemplo da **Torá**, é dividido em cinco livros, e com o salmo 41 chegamos ao fim do Primeiro Livro. Não existe um significado particular em se fazer a transição nesse ponto — ela poderia ocorrer após o salmo 40. O ponto é simplesmente para marcar o Saltério como semelhante à Torá. Assim, esse ato de louvor não faz parte, na realidade, do salmo 41, mas constitui uma espécie de "Amém" aos 41 salmos iniciais.

SALMO 42
ONDE ESTÁ O SEU DEUS?

Ao líder. Uma instrução. Dos coraítas.

1 Como uma corça anseia por correntes de água,
   assim o meu espírito anseia por ti, Deus.
2 O meu espírito está sedento por Deus, pelo Deus vivo;
   quando irei e aparecerei diante de Deus?
3 O meu lamento se tornou em alimento para mim
   dia e noite,
 enquanto as pessoas me dizem o dia todo:
   "Onde está o seu Deus?"

4 Essas coisas eu trago à mente
   enquanto derramo o meu espírito dentro de mim:
 que eu transmitia no refúgio,
   liderava as pessoas à casa de Deus,
 com uma voz ressonante e agradecida,
   a multidão festiva.

SALMO 42 • ONDE ESTÁ O SEU DEUS?

⁵ Por que está abatido, meu espírito,
 e estremece dentro de mim?
 Seja expectante de Deus, pois ainda o confessarei
 pela libertação que vem do seu rosto.
⁶ Meu Deus, meu espírito está abatido dentro de mim;
 portanto, trago-te à mente,
 desde a terra do Jordão e os montes do Hermon,
 desde a Pequena Montanha.
⁷ Abismo está chamando abismo
 ao som das tuas cachoeiras.
 Todos os teus vagalhões e as tuas ondas
 passaram sobre mim.
⁸ De dia, que *Yahweh* ordene o seu compromisso,
 e, de noite, que o seu cântico esteja comigo.
 Uma súplica ao meu Deus vivo.
⁹ Direi a Deus, o meu rochedo:
 "Por que me tiraste da mente,
 por que vagueio no escuro,
 com a opressão de um inimigo,
¹⁰ com assassinato em meus ossos?"
 As pessoas que me observam me insultam,
 quando dizem para mim, o dia todo:
 "Onde está o seu Deus?"
¹¹ Por que está abatido, meu espírito,
 e por que estremece dentro de mim?
 Seja expectante de Deus, pois ainda o confessarei
 como a libertação do meu rosto e meu Deus.

Há um emocionante filme, intitulado *A jornada de James para Jerusalém* [*James' Journey to Jerusalem*], sobre um jovem zulu que foi designado para ser o próximo pastor de sua vila. Caso estivesse no Ocidente, ele seria enviado ao seminário, mas a vila decide que a melhor maneira de o preparar para a sua vocação é enviá-lo em uma peregrinação a Jerusalém. Ele chega bem a Tel Aviv, mas, a partir desse ponto, a sua jornada se torna assustadora e repleta de perigos, e grande parte do suspense do filme relaciona-se à incerteza quanto à sua chegada ao destino final. Os moradores da vila e James sabiam que havia algo significativo em relação a Jerusalém, não por ser uma região inerentemente bela e relevante, mas pela importância dada por Deus a essa cidade. Deus concordou em habitá-la, e ali Jesus morreu e ressuscitou.

O salmo 42 pressupõe que Jerusalém seja, de fato, o lugar no qual encontramos Deus. Isso muito tempo antes de Jesus morrer e ressuscitar na cidade. Na verdade, isso fornece o pano de fundo a esses eventos. No Getsêmani, Jesus repete o refrão sobre o espírito estar abatido, enquanto o subsequente escárnio das pessoas ecoa a provocadora questão: "Onde está o seu Deus?" No entanto, isso pressupõe a mesma consciência quanto à importância de Jerusalém e do templo. Reconhecidamente, a sua posição em relação a eles é paradoxal. Ele não afirma que somente em Jerusalém podemos falar com Deus, encontrá-lo ou saber que Deus está agindo para **libertar** você; caso contrário, não haveria sentido em orar em outros lugares. Contudo, ele considera haver algo especial em relação a Jerusalém e ao templo. Deus havia prometido estar ali para receber as ofertas do povo e ouvir as orações dos israelitas. Assim, ansiar por Deus não é algo meramente interior, mas também exterior, que envolve o corpo e, igualmente, a geografia.

Portanto, o salmo retrata alguém distante de Jerusalém e incapaz de chegar ali. Talvez, literalmente, a localização esteja no extremo norte do país. O monte Hermon, no qual as águas do Jordão irrompem, na região conhecida como Cesareia de Filipe, nos Evangelhos, é tão longe de Jerusalém quanto se pode ir, em Israel (não sabemos a que se refere a expressão:

"Pequena Montanha"). A erupção das águas da montanha fornece uma imagem para a forma pela qual podemos ser oprimidos. São como imensas ondas desabando sobre nós. O problema é que elas são ondas de Deus. Ou, talvez, o fato de serem provenientes de Deus seja positivo, pois significa que estão sob o controle divino.

Aqueles que vivem na fronteira norte de Israel possuem permanente consciência de que estão muito distantes do templo; dificilmente conseguem ir a Jerusalém mais de uma vez ao ano, quando isso é possível. No entanto, pode haver mais do que impedimentos geográficos para a ida a Jerusalém, como, por exemplo, enfermidades, sendo uma circunstância agravada pelo escárnio de pessoas que, talvez, vejam o sofredor como debaixo do juízo de Deus, ou que adorem a outro deus que não **Yahweh** e zombem da confiança nele e de sua aparente incapacidade de curar alguém. Assim, o salmo reflete uma discussão com outras pessoas.

O salmo também incorpora uma argumentação com Deus. O questionamento das outras pessoas, expresso por "Onde?", é acompanhado pela pergunta do salmista "Por quê?". Além disso, inclui uma discussão no íntimo do salmista que recorre de uma forma ligeiramente distinta no refrão do salmo. Trata-se de uma noção estranha; de estar discutindo consigo mesmo. Isso implica que os seres humanos são designados a serem pessoas divididas dentro de si. Não devem, simplesmente, ceder às suas (adequadas) tristezas, aos seus temores ou tentações, mas devem batalhar consigo mesmas. Se conseguem ir ao templo e orar quando estão sob ataque, então os seus amigos, um sacerdote ou um profeta podem ser capazes de lhes ministrar a palavra de Deus e de encorajá-los. Quando for cortado da forma pressuposta pelo salmo, deve descobrir formas de autoencorajamento.

SALMO 43
QUANDO A VIDA CONTINUA EM TREVAS

1. Decide por mim, Deus,
   contende pela minha causa.
   De uma nação que não é comprometida,
   de um indivíduo enganoso e perverso, resgata-me.
2. Pois tu és Deus, a minha fortaleza;
   por que me rejeitaste?
   Por que vagueio no escuro,
   com a opressão de um inimigo?
3. Envia a tua luz e a tua veracidade;
   elas me guiarão.
   Levar-me-ão ao teu santo monte,
   à tua grande habitação,
4. para que eu possa ir ao altar de Deus,
   ao Deus no qual me regozijo alegremente,
   e confessar a ti com a harpa,
   Deus, meu Deus.
5. Por que está abatido, meu espírito,
   e por que estremece dentro de mim?
   Seja expectante de Deus, pois ainda o confessarei
   como a libertação do meu rosto e meu Deus.

Acabei de ler o relato de um refugiado de Darfur sobre a sua jornada para chegar a um acampamento no Chade. Como fazendeiro no Sudão, ele foi torturado com a aplicação de um ferro de passar roupas em suas costas, pernas, mãos e sobre a sua cabeça porque um dos membros das milícias estava determinado a tomar as suas terras. Eis, portanto, como ele "perdeu a sua vida" no Sudão, conforme ele mesmo expressou. Apesar da dor que sentia, ele percorreu a pé os quase quinhentos quilômetros até a fronteira entre o Sudão e o

Chade, agradecendo a Deus por conseguir chegar até lá, mas, inicialmente, foi informado de que o acampamento estava fechado. "A vida parecia ser só trevas para mim", ele disse.

Não há nenhum problema em argumentar consigo mesmo, mas o debate pode não ajudar muito e, quando isso ocorre, é provável que você sinta culpa. Parecerá como se nada funcionasse conforme os salmos 42 e 43, pelo menos não de imediato. O refrão, ao fim do salmo 43, é recorrente no salmo 42, e assim, evidentemente, os dois salmos estão intimamente conectados. O mesmo ponto é indicado pelo fato de o salmo 43 não ter uma introdução, ao contrário da maioria dos salmos anteriores ou posteriores. A linha sobre vaguear em tristeza no escuro também está presente no salmo 42. É possível que um salmo com três estrofes tenha sido dividido em dois para que pudessem ser usados, distintamente, com mais facilidade, ou talvez o salmo 43 tenha sido escrito em separado para reforçar o ponto expresso no salmo 42.

Uma vez mais, então, o salmo verbaliza um pedido a Deus para assumir a defesa da causa do sofredor em relação à comunidade e/ou ao indivíduo que está provocando o sofrimento e expressa sonhos de liberdade de ir ao templo. O salmo 43 vai além do salmo anterior ao, realmente, suplicar por aquela liberdade (estranhamente, pode-se pensar, o salmo 42 anunciou a intenção de suplicar a Deus, mas nunca chegou a uma oração para Deus agir). A exemplo da súplica para Deus defender o lado do suplicante, há um claro pedido para Deus enviar a sua luz e a sua verdade para que o levem ao templo. É como se Deus, na posição de rei, enviasse alguns **ajudantes** para assegurar a chegada do suplicante ao palácio real, oferecendo a proteção necessária à jornada em razão dos seus opositores. Trata-se de uma terrível privação ser incapaz de unir-se à comunidade em sua adoração; regozijar-se isoladamente não é a mesma coisa, porque o júbilo apropriado é uma questão de celebração e precisa ser realizado com outras pessoas. Chegar a Jerusalém será como sair de temperaturas gélidas lá fora, para entrar em um ambiente quente e aconchegante.

O salmo apresenta uma abrangente visão da adoração que será possível oferecer ali. Ela ocorrerá na presença real de Deus, pois o templo é o lugar no qual Deus habita e local de reunião da comunidade. Não é similar a uma igreja, vazia e quieta, exceto durante uma hora ou duas, a cada semana; pelo contrário, é um lugar vibrante e agitado, no qual as pessoas se reúnem todos os dias para adorar, orar e agradecer pelo que Deus tem feito por elas. A adoração envolverá a liberdade de fazer uma oferta sacrificial no **altar**, como uma expressão de compromisso e de ação de graças, além de prestar testemunho a outras pessoas sobre a **libertação** de Deus. Isso envolverá júbilo e música.

Portanto, o versículo 4 seria um grande encerramento para o salmo. Mas, então, aquele refrão reaparece. O salmo vive para o futuro, porém também vive no presente e, embora haja um sentido no qual a esperança transforma o presente, existe outro no qual isso deixa o presente inalterado. Quando a vida continua nas trevas, não se espera que o sofredor finja que a situação é diferente.

Outra característica desses dois salmos merece uma menção; ela é ilustrada pela expressão "Deus, meu Deus" no salmo 43. Na maioria, os salmos apresentam muitas ocorrências do **nome** de Deus, *Yahweh*, nas quais o salmista diz "*Yahweh*, meu Deus" em vez de "Deus, meu Deus". Do salmo 43 até o salmo 83, há poucas ocorrências desse nome, seja porque os salmistas o evitaram, seja porque os revisores removeram grande parte delas. O pano de fundo pode ser o mesmo instinto que levava muitos judeus a evitar o uso do nome de *Yahweh* — pode ser por reverência, talvez pela percepção de que esse nome estranho daria aos outros povos a impressão de que o Deus de Israel fosse apenas o Deus nacional dos israelitas, embora Israel soubesse que *Yahweh* era o Deus único e verdadeiro.

SALMO **44**
DESPERTA, DEUS!

Ao líder. Dos coraítas. Uma instrução.

1 Deus, ouvimos com os nossos ouvidos,
   nossos ancestrais nos contaram,
  sobre os feitos que realizaste nos dias deles,
   nos dias passados,
2 tu, com a tua própria mão.
  Desapropriaste nações e os plantaste;
   trouxeste calamidades sobre os povos e os espalhaste.
3 Pois não foi pela espada que eles entraram na posse da terra,
   não foi o braço deles que os libertou,
  mas a tua mão e o teu braço,
   e a luz do teu rosto,
   pois os favoreceste.

4 Tu és aquele que é o meu rei, Deus;
   ordena a libertação para Jacó!
5 Por meio de ti, atacamos os nossos adversários;
   pelo teu nome, pisoteamos os que nos atacam.
6 Pois não é em meu arco que eu confio;
   a minha espada não me liberta.
7 Porque tu nos libertaste de nossos adversários
   e envergonhaste os nossos oponentes.
8 Deus é o único a quem louvamos todos os dias;
   o teu nome confessaremos para sempre.

9 Contudo, tu nos rejeitaste e nos desfavoreceste,
   e não saíste com os nossos exércitos.
10 Tu nos fizeste dar as costas ao adversário,
   e os nossos oponentes nos saquearam à vontade.

SALMO 44 • DESPERTA, DEUS!

¹¹ Tu nos fizeste como ovelhas para alimento
   e nos espalhaste entre as nações.
¹² Vendeste o teu povo por nada,
   nada lucrando com a sua venda.
¹³ Tu nos tornaste em objeto de injúria para os nossos vizinhos,
   desprezo e escárnio para os povos ao nosso redor.
¹⁴ Fizeste de nós um provérbio entre as nações;
   os povos meneiam a cabeça quando nos veem.
¹⁵ Todos os dias, a minha desgraça está diante de mim;
   a vergonha do meu rosto cobre-me,
¹⁶ à voz da pessoa insultando e zombando,
   à presença do inimigo exigindo reparação.

¹⁷ Tudo isso nos sobreveio,
   e não te tiramos da mente;
   não fomos falsos à tua aliança.
¹⁸ O nosso coração não voltou atrás;
   os nossos passos não se desviaram da tua vereda,
¹⁹ para que nos esmagaste no lugar de chacais
   e nos cobriste com uma escuridão mortal.
²⁰ Se tivéssemos tirado o nome de Deus da mente
   e estendido as nossas mãos a um deus estrangeiro,
²¹ Deus não descobriria isso,
   uma vez que conhece os segredos do coração?
²² Mas é por tua causa que somos mortos todos os dias;
   somos considerados como ovelhas para o abate.

²³ Levanta-te, por que dormes, Senhor? —
   desperta, não rejeites para sempre!
²⁴ Por que escondes o teu rosto,
   retiras a nossa humilhação e opressão da mente?
²⁵ Pois todo o nosso ser se prostra no pó,
   o nosso coração se apega ao chão.
²⁶ Levanta-te em nosso socorro,
   redime-nos pelo bem do teu compromisso!

Em meu comentário sobre o salmo 20, mencionei que a nossa igreja precisava aceitar, com urgência, que não podíamos mais pagar o salário de um pastor. Comentei isso com um de meus filhos na Inglaterra, que expressou surpresa por algo assim ocorrer e considerou que isso dificilmente ocorreria na Igreja da Inglaterra. Lá, o sistema de financiamento e de pagamento dos salários é mais centralizado. No entanto, na Inglaterra, fatores financeiros podem significar que um ministro, ao deixar a instituição, não seja substituído; a igreja em questão pode ter de compartilhar um ministro com a paróquia mais próxima. Nos Estados Unidos e na Grã-Bretanha, há igrejas que crescem e novas igrejas que são inauguradas; nem tudo é sombrio ou está perdido. No entanto, a posição de muitas igrejas locais é desencorajadora. O nosso instinto é, então, acusarmos a nós mesmos ou culparmos fatores sociológicos.

Como nós, os israelitas podiam olhar para o passado, refletir sobre como as coisas então eram melhores e indagarem o motivo dessa mudança. Em contraste com a nossa reação, todavia, a reação do salmo 44 é concluir que Deus nos abandonou e questionar o motivo de ele ter feito isso. A lembrança de como as coisas eram outrora estabelece o cenário para esse questionamento, mas abre espaço para a declaração da confiança em Deus com base na relação anterior dele com o seu povo. Isso ocorre com tamanha intensidade que, inequivocamente, ao chegarmos no fim da primeira seção do salmo, podemos pensar nele como um salmo de louvor ou de confiança. Na verdade, quando os lecionários da igreja incluem esse salmo para uso no culto, com frequência escolhem apenas a primeira parte e o usam como um salmo de louvor.

Esse uso seletivo da Escritura não é exatamente incorreto, mas leva a perder o ponto desse salmo, em particular, no qual a relembrança é apenas o ponto de partida para perguntar o motivo de a situação ter se alterado tanto. Quando Deus deu a terra aos israelitas do Antigo Testamento, o fator crucial não foi o poderio militar da nação. Segundo o relato da sua história, às vezes as muralhas de uma cidade, simplesmente, colapsaram; os israelitas nem precisaram lutar. E, no presente, eles continuam confiando em Deus, não em sua capacidade de combate.

No entanto, na experiência e na vida deles, as coisas nem sempre funcionaram como no tempo dos seus ancestrais. Em diferentes contextos, houve explicações históricas e políticas para esses eventos, explanações vinculadas à política no Oriente Médio. O salmo ignora essas considerações com a convicção de que Deus não é limitado por elas. Se Deus ganha o crédito quando as coisas vão bem, é natural que ele seja questionado quando tudo vai mal. Em contraste, os cristãos costumam dizer a Deus o que precisa ser corrigido em nossa situação política em vez de apenas pedir por **libertação** ou perguntar a ele: "Por que *você* está fazendo isso?" Falhar em fazer isso implica não reconhecer quem realmente está no comando; quem, de fato, possui poder.

Pode-se imaginar que o salmo pertença a um contexto no qual a comunidade se reúna no templo para apresentar a sua circunstância diante de Deus com jejum e orações. A mudança do "nós" para "eu", durante o salmo, talvez indique que o rei ou outro líder participe no uso desse salmo em tais ocasiões.

Além de recusar-se a colocar a culpa pela mudança na experiência do povo em fatores políticos ou sociológicos, o salmista evita assumir que isso ocorra pela falha do próprio povo. Há salmos e orações, fora do Saltério, que fazem isso; não é que Israel seja incapaz de imaginar-se em falta, mas que é possível imaginar situações, nas quais o sofrimento surge, que não são resultantes de sua falha. A implicação da terceira seção do salmo é que o povo não se voltou para outros deuses desde que a tribulação chegou a Israel, mas o trecho, eventualmente, deixa claro que os israelitas também podem dizer que não buscaram outros deuses antes de a tribulação os atingir. É por causa de Deus que eles estão nessa situação. Paulo usa essa linha, em Romanos 8, e a refina; ele e seus amigos, igualmente, estão em apuros por causa de Deus, pois colocaram a sua vida a serviço dele.

Isso deixa transparecer que a recordação, o protesto e a apologia preparam o caminho para um extraordinário desafio no parágrafo derradeiro; um desafio para Deus despertar. Em 1Reis 18, Elias desafiou os israelitas que cultuavam deuses **cananeus** a irem a uma competição para ver qual Deus responderia à oração, e, quando os deuses cananeus falharam em responder, Elias presumiu que eles podiam estar dormindo. Aqui, o salmo faz essa acusação ao próprio Deus de Israel. Na oração, nada é excluído como meio de provocar a resposta divina.

SALMO 45
O DESAFIO DO CASAMENTO

Ao líder. Os lírios [talvez uma melodia]. Dos coraítas.
Uma instrução. Um cântico de amor.

1   A minha mente se agita com uma mensagem excelente;
    estou recitando o meu poema a um rei,
    a minha língua é a pena de um escriba veloz.

2   És o mais belo dos seres humanos;
    a graça é derramada em teus lábios —
    portanto, Deus te abençoou para sempre.

3   Cinje a tua espada ao teu lado, guerreiro,
    com tua honra e majestade,

⁴ e com a tua majestade vence.
Cavalga na causa da veracidade e da humildade fiel,
para que a tua mão direita te direcione a assombrosos feitos.
⁵ Tuas flechas são afiadas;
os povos estão sob ti.
[Tuas flechas] atingem o coração dos inimigos do rei;
⁶ o teu trono, Deus, é para todo o sempre.
O teu cetro real é um cetro reto;
⁷ tu te entregas à fidelidade e te opões à infidelidade.
Portanto, Deus, o teu Deus, te ungiu
com óleo celebratório dentre os teus pares.
⁸ Todas as tuas roupas são mirra, aloés e cássia;
do teu grande palácio de marfim, instrumentos de cordas te entretêm.
⁹ A grande princesa está em tuas joias,
a rainha à tua mão direita em ouro de Ofir.

¹⁰ Ouça, jovem dama, olhe, inclina os seus ouvidos;
retire da mente o seu povo, a casa do seu pai.
¹¹ O rei desejará a sua beleza;
uma vez que ele é o seu senhor, curve-se a ele.
¹² A cidade de Tiro buscará o seu favor com um presente,
os mais ricos dentre o povo, ¹³com toda a riqueza.

No interior, a princesa, com seu bordado de ouro,
seu vestido ¹⁴de pano colorido, será levada ao rei;
as garotas, atrás dela, suas amigas,
serão levadas a ti.
¹⁵ Serão conduzidas com alegre celebração;
entrarão no palácio do rei.
¹⁶ No lugar dos teus ancestrais, estarão os teus filhos;
tu os indicarás como líderes em toda a terra.
¹⁷ Comemorarei o teu nome por todas as gerações;
portanto, os povos te confessarão para todo o sempre.

Quando somos jovens e queremos nos casar, precisamos obter a aprovação dos nossos pais, mas, quando somos velhos e queremos nos casar, os nossos filhos é que devem consentir. Assim, eu estava nervoso só de pensar em contar aos meus filhos que iria me casar dezoito meses após a morte da mãe deles; mas, quando lhes comuniquei, fiquei profundamente comovido pela alegria e entusiasmo que eles demonstraram. Igualmente, senti-me muito nervoso em relação ao encontro com a minha futura enteada, mas tudo ocorreu maravilhosamente bem. Claro que, no caso de Kathleen, o nervosismo também tomou conta dela ao conhecer os seus dois enteados, no culto de ação de graças pelo nosso casamento, em Londres, mas eu sabia que tudo correria muito bem. A situação foi bem diferente quando desposei Ann, a minha primeira esposa, contra a vontade dos pais dela. Eles me desaprovavam por ser um jovem desprovido do cavalheirismo que desejavam e também por ser pastor, além do fato de tirar a filha do lar deles. Durante anos, Ann precisou lutar por sua independência deles. Ao decidir casar-se, você deve estar preparado(a) a deixar o seu pai e a sua mãe e, até mesmo, o seu filho e a sua filha.

O mesmo ocorre se você for uma princesa, apenas em maior escala e, provavelmente, por motivos extras. Quanto mais elevada for a sua posição na estrutura de poder ou no sistema de classes, menos liberdade terá quanto ao seu futuro cônjuge. Igualmente, nas sociedades tradicionais, o casamento não é uma questão privada entre duas pessoas, pois a união leva a novos relacionamentos entre duas famílias da vila. Além disso, embora o matrimônio crie uma nova unidade, não é exatamente uma nova família que vem a existir, certamente não até o casal ter os seus próprios filhos. O novo casal constitui uma subunidade de uma família maior, o que significa, na maioria das sociedades, que a noiva se une à família do noivo. Para o relacionamento funcionar, do mesmo modo que ocorre com as relações políticas ou com a comunidade maior, a noiva precisa estar preparada para tirar a sua família de origem da mente e entrar com entusiasmo nessa nova teia de relacionamentos. Sem dúvida, há um sentido no qual o noivo deve fazer o mesmo; o seu relacionamento com a família de origem deve mudar. É possível que seja essa a consideração por trás do comentário em Gênesis 2, sobre o casamento exigir que um homem deixe o seu pai e a sua mãe para formar uma nova unidade com a sua esposa. Em uma sociedade patriarcal, o matrimônio significa que a mulher deve curvar-se à autoridade do seu marido em vez de à do seu pai. Há, uma vez mais, certo contraste com Gênesis 1 e 2, onde não há nenhuma sugestão de que o marido detém a autoridade sobre a sua esposa; contudo, o salmo está lidando com a realidade da vida no mundo fora do Éden. Nesse mundo, a questão não era se você se submeteu a algum homem, mas, sim, a qual homem você se submeteu.

Tanto o noivo quanto a noiva parecem fantásticos nessa grande ocasião. A questão suscitada pelo salmo ao homem é distinta daquela levantada para a mulher, embora ele também necessite olhar para o futuro, não para o passado, ao refletir sobre a sua família. Possivelmente, esse cântico de amor (como a introdução o denomina) era designado para o uso de casais comuns, para os quais o casamento era uma ocasião na qual o noivo e a noiva eram rei e rainha por um dia. Seja como for, o salmo, na verdade, fala em termos de um casamento real, e o desafio ao noivo relaciona-se ao seu exercício de poder no mundo. Com efeito, ele se assenta no trono de Deus, o salmo afirma; ele reina em nome de Deus, como seu vice-regente, em Jerusalém. Talvez alguém argumente que qualquer líder faz isso. Como rei, ele tem poder para exercer, mas precisa exercê-lo segundo o modelo de Deus — com veracidade,

fidelidade, humildade e justiça — em oposição à **infidelidade**. Em relação ao casamento também, uma mulher descobrirá ser mais fácil submeter-se a um homem com essas qualidades. Trata-se de uma combinação visionária que representa um assustador desafio para um líder ou um noivo, ou, igualmente, para uma noiva em uma sociedade mais igualitária.

SALMO 46
AQUIETEM-SE E SAIBAM QUE EU SOU DEUS

Ao líder. Dos coraítas. Sobre segredos [talvez uma melodia]. Um cântico.

1. Deus é para nós refúgio e força,
    um socorro nas tribulações, prontamente disponível.
2. Portanto, não temeremos quando a terra tremer,
    quando as montanhas tombarem no meio dos mares.
3. Podem se enfurecer e espumar,
    as montanhas podem estremecer quando se elevarem alto. (*Pausa*)

4. Um rio com suas correntes alegra a cidade de Deus,
    o lugar santo no qual a grande habitação do Altíssimo está.
5. Deus estando em seu meio, ela não cairá;
    Deus a socorre quando chega a manhã.
6. As nações se enfurecem, reinos cambaleiam;
    quando ele emite a sua voz, a terra se dissolve.
7. *Yahweh* dos Exércitos está conosco;
    o Deus de Jacó é uma torre para nós. (*Pausa*)

8. Vá e olhe os feitos de *Yahweh*,
    que trouxe grande destruição à terra.
9. Ele detém batalhas até os confins da terra;
    despedaça o arco e quebra a lança;
    queima as carruagens no fogo.

SALMO 46 • AQUIETEM-SE E SAIBAM QUE EU SOU DEUS

> ¹⁰ "Parem e reconheçam que eu sou Deus;
> serei exaltado entre as nações,
> serei exaltado na terra."
> ¹¹ *Yahweh* dos Exércitos está conosco;
> o Deus de Jacó é uma torre para nós. (*Pausa*)

Por quase um milênio, grande parte do que hoje é a Alemanha, a Áustria, a Suíça, a Holanda, a Bélgica e outras regiões compreendiam o Sacro Império Romano. Ele possuía uma assembleia legislativa, estranhamente denominada de dieta, a qual, em 1521, se reuniu em uma cidade alemã, chamada Worms (daí o ainda mais confuso título de Dieta de Worms [que em inglês significa "vermes"]), para considerar a condenação papal aos ensinos de Martinho Lutero. Lutero publicara perspectivas sobre a natureza da fé cristã e a autoridade da igreja que eram conflitantes com o ensino oficial eclesiástico. O Édito de Worms declarou que Lutero deveria ser preso e punido. Embora o papa tivesse extraído palavras do salmo 74, usando-as no título de sua encíclica sobre Lutero, "Levanta-te, Senhor, e defende a tua causa", por seu turno, Lutero, ameaçado com a execução, extraiu o seu lema do salmo 46 e escreveu o hino "Castelo forte é o nosso Deus", com base nesse salmo. Hoje em dia, o seu hino é menos controverso e até mesmo está presente em alguns hinários da Igreja Católica Romana.

Lutero provou a veracidade do salmo. Ele poderia, de fato, dizer que em seu tempo a terra estava tremendo e as nações estavam enfurecidas contra ele. Parcialmente, como resultado das controvérsias que ele fomentou, elas começaram a cambalear em outro sentido. Ao longo do século seguinte, a unidade e o poder central do império sofreram um contínuo enfraquecimento. Qualquer um que estivesse em posição de recuar e se perguntar para onde essa fermentação política poderia levar o mundo, teria o direito de temer pelo futuro. Foi um período semelhante às décadas inaugurais do século XXI. De fato, uma carta de oração, que acabei de receber de uma organização preocupada com o testemunho cristão no Oriente Médio em sua atual turbulência, usou a abertura do salmo 46 como sua epígrafe.

Israel, frequentemente, viveu períodos turbulentos. Caso você viva em uma área sujeita a terremotos ou *tsunamis*, decerto apreciará a promessa de que poderá encontrar Deus no meio desse evento cataclísmico. No salmo em questão, essas são imagens relativas ao tumulto das nações. A forma pela qual o salmista fala evoca a primeira parte do livro de Isaías, quando as nações enfurecidas eram as nações do Império **Assírio**. Elas causaram a devastação de Israel em mais de uma ocasião, porém jamais lograram tomar posse de Jerusalém. Para a sua própria cidade, **Yahweh**, de fato, provou ser refúgio e força, um socorro nas tribulações, prontamente disponível. A *ACF* traduz a última sentença por "socorro bem presente na tribulação". De modo mais literal, o hebraico diz que Deus "deseja muito ser encontrado", que é fácil de encontrar. Devemos apenas nos voltar para ele, Isaías afirmou. Ele é **Yahweh dos Exércitos**.

As nações eram, desconfortavelmente, como um *tsunami*, ameaçando tragar Israel, mas, a exemplo de Isaías, o salmo lembra o povo de que Jerusalém possui outro curso d'água em seu meio. Há certa ironia quanto a esse comentário, pois a posição da cidade, em uma crista montanhosa, significa que um rio profundo e caudaloso é exatamente o que Jerusalém não tem. Há um riacho jorrando de uma nascente, o qual é transformado pelo salmista em um retrato da maneira pela qual Deus cuida de sua cidade. Por ser a cidade de Deus, ela não cairá nas mãos dos assírios ou de qualquer outro povo (a não ser que Deus queira entregá-la a algum agressor em razão do aborrecimento com o seu povo, o que, mais tarde, ocorreu mais de uma vez). O momento de maior perigo é na alvorada, quando um exército inimigo ataca; mas Deus virá em auxílio quando a manhã chegar.

Caso não acredite em mim, o salmista diz: vá e olhe. Os muros de Jerusalém foram rompidos? Não. Deus devastou o exército assírio? Sim. Você pode ler essa história em Isaías 36 e 37. A paz mundial virá, diz o salmo, pela obstrução de Deus à expansão dos impérios por meio de guerras. Usamos o desafio: "Aquietai-vos, e sabei que eu sou Deus" (Salmos 46:10 — ARA) como um convite a cessarmos a correria, permanecermos em silêncio e centrarmos em Deus; um convite realmente necessário. No salmo, trata-se de um desafio às grandes nações para deixarem de pensar que são tão grandiosas, pararem de imaginar que podem fazer o que bem quiserem no mundo, em especial com o povo e a cidade de Deus. É uma outra maneira de conceber a chegada da paz mundial. Israel não experimentou a sua chegada, nem nós, mas as pequenas experiências de Deus vencendo batalhas nos dão motivos para crer que Deus, por fim, assim o fará.

SALMO 47
A CONFISSÃO ULTRAJANTE

Ao líder. Dos coraítas. Uma composição.

1. Todos vocês, povos, batam palmas,
   gritem a Deus com voz retumbante.
2. Pois *Yahweh*, o Altíssimo, é assombroso,
   o grande rei sobre toda a terra.
3. Ele subjuga os povos debaixo de nós,
   nações sob os nossos pés.

⁴ Escolhe a nossa própria posse para nós,
   a glória de Jacó que ele ama. (*Pausa*)
⁵ Deus subiu com um grito,
   Yahweh com o som de um chifre.
⁶ Façam música a Deus, façam música;
   façam música ao nosso rei, façam música.
⁷ Pois Deus é o rei de toda a terra;
   façam música com entendimento.
⁸ Deus se tornou rei sobre as nações;
   Deus assentou-se em seu santo trono.
⁹ Os senhores dos povos se reuniram,
   o povo do Deus de Abraão.
   Pois os escudos da terra pertencem a Deus;
   ele subiu às alturas.

Ontem, na igreja, proferimos as nossas costumeiras e ultrajantes confissões, tais como a declaração de que Jesus é Senhor. Elas são ultrajantes porque as notícias do dia parecem desmenti-las. Dezenas de pessoas morreram no ataque a uma mesquita no Paquistão. Carros-bomba explodiram ao lado de um centro de relações culturais da Grã-Bretanha em Cabul. Nos Estados Unidos, inúmeras pessoas portadoras de câncer não conseguem obter os medicamentos dos quais tanto precisam porque os fabricantes não obtêm lucro suficiente com a comercialização deles. Níveis excessivos de radiação foram detectados em um campo de arroz perto de Tóquio. Dezenas de manifestantes foram mortos durante um protesto contra o governo na Síria. Jesus é Senhor?

Quando Israel declarava que ***Yahweh*** é Deus, que o Deus dos israelitas é o rei de toda a terra, isso equivalia a uma confissão ultrajante. Quando desafiava todos os povos da terra a compartilharem aquela declaração, essa confissão se tornava ainda mais ultrajante. Como podiam fazer tal confissão? O salmo 47 estabelece uma comparação e, ao mesmo tempo, um contraste com o salmo 46. O conteúdo do salmo anterior sugeria uma ligação com a história de Israel durante um período no qual as pessoas estavam compondo e entoando os salmos, a exemplo da época de Isaías. Isso não pertencia a uma história muito distante (conquanto viesse a ser para os adoradores posteriores). É possível ir e ver os muros e portões de Jerusalém como evidências de que Deus manteve a cidade em segurança.

Em contraste, o salmo 47 olha para os eventos passados que tornaram Israel a nação que é — isto é, relembra o subjugo original de *Yahweh* aos habitantes de Canaã e a posse daquela região montanhosa, amada por *Yahweh*, aos israelitas. Israel estabeleceu-se nesse acidentado território sob as abas das vestes divinas, enquanto este fazia a sua ascensão lá como um guerreiro, com um brado e com o som de um chifre, sinalizando o momento do avanço. Assim, a ultrajante declaração de Israel é de que *Yahweh* é "o grande rei sobre toda a terra". Esse título foi reivindicado pelo rei da **Assíria** (o que é relatado em Isaías 36—37, sobre a tentativa assíria de tomar Jerusalém, que citei em meu comentário sobre o salmo 46). Seria uma reivindicação totalmente plausível. No entanto, o salmo 47 diz, com grande atrevimento: "Vocês sabem quem é o verdadeiro grande rei de toda a terra? Eu lhes contarei."

A segunda metade do salmo segue o padrão anterior — primeiro, há uma exortação para reconhecer a Deus; então, seguem os motivos, a substância do louvor. Essa é a forma de operação regular de um salmo de louvor. A exemplo dos salmos 30 ou 42, o salmista não se satisfaz em dizer algo apenas uma vez; ele precisa repetir a declaração. Como as repetições dentro da mesma linha, contudo, a segunda metade do salmo faz mais do que meramente repetir a primeira metade; vai além.

Assim, a renovada exortação acrescenta música aos brados e palmas da exortação inicial. Ainda, adiciona a ênfase de que *o rei é o nosso* rei. A substância do louvor, então, refere-se a Deus assentar-se em seu trono, o que nos leva da posse da terra para a construção do templo de Jerusalém. É naquele local que Israel se reuniria para entoar esse salmo. O motivo de Israel poder fazer essas ultrajantes confissões seria o fato de conhecer a história sobre a posse da terra por *Yahweh* e o estabelecimento de seu trono ali. Essa conquista torna possível crer que *Yahweh* é rei, mesmo quando as notícias do dia parecem contradizer essa crença — do mesmo modo que o nosso conhecimento da história de Jesus torna possível declarar que Jesus é Senhor, ainda que o noticiário pareça desmentir isso.

A descrição dos líderes das nações, os seus senhores ou escudos, reunidos para reconhecer o Deus de Abraão, trata-se de um ato de imaginação, mas é uma visão cujo cumprimento é assegurado pelo que Deus já realizou. No princípio da história de Israel, povos como os gibeonitas foram compelidos a fazer esse reconhecimento do Deus de Abraão; eles constituem o primeiro estágio de um processo que, no devido tempo, será concluído. Uma vez mais, o salmo testifica como os israelitas sabiam que o envolvimento de *Yahweh* com eles não visava somente ao bem desse povo. Exatamente por *Yahweh* ser o rei de toda a terra, a fé de Israel envolve um interesse no mundo todo. Os senhores dos povos se reúnem como o povo do Deus de Abraão, ou com o povo do Deus de Abraão (a concisa sentença não deixa claro qual é a tradução correta, mas esse detalhe faz pouca diferença). O ponto não é meramente que eles deveriam ser "salvos", mas que deveriam reconhecer Deus como Deus. Analogamente, o que Deus fez com e mediante Jesus é a garantia de que o mundo reconhecerá que Jesus é Senhor.

SALMO 48
ESTA É A CIDADE?

Um cântico. Uma composição dos coraítas.

1. *Yahweh* é grande, e digno de ser louvado,
   em nossa cidade de Deus.
   O seu santo monte ²é uma beleza de elevação,
   a maior alegria de toda a terra.
   As alturas do Zafom são o monte Sião,
   a cidade do grande rei.
3. Em suas cidadelas, Deus se revela
   para ser reconhecido como uma torre.
4. Pois ali os reis se reuniram,
   atravessaram juntos.
5. Quando eles viram, ficaram atordoados,
   ficaram aterrorizados, entraram em pânico.
6. O tremor tomou conta deles ali,
   contorcendo-se como uma mulher no parto.
7. Com um vento oriental,
   quebraste os navios de Társis.
8. Como temos ouvido, assim vimos,
   na cidade de *Yahweh* dos Exércitos,
   na cidade do nosso Deus,
   a qual Deus estabeleceu para sempre. (*Pausa*)
9. Deus, refletimos sobre o teu compromisso,
   dentro do teu palácio.
10. Deus, como o teu nome, assim o teu louvor
    alcança os confins da terra.
    A tua mão direita é cheia de fidelidade;
11. o monte Sião celebrará.
    As cidades de Judá se regozijarão
    por causa das tuas decisões.
12. Vão ao redor de Sião, circundem-na,
    contemplem as suas torres.

SALMO 48 • ESTA É A CIDADE?

> ¹³ Observem bem a sua muralha,
>   percorram as suas cidadelas,
> para que possam contar a uma geração futura
> ¹⁴ que este Deus
> é o nosso Deus para todo o sempre —
>   ele irá nos direcionar contra a morte.

Quando eu e a minha primeira esposa nos mudamos para os Estados Unidos, as pessoas me perguntavam do que eu sentiria falta em relação à Inglaterra. Então, respondia que não sentiria falta do peixe com batatas nem da comida indiana, mas da proximidade com a França e com Israel. Desde que nos mudamos, não retornei a Israel, por ser uma longa jornada e pelo fato de Ann estar em uma cadeira de rodas tornava a viagem muito complicada. Contudo, também incluo a condição política (especialmente a construção de muralhas separando as áreas palestinas das judias), que agravou tanto a situação na região a ponto de eu não desejar ir. Mas a minha atual esposa e eu estamos discutindo a possibilidade de passar um tempo em Jerusalém no próximo ano. Parece uma hora propícia para encarar os fatos. O mais importante é que estar em Jerusalém evoca os eventos da fé judaica e cristã. A fé não constitui uma coletânea de ideias teológicas ou princípios comportamentais, mas a história de algo que aconteceu em determinado lugar em um tempo específico.

Em nossos comentários em relação aos salmos 42 e 46, observamos a importância de Jerusalém como um lugar real. O salmo 48, uma vez mais, exorta as pessoas a ir e dar uma olhada na cidade. Principia-se com a imponência e a beleza natural da cidade. Na realidade, Jerusalém é apenas um pequeno pico de uma elevação, não tão alta quanto as colinas ao redor, como o monte das Oliveiras. A cidade tornou-se bela pelas construções ali, feitas da pedra creme, extraída das profundezas do solo. O salmo a denomina "uma beleza de uma elevação" não apenas por sua formosura natural ou humanamente construída, mas porque *Yahweh* fez dela a sua habitação. No extremo norte, na fronteira entre a Síria e a Turquia, localiza-se o monte Zafom, cuja altitude é duas vezes maior que a do monte **Sião**, e o lugar no qual os **cananeus** situavam a casa do **Mestre**. Eu lhes direi onde o verdadeiro monte Zafom está, a real habitação de Deus, afirma o salmista. É no pequeno monte Sião. Trata-se de uma característica de Deus ir a um pequeno e insignificante monte, em uma insignificante localidade (Israel era um povo pequeno e desinteressante; Davi era um garoto desconhecido e insignificante; e Nazaré, um vilarejo sem importância). Contudo, tornou-se de extrema relevância por meio das ações de Deus ali.

"O grande rei" é um título tão importante quanto no salmo 47, porém aqui talvez o seja por um motivo tanto religioso quanto político. O Mestre poderia ser chamado de o rei dos deuses. "Eu lhes direi quem é o verdadeiro rei dos deuses", o salmo diz. A enigmática sentença de encerramento sobre *Yahweh* direcionar o povo contra a morte talvez tenha como pano de fundo uma comparação entre *Yahweh* e o Mestre, pois os cananeus contavam uma história sobre o Mestre ser subjugado pela morte e precisar ser trazido de volta à vida.

O salmo foca a política, ao relembrar como as forças estrangeiras tentaram conquistar Jerusalém e falharam. Elas eram tão imponentes quanto os navios de Társis, grandes embarcações mercantes que cruzavam oceanos, mas até mesmo os navios de Társis são vulneráveis a um vendaval do Oriente.

As poderosas forças estrangeiras revelaram-se, igualmente, vulneráveis. "Vim, vi e venci", afirmou Júlio César, certa feita, em relação a uma de suas vitoriosas campanhas. "Vieram, viram e fugiram", expressou Calvino, sarcasticamente, em seus comentários sobre o salmo.

Ao ir e contemplar a cidade, a história não será meramente aquela que ouviu de seus pais ou avós, ou de um sacerdote, relembrando-a durante um culto no templo. Você pode ir e ver com seus próprios olhos. A medieval cidade de Jerusalém, a "Cidade Antiga", está cercada por muros que não seguem a disposição dos muros da época do Antigo Testamento, mas transmitem aos que os contemplam a impressão correta do que seria contornar a cidade após ela ter sido sitiada e observar o bom estado de seus muros e de suas cidadelas. **Yahweh dos Exércitos** é a torre do povo, mas ele opera pela preservação das próprias defesas da cidade. Uma vez mais, a atividade de *Yahweh* em Jerusalém não constitui boas notícias meramente para Israel e más notícias para seus agressores. Mas deve ser o meio de Deus vir a ser louvado em todo o mundo. Semana após semana, judeus, cristãos e muçulmanos louvam a Deus e mencionam a cidade de Jerusalém, não apenas em Jerusalém, mas até nos confins da terra.

No entanto, no devido tempo, *Yahweh* permitiu a queda da cidade, e Lamentações 2, então, retrata transeuntes, maliciosamente, perguntando: "Esta é a cidade que era chamada a beleza de uma elevação, a maior alegria de toda a terra?" Em décadas, durante as quais Jerusalém encontra-se dividida e tem sido palco de conflitos em vez de harmonia, fazemos coro à mesma questão. O salmo 48 nos lembra do desígnio de Deus para essa cidade e nos dá motivo para esperança.

SALMO 49
A MORTE O ALCANÇA QUANDO VOCÊ MENOS ESPERA

Ao líder. Uma composição dos coraítas.

1 Ouçam isto vocês, todos os povos;
    prestem atenção vocês, todos os habitantes do mundo,
2 tanto pessoas comuns quanto pessoas importantes,
    abastados e necessitados, juntos.
3 A minha boca proferirá sabedoria,
    a fala que virá da minha mente será entendimento.
4 Inclinarei os meus ouvidos a uma lição,
    resolverei a minha questão à harpa.

5 Por que deveria temer em dias maus,
    quando as transgressões dos meus assaltantes me cercam,
6 pessoas que confiam em sua fortuna
    e se gabam de suas grandes riquezas?
7 Definitivamente, isso não pode redimir alguém;
    não pode dar a Deus o seu resgate.
8 A redenção de sua vida seria cara;
    seria insuficiente para sempre,
9 para que pudesse viver para sempre,
    não ver o poço.
10 Pois pode-se ver que pessoas de sabedoria morrem,
    a pessoa tola e a estúpida perecem juntas.
   Deixam sua riqueza para outros,
11   enquanto o seu pensamento interior é que a sua casa
        será eterna,
   a sua habitação para todas as gerações;
       eles chamaram terras pelo seu nome.
12 Um ser humano não permanece em honra;
    ele é como o gado que perece.
13 É assim que as coisas são para elas, as pessoas
    caracterizadas pela tolice,

e, depois delas, as pessoas que favorecem o que elas falam.
   (*Pausa*)
¹⁴ Como ovelhas, elas se dirigem ao Sheol;
   a morte as pastoreia.
   Os retos têm domínio sobre elas pela manhã,
   e a forma delas é para ser desperdiçada pelo Sheol,
   longe de seu nobre lar.
¹⁵ Mas Deus redimirá a minha vida da mão do Sheol,
   pois ele me levará para si. (*Pausa*)

¹⁶ Não tenha medo quando alguém se torna rico,
   quando o esplendor de sua casa se torna grande,
¹⁷ pois, quando ele morrer, não levará nada disso;
   o seu esplendor não desce depois dele.
¹⁸ Mesmo que se bendiga durante a sua vida
   e reconheçam que faz o bem a si mesmo,
¹⁹ ele vai para a companhia dos seus ancestrais;
   nunca vê a luz.
²⁰ Um ser humano em honra,
   mas que não tem sabedoria, é como o gado que perece.

Recentemente, sepultamos a segunda pessoa mais velha de nossa congregação, que, até o fim, frequentou regularmente a igreja. Dirigimos por um longo tempo até o cemitério e fiquei me perguntando o motivo disso, até descobrir que o marido dela também estava enterrado ali. Ela seria sepultada ao lado dele. Ontem, visitei uma senhora que é a pessoa mais velha da nossa comunidade, com 96 anos. Até recentemente, ela frequentou a igreja em grande parte das semanas, mas uma ferida em sua perna a tem impedido de ir. Ela espera estar de volta em uma semana ou duas, mas aparenta estar mais frágil, e, no íntimo, ponderei se em breve estarei conduzindo o seu funeral. É possível que você viva até quase cem anos, mas, inevitavelmente, a morte o alcançará. Ao chegar em casa, recebi a notícia da morte de um antigo pastor, amigo meu, quase da minha idade, que gozava de excelente saúde na última vez que o vi, mas que, repentinamente, adoeceu e faleceu. Pode ser que você viva até os noventa ou mais. Contudo, a morte pode lhe alcançar antes disso.

O ponto do salmo é que Deus controla quando a morte chega. É tentador pensar que ter dinheiro suficiente para pagar um abrangente plano de saúde é um fator decisivo para determinar a duração da sua vida, e/ou que uma disciplina em relação a dietas saudáveis e um bom condicionamento físico sejam fatores decisivos. Certamente, são fatores influentes, mas quase sempre ouvimos relatos sobre pessoas que tentam assegurar que tudo vá bem com elas e, então, são alcançadas. O salmo nos convida a considerar esse fato no contexto do envolvimento divino no mundo. Alguém cujo chefe possui um ótimo plano de saúde, mas não paga o suficiente aos empregados mais humildes para que estes tenham pelo menos algum plano, tem o direito de sentir certo ressentimento. Todavia, é nesse momento que ele deve lembrar que esse não é o fator supremo na determinação do que acontece. Independentemente da quantia que você investe em seu plano de saúde, esse valor não é suficiente para lhe comprar uma vida mais longa, nem pode alterar o fato de que, inevitavelmente, você irá morrer. Não faz a menor diferença o tamanho da sua fortuna ou o nível de sua inteligência.

Quando você é jovem ou de meia-idade, provavelmente não reflete muito sobre a morte e, como resultado, vive como se a sua vida fosse eterna, ainda que, em teoria, saiba que não é assim. Quando o salmo retrata as pessoas prósperas imaginando que o lar será sempre delas, não considero que seja uma suposição consciente por parte delas — trata-se mais de uma consequência da atitude que elas têm em relação à sua casa. A mesma suposição está implícita no instinto em relação a outras formas de acúmulo, tais como propriedades (ou livros, no meu caso, ou carros — você pode citar o seu próprio objeto de desejo). Isso é estúpido, afirma o salmista, e essa estupidez é compartilhada por pessoas que gostariam de imitar essas pessoas prósperas.

No entanto, o salmo não está falando sobre a generalizada estupidez de se comportar como se a vida fosse eterna. Antes, discorre sobre pessoas que combinam a riqueza com um instinto de pisotear outras pessoas (claro que a riqueza, com frequência, resulta de um instinto de passar por cima de todo mundo em vez de trabalho duro, de criatividade ou de boa sorte). O ideal do Antigo Testamento é mesclar riqueza com generosidade aos necessitados. A união da fortuna com o desprezo aos outros é, segundo o Antigo Testamento, a verdadeira estupidez. As pessoas regidas por essa atitude são aquelas que descobrem a morte pastoreando-as antes do tempo. Em contraste, os retos descobrem a libertação de Deus pela manhã — a exemplo do salmo 46, a alvorada é o momento de maior perigo. Ontem, a pessoa tola e abastada governa. Hoje, ela já passou, e o reto é que governa. Ameaçados pela possibilidade da morte, aqueles desprovidos de recursos, exceto Deus, podem provar a capacidade divina de livrá-los do **Sheol** antes do devido tempo. O salmista sabe que nem sempre é assim, mas deseja que as pessoas confiem na realidade do envolvimento de Deus no mundo, o que significa que, na maioria das vezes, funciona assim.

SALMO 50
MANTENHA O SIMPLES
Uma composição de Asafe.

1. Deus, *Yahweh* Deus, falou
    e convocou a terra
    desde o nascer até o pôr do sol.

² Desde Sião, a plenitude da beleza,
   Deus tem resplandecido;
³ nosso Deus vem e não pode ser silenciado.
O fogo devora diante dele,
   e, ao seu redor, uma grande tempestade.
⁴ Ele convoca os céus acima
   e a terra para uma decisão sobre o seu povo.
⁵ "Reúnam as pessoas comprometidas comigo,
   as pessoas que selaram comigo uma aliança mediante um sacrifício."
⁶ Os céus falam da sua fidelidade,
   pois ele é um Deus que exerce autoridade.

⁷ "Ouça, meu povo, e eu falarei;
   Israel, e eu testificarei contra você —
   eu sou Deus, o teu Deus.
Quanto aos seus sacrifícios, não o reprovo,
   e as suas ofertas queimadas estão continuamente diante de mim.
⁹ Não tiraria um touro da sua casa,
   nem cabras dos seus currais.
¹⁰ Pois todo animal na floresta é meu,
   o gado em mil montanhas.
¹¹ Conheço todas as aves nas montanhas,
   e toda criatura selvagem está comigo.
¹² Se estivesse com fome, eu não lhe diria,
   pois é meu o mundo e tudo que nele há.
¹³ Eu como a carne do búfalo
   ou bebo o sangue das cabras?
¹⁴ Sacrifique uma oferta de gratidão a Deus,
   cumpra as suas promessas ao Altíssimo.
¹⁵ Clame a mim no dia da tribulação;
   eu o resgatarei, e, então, você me honrará."

¹⁶ Mas, à pessoa infiel, Deus disse:
   "Qual o valor de recontar as minhas leis
   e tomar a minha aliança em seus lábios,

SALMO 50 • MANTENHA O SIMPLES

¹⁷ quando você é aquele que está contra a disciplina
    e lança as minhas palavras atrás de você?
¹⁸ Se vê um ladrão, você o favorece,
    e a sua vida tem sido com adúlteros.
¹⁹ Você entregou a sua boca ao mal;
    seu arreio, sua língua, ao engano.
²⁰ Você se assenta falando contra o seu irmão,
    com o filho da sua mãe você encontra falhas.
²¹ Essas coisas você tem feito, e me mantenho em silêncio;
    pensou que eu realmente fosse como você.
  Eu o reprovo e coloco isso diante de você;
²²   considere isso, você que tirou Deus da mente,
  para que eu não o despedace e não haja ninguém que o
      resgate.

²³ A pessoa que sacrifica uma oferta de gratidão me honra,
    e à pessoa que direciona o seu caminho,
    mostro a libertação de Deus."

Administrar uma igreja é algo complicado. Dei-me conta disso ontem, quando, pela primeira vez, peguei o molho de chaves da igreja, que herdei recentemente, para ir ao encontro com um casal cujo bebê será batizado. No molho, há quinze chaves, e não logrei achar a chave certa para abrir o portão da frente, mas conseguimos usar o portão de trás e vencemos essa primeira etapa. A princípio, imaginei que não conseguiria descobrir a chave certa para acessar o prédio da igreja, mas a dificuldade deveu-se ao mecanismo estar um pouco emperrado. Então, somente por puro acidente é que descobri como acender as luzes e a fonte no jardim. Depois, ainda havia a copiadora, a internet e a caixa de correio (quem poderia imaginar que a caixa-postal de uma igreja acumulasse tanta propaganda inútil?).

Administrar uma igreja bem que poderia ser mais simples. O salmo 50 termina com uma declaração de Deus quanto a haver duas ou três coisas que importam. Começando do fim, há a experiência da **libertação** de Deus. O problema é que não temos controle sobre isso. Israelitas comuns tinham muito menos controle sobre a sua vida do que os cristãos ocidentais, o que, de um modo estranho, coloca o primeiro grupo em uma posição mais fácil. Eles não podiam exercer quase nenhum controle sobre o próprio destino. No âmbito político, a situação deles era mais parecida com a de países do Terceiro Mundo do que com a de uma potência do Ocidente. Economicamente, eram mais dependentes das condições climáticas do que são os ocidentais. No campo da saúde, quando ficavam doentes, não havia muito o que pudessem fazer, exceto se lançarem à misericórdia divina. No entanto, de uma forma esquisita, não ter controle pode ser algo positivo, porque a libertação de Deus é muito mais confiável do que o controle humano. Repetidas vezes, descobrimos que o controle humano não funciona no âmbito da política, da economia ou da medicina, mas essa experiência tende a nos fazer tentar com mais afinco, em lugar de nos lançarmos a Deus.

Você pode fazer isso com confiança (a última linha do salmo acrescenta), caso seja uma pessoa que direciona o seu caminho. O salmista está interessado no controle das pessoas sobre a própria vida, porém em um sentido diferente daquele que acabei de descrever. De fato, podemos apresentar inúmeras desculpas para não exercer um controle moral sobre a nossa vida ("É difícil resistir ao excesso de trabalho, ao cinismo, à irritação, à gula, ao entretenimento ou à aquisição de roupas"). Deus espera isso de nós. Pode ser difícil, mas não é complicado. O salmo retrata pessoas que estão comprometidas com a sua participação na adoração. Elas dizem todas as coisas corretas ali, mas as suas ações fora do culto não correspondem às palavras ali proferidas. É como se elas jogassem fora as palavras de Deus, como se fosse a embalagem de um sanduíche. Não se preocupam com o que dizem sobre outras pessoas. Em outro sentido, embora possamos considerar a tolerância uma virtude, Deus a vê como um vício. Apenas se houver uma direção moral em sua vida é que você pode esperar ver a libertação de Deus. Cuidado quando Deus não exerce misericórdia ao repreender você, o salmo acrescenta; o silêncio divino quando você está errado é, por si só, um juízo assustador.

Ao ver a libertação de Deus, a resposta apropriada é apresentar uma oferta de gratidão, de ação de graças. O último versículo do salmo começa aqui. Uma oferta de gratidão é o sacrifício que, naturalmente, acompanha um salmo de ação de graças. Quando queremos expressar apreciação a alguém, com frequência fazemos disso um motivo para dar um presente em lugar de apenas dizer obrigado. O Antigo Testamento considera que o mesmo é verdadeiro no nosso relacionamento com Deus. Meras palavras são fáceis e nada custam. Às vezes, as pessoas levavam ofertas de gratidão simplesmente porque Deus havia respondido a uma oração, talvez com uma cura ou proteção contra algum ataque. Em outras, no decorrer de uma oração, um salmo contemplará trazer uma oferta quando a oração for respondida, de modo que algumas ofertas de gratidão são o cumprimento dessas promessas — eis o motivo da referência ao cumprimento de promessas nesse salmo.

Portanto, o relacionamento com Deus é algo simples, o salmista afirma. Você vive uma vida reta; se mete em apuros; clama a Deus; este o resgata; você apresenta uma oferta de gratidão. O problema é que as pessoas fazem disso uma exigência contratual. Elas apresentavam ofertas grandiosas a

Deus, como se o tamanho e a imponência contassem pontos, como se fosse um suborno a Deus. Aqueles que não viviam retamente tentavam compensar isso pela apresentação de grandes sacrifícios. O salmo questiona: "O que esse instinto indica sobre o que você pensa de Deus?" Mantenha o simples.

Asafe era um dos líderes de música na adoração do templo, indicados por Davi, de acordo com 1Crônicas 16 e 25. Crônicas, frequentemente, menciona os descendentes de Asafe nessa conexão, e a referência a ele no salmo 50 pode ser uma alusão a esse coro "asafita", do mesmo modo que "Davi" pode ser uma menção aos reis davídicos em geral.

SALMO 51
ENSINA-ME O ARREPENDIMENTO

Ao líder. Uma composição de Davi. Quando Natã, o profeta,
veio a ele, depois que ele foi a Bate-Seba.

1. Sê gracioso comigo, Deus,
   de acordo com o teu compromisso.
   De acordo com a grandeza da tua compaixão,
   apaga as minhas rebeliões.
2. Lava-me completamente da minha transgressão,
   purifica-me da minha ofensa.
3. Pois eu reconheço as minhas rebeliões;
   minha falha está diante de mim o tempo todo.
4. Contra ti somente eu ofendi
   e fiz o que é mau aos teus olhos,
   de modo que és fiel em teu falar,
   na clareza das tuas decisões.
5. Por um lado, na transgressão eu nasci,
   em falha a minha mãe me concebeu.
6. Por outro, te deleitas na veracidade em lugares ocultos;
   no lugar secreto, faze-me reconhecer a sabedoria.

SALMO 51 • ENSINA-ME O ARREPENDIMENTO

⁷ Remove a minha transgressão com hissopo para que eu
fique limpo,
lava-me para que eu fique mais branco do que a neve.
⁸ Deixa-me ouvir a alegria e a celebração;
que os ossos que esmagaste se regozijem.
⁹ Esconde o teu rosto das minhas falhas,
apaga todos os meus atos obstinados.

¹⁰ Cria em mim uma mente limpa, Deus;
renova um espírito firme dentro de mim.
¹¹ Não me lances para fora da tua presença;
não removas o teu santo espírito de mim.
¹² Devolve-me a alegria de ser liberto por ti;
que o teu generoso espírito me sustente.

¹³ Ensinarei os teus caminhos aos rebeldes,
e os ofensores retornarão a ti.
¹⁴ Resgata-me do sangue derramado, Deus,
o Deus que me liberta;
a minha língua ressoará com respeito à tua fidelidade.
¹⁵ Meu Senhor, abre os meus lábios,
e a minha boca contará do teu louvor.
¹⁶ Pois não te deleitarias em um sacrifício, caso eu o
oferecesse;
não te agradarias de uma oferta queimada.
¹⁷ Sacrifícios piedosos são um espírito quebrantado;
uma mente quebrantada, esmagada, Deus, tu não
desprezarias.

¹⁸ Faze o bem a Sião por teu favor;
edifica os muros de Jerusalém.
¹⁹ Então, te deleitarás em sacrifícios fiéis,
oferta queimada e holocausto;
então, as pessoas levarão touros ao teu altar.

John Donne foi um sacerdote do século XVII, poeta do amor e membro do parlamento. Ele também escreveu uma série de *"Holy Sonnets"* [Sonetos santos] (encontrada no *The Oxford Book of English Verse*, ed. Christopher Ricks [Nova York: Oxford University Press, 1999], p. 117). Num deles, o autor imagina o dia da ressurreição e, então, reflete como a chegada desse dia significará que é muito tarde para pedir perdão. Assim, ele conclui o soneto, dizendo a Deus:

"Aqui, neste humilde chão,
ensina-me a como me arrepender, pois isso é tão bom
como se tivestes selado o meu perdão com o teu sangue."

Pode-se questionar se Donne estava certo ao imaginar que nos ensinar o arrependimento é tão bom quanto morrer por nós; caso Deus não estivesse pronto a entregar o seu Filho por nós, o nosso arrependimento não nos levaria a lugar nenhum. Mas ele está certo na implicação contrária; se Deus entregasse o seu Filho por nós, porém não nos ensinasse o arrependimento, então essa entrega, igualmente, não nos levaria a lugar nenhum. E precisamos ser ensinados a nos arrepender, pois isso não vem de forma natural, em parte porque, normalmente, estamos ocupados apresentando desculpas a nós mesmos pelo que fizemos ou não.

A introdução do salmo 51 estabelece uma ligação com o arrependimento de Davi em relação ao romance com Bate-Seba, mas a conexão com a **história de Davi** suscita as mesmas questões levantadas com respeito ao salmo 18: "Contra ti somente eu ofendi"? Caso Davi dissesse essas palavras, então Deus teria algo mais a ensinar a Davi sobre o significado do arrependimento. "Cria em mim uma mente limpa, Deus; renova um espírito firme dentro de mim"? Se Davi proferisse essa oração, parece que Deus não a aprovaria, pois a história

SALMO 51 • ENSINA-ME O ARREPENDIMENTO

de Davi como pai e como rei se desenrola a partir do caso com Bate-Seba e Urias em diante. Aparentemente, é possível para Deus afastar o pecado no sentido de não responder a ele por meio de uma ira ativa; contudo, isso não significa que Deus intervém para impedir as consequências do que iniciamos com as nossas ações ilícitas. Nossa violação dos mandamentos pode ainda rasgar o tecido da sociedade de uma forma que seja difícil costurar, ainda que os indivíduos sejam curados. Como expresso pelos mandamentos, os pecados dos pais são visitados nos filhos.

Portanto, o encorajamento da introdução para vincular o salmo à história de Davi é esclarecedor na maneira pela qual isso suscita questões sobre Davi. Se a oração era designada para ser orada por ele como alguém necessitado de arrependimento, então há formas mediante as quais isso ilustra como precisamos orar. No entanto, à luz do que sabemos sobre o restante da Escritura, podemos inferir algo tanto da reação negativa quanto da reação positiva de Deus. A exemplo de outros salmos, isso deve nos levar a um autoexame, não a simplesmente presumir que o nosso discernimento sobre nós mesmos é, de fato, genuíno.

Iniciar pelo fim do salmo oferece algumas percepções complementares. A súplica para Deus edificar os muros de Jerusalém não se encaixa muito bem na história de Davi, pois, então, eles estão intactos. Isso sugere um período entre os dias de Jeremias (quando os muros foram derrubados pelos **babilônios**) e de Neemias (quando os muros foram reconstruídos com o auxílio dos **persas**). Religiosamente falando, eles foram demolidos por causa da atitude que **Judá** havia tomado em relação a *Yahweh* durante um século ou mais — os judaítas confiaram mais na política do que em *Yahweh* e se voltaram para outros deuses. Naquele contexto, a confissão "Contra ti somente eu ofendi" faz sentido. O "eu" do salmo pode se referir a um israelita comum, a exemplo do que as igrejas que professam um credo podem usar um que diga: "Eu creio", quando toda a congregação é que confessa isso. Ou pode ser o líder da comunidade, alguém como Zorobabel ou Neemias.

Naquela situação, as ofertas de sacrifícios a Deus não os levavam a lugar nenhum. Os sacrifícios podem lidar com pequenos problemas de impureza, mas não pecados sérios; e sacrifícios que expressam louvor e compromisso não fazem sentido quando a relação com Deus está rompida. Quando a sua esposa o flagra sendo infiel, um buquê de flores ou mesmo um carro novo não trará progressos à sua posição. O mesmo acontece com Deus; tudo o que você pode fazer quando comete uma transgressão séria é lançar-se à graça divina como alguém que foi esmagado e quebrantado pelo preço cobrado por seu delito — do mesmo modo que a comunidade de Jerusalém, levada ao **exílio**. Então, se Deus perdoar e responder às orações presentes no salmo, e você contemplar a reconstrução da cidade, poderá recomeçar a sua vida regular de adoração, na qual o sacrifício tem o seu lugar apropriado como expressão de louvor e compromisso.

No salmo 51, então, o povo de Deus lança-se à misericórdia e à compaixão de Deus. Ele reconhece como o pecado tem caracterizado a sua vida desde os primórdios no Sinai ou dos anos iniciais da igreja, conforme o Novo Testamento os descreve. Reconhece que não pode esconder que diz uma coisa em público, mas age diferentemente no privado. Sabe que não pode reclamar do tratamento dado por Deus e que a sua vida está perdida; ela necessita da transformação de Deus. Então, o povo estará em posição de contar ao mundo sobre a graça divina.

Parece que Deus respondeu à oração do salmista como proferida por Judá. O templo e os muros foram reconstruídos, a comunidade ao longo dos séculos seguintes mostrou sinais de estar sendo habitada pelo espírito de Deus, e colocou-se em posição de compartilhar o seu conhecimento sobre Deus aos povos vizinhos, resultando na atração de gentios às congregações judaicas, amplamente difundidas nos tempos do Império Romano.

SALMO 52
COMO PERMANECER DE PÉ – I

Ao líder. Uma instrução de Davi. Quando Doegue, o edomita, foi a Saul e lhe disse: "Davi foi à casa de Abimeleque."

1. Por que você exulta no mal, guerreiro? —
    o compromisso de Deus se mantém todos os dias.
2. A sua língua planeja o mal,
    como uma navalha afiada,
    você, que está agindo com engano.
3. Você se entrega ao mal em vez de ao bem,
    à mentira em vez de a palavras fiéis. (*Pausa*)
4. Entrega-se a todas as palavras destrutivas,
    ó língua enganosa.
5. Ora, Deus o despedaçará para sempre,
    o quebrará e o puxará de sua barraca,
    o desarraigará da terra dos viventes. (*Pausa*)
6. As pessoas fiéis verão e temerão
    e rirão dele:
7. "Lá está o homem que não fez de Deus a sua fortaleza,
    mas confiou na grandeza de sua riqueza,
    encontrou força na sua destrutividade."

8. Mas eu sou como uma viçosa oliveira na casa de Deus;
    confio no compromisso de Deus
    para todo o sempre.
9. Confessarei a ti para sempre
    porque tu agiste.
   Olharei para o teu nome, pois isso é bom,
    diante das pessoas comprometidas contigo.

A dedicação do Memorial Martin Luther King Jr. estava agendada para o próximo fim de semana, em Washington (mas a ameaça de um furacão levou ao adiamento desse evento). Inevitavelmente, talvez haja opiniões divergentes sobre se esse é a espécie de memorial correto ou se qualquer memorial nesses moldes seja uma homenagem adequada a esse homem. O que me impressiona, ao refletir sobre o salmo 52, é que o dr. King foi alguém que sabia que enfrentava a oposição de pessoas que planejavam e realizavam o mal contra ele e outros afro-americanos, mas ele sempre manteve a cabeça erguida quando ameaçado. De algum modo, ele logrou se manter realista quanto ao perigo que o ameaçava e também manteve a confiança em Deus.

Assim, posso imaginá-lo proferindo o salmo 52, entre muitos outros salmos, enquanto ele perseguia o chamado ao qual foi designado. Os seus oponentes eram cristãos, do mesmo modo que ele, e não eram pessoas que se imaginavam exultando no mal; antes, pensavam estar sendo fiéis ao seu compromisso cristão. O termo hebraico para "mal" é semelhante ao termo "mau" em nosso idioma — pode denotar tanto ações que são moralmente incorretas quanto eventos que são calamitosos e dolorosos. Nesse sentido posterior, Deus pode estar envolvido no "mal"; ele, às vezes, pode agir para que coisas ruins aconteçam. Os oponentes do dr. King tinham plena ciência de que estavam tramando desastres para ele; mas não imaginavam que fosse algo moralmente maligno, embora fosse exatamente o que estavam fazendo. Do mesmo modo, o homem no salmo que exulta no mal provavelmente não sabe que está se alegrando no mal moral; ele tinha motivos para se convencer de que estava fazendo algo correto.

A exemplo do salmo 51, há certa sobreposição entre o salmo e o episódio da **história de Davi** mencionada na introdução (1Samuel 21—22). Embora a expressão "guerreiro" apenas se encaixe parcialmente em Doegue (na verdade, pode-se presumir que o guerreiro seja Saul), a descrição da atitude confiante que encerra o salmo se encaixa em Davi. Nessa conexão, pode-se ver o salmo 52 como um salmo para ser orado por alguém na posição de Davi — a exemplo do dr. King. O salmo empilha descrições do guerreiro que é objeto do interesse do salmista, isto é, alguém que exulta, planeja e se entrega ao mal. Ele é capaz de proferir mentiras enganosas que levam à destruição de outros; ainda, possui os recursos necessários para comprar a queda de alguém. No entanto, ele o faz com o objetivo de derramar escárnio sobre essa pessoa. Ele não leva em consideração o **compromisso** de Deus, tampouco a vontade divina de agir em benefício do fiel. Essas realidades significam que a pessoa confrontada por essa perigosa ameaça pode manter a cabeça erguida e aguardar pelo momento no qual o **fiel** que se identifica com ele verá, temerá e rirá.

É possível questionar se um homem como Abimeleque, assassinado por Doegue, ou como o dr. King, igualmente morto, se assemelha a uma oliveira verdejante e próspera na casa de Deus, mas, se você os questionar sobre isso no dia da ressurreição, eles podem responder que a confiança deles de que o compromisso de Deus duraria para sempre foi plenamente justificada, e que assim seria, mesmo se não houvesse o dia da ressurreição (Abimeleque nada sabia a respeito desse dia). Na presença das pessoas comprometidas com o caminho de Deus, o dr. King olhou para o **nome** de Deus porque isso é bom. O seu testemunho, combinado com o assassinato que parecia desmentir o salmo, contribuiu para o processo por meio do qual Deus despedaçou pessoas malignas, e os fiéis viram, temeram e riram.

SALMO 53
NÃO HÁ DEUS AQUI

Ao líder. Sobre flauta [talvez uma melodia].
Uma instrução de Davi.

1. O trapaceiro diz a si mesmo:
   "Não há nenhum Deus aqui."
   As pessoas têm sido destrutivas e detestáveis nos malfeitos;
   não há ninguém fazendo o bem aqui.
2. Deus olhou dos céus para os seres humanos,
   para ver se há alguém de entendimento,
   alguém que consulte a Deus.
3. Todos se desviaram,
   juntos eles estão impuros.
   Não há ninguém que faça o bem,
   não há nem um sequer.
4. Será que os malfeitores não reconhecem?
   Eles devoram o meu povo como se consome comida
   e não clamam a Deus!
5. Eis que eles se apavoraram totalmente,
   quando não havia pânico.
   Pois Deus espalhou os ossos do que o sitia;
   você está envergonhado, porque Deus os rejeitou.
6. Ah, se apenas houvesse libertação para Israel de Sião,
   quando Deus restaurar a sorte do seu povo!
   Jacó regozijará, e Israel celebrará.

Ontem, minha esposa e eu caminhamos em meio a uma multidão de pessoas cujos semblantes pareciam dizer: "Não há nenhum Deus aqui." Eram muitas pessoas que caminhavam em todas as direções no píer de Santa Mônica, entre as barraquinhas de sorvete, guarda-sóis e cachorros-quentes. Deviam estar radiantes de alegria, pois era um feriado. No entanto, o rosto delas expressava vazio, tédio ou desapontamento. Não havia contatos entre os transeuntes no píer; mantinham os olhos voltados para a frente como se não houvesse mais ninguém ali. Havia uma tristeza ou uma opacidade mortal em seus olhos. Lamentando a experiência de estar entre aquelas pessoas, enquanto andávamos pela praia, minha esposa disse que se sentia como se devesse instalar uma barraca de oração ao lado de todas as outras, convidando as pessoas que passavam a orar com ela. Talvez façamos isso na próxima vez que retornarmos.

O salmo fala sobre pessoas que vivem como se não houvesse Deus. As pessoas que o salmista tem em mente são também aquelas sem entendimento, que (ainda) não buscam Deus, que não clamam a ele (a ousada expressão quase sugere a ideia de convocar a Deus, como um chefe convocando um funcionário). Pior ainda, são pessoas que chegaram à conclusão lógica de que em sua vida moral podem viver como se Deus não estivesse presente. Elas se tornam não apenas pessoas sobre cujo rosto deve-se lamentar, mas que são consideradas enganadoras, trapaceiras. Não há compromisso moral nelas. A convicção de que "não há nenhum Deus aqui" gera uma situação na qual "não há ninguém fazendo o bem aqui". São impiedosas na maneira pela qual são indulgentes consigo mesmas, não se preocupando com o fato de consumirem a vida de outras pessoas pela maneira em que vivem.

As traduções, em geral, as apresentam declarando que "Deus não existe!", fazendo-as parecer ateus, mas elas não estão negando, exatamente, que Deus existe. Antes, estão negando que Deus esteja envolvido neste mundo. Ele está distante lá no céu, permitindo que os seres humanos vivam como bem desejam. Deus não se importa com o que ocorre aqui embaixo. É possível que seja uma convicção mais desesperançada e cínica do que acreditar que Deus, simplesmente, não existe (o que, talvez, esteja vinculado ao fato de muitas pessoas que se dizem ateístas, no sentido ocidental, são pessoas que fazem boas obras).

De certo modo, não se pode culpar as pessoas por duvidarem que Deus esteja envolvido no mundo, se isso as leva à desolação que vimos nas pessoas caminhando no píer, ou à ruína moral da qual o salmo fala. Enquanto caminhávamos na orla, um aeroplano cruzou os céus, rebocando uma propaganda. O envolvimento de Deus não é visto de maneira tão óbvia quanto o anúncio no céu. É possível perdê-lo. O salmo declara que Deus, na realidade, olha do céu para ver o que está ocorrendo no mundo aqui embaixo. O salmista sabe que o Deus que olha é também aquele que age e imagina que Deus já derrubou os perversos. No entanto, o salmo também vive com a realidade da situação na qual a comunidade necessita da ação de Deus para restaurá-la e, saudosamente, expressa o desejo de que o momento dessa ação possa chegar. Trata-se de uma forma indireta de oração que pode, em suas entrelinhas, chamar a atenção de Deus como se fora uma oração direta.

SALMO 54
COMO PERMANECER DE PÉ – II

Ao líder. Com instrumentos de cordas. Uma instrução de Davi. Quando os zifeus foram e disseram a Saul: "Na verdade, Davi está se escondendo conosco."

1. Deus, liberta-me pelo teu nome,
    pelo teu poder, decide para mim.
2. Deus, ouve a minha súplica,
    dá ouvidos às palavras da minha boca.
3. Pois estrangeiros se levantaram contra mim,
    pessoas aterrorizantes buscaram a minha vida,
    pessoas que não colocam Deus diante de si. (*Pausa*)

SALMO 54 • COMO PERMANECER DE PÉ – II

> ⁴ Eis que Deus é o meu auxiliador,
>   o Senhor é o próprio sustentador da minha vida.
> ⁵ Que ele faça o mal voltar às pessoas que estão
>   olhando para mim —
>   em tua veracidade, elimina-os.
> ⁶ Com uma oferta voluntária, eu sacrificarei a ti,
>   confessarei o teu nome, *Yahweh*, porque és bom.
> ⁷ Pois resgatou-me de todas as tribulações,
>   e meus olhos viram os meus inimigos.

Ontem, descobri-me pensando e falando, novamente, em Martin Luther King Jr. (veja o comentário sobre o salmo 52), o dia agendado para a dedicação do seu memorial e o aniversário de seu famoso discurso "Eu tenho um sonho". Isso adequava-se, perfeitamente, ao conjunto das Escrituras que foram selecionadas para a nossa leitura na igreja. Começamos com o chamado de Moisés, com quem o dr. King se assemelhava, ao ser convocado a exercer um papel para o qual não tinha nenhum interesse pessoal; ele esperava desfrutar de uma vida tranquila como acadêmico e pastor, como eu. A passagem do Evangelho relacionava-se à advertência de Jesus aos seus discípulos sobre os seus seguidores terem de carregar a sua própria cruz, do mesmo modo que ele faria, o que, certamente, também era verdadeiro em relação ao dr. King. A carta aos Romanos, no capítulo 12, discorre sobre o amor e a recusa a buscar reparação; deixem isso com Deus. Essa ação amontoará brasas vivas sobre a cabeça dos inimigos, afirma Paulo, citando Provérbios 25. Talvez a imagem se refira ao castigo de Deus; talvez as pessoas venham a ver o erro de seus caminhos.

A exemplo do salmo 52, o salmo 54 contém uma introdução que conecta o salmo a uma situação na qual Davi precisou deixar a reparação nas mãos de Deus. A história dupla, um tanto cômica, é relatada em 1Samuel 23 e 26. Na realidade, Davi não teve de deixar a reparação aos cuidados de Deus; ele teve diante de si inúmeras oportunidades de matar Saul, mas preferiu abrir mão delas. Assim, o salmo 54 imagina como alguém na posição de Davi poderia orar, com o fim de nos ajudar a entender como, então, orar.

Em muitos aspectos, o salmo é, simplesmente, um padrão de oração em toda e qualquer situação de pressão. Há três elementos para a oração real: "Ouve-me"; "Resgata-me"; "Derrube os meus agressores". Observamos, anteriormente, que os ocidentais podem se sentir ofendidos como o último elemento na oração, embora o Novo Testamento incorpore orações similares. Uma das formas de nos ensinar é levar a sério a extensão do desequilíbrio causado ao mundo quando as pessoas se atacam mutuamente; tais ações não podem ser deixadas lá, impactando negativamente o mundo. Nesse sentido, o desejo humano por justiça é devidamente apropriado. Outra implicação dessas orações é que o realinhamento da situação, quando há o desequilíbrio causado por esses delitos, não é da nossa conta. Falamos com Deus sobre isso e, então, entregamos a ele, o que constitui um verdadeiro teste de fé. Somos afortunados por não precisarmos descobrir o que deveria acontecer às pessoas que consideramos "más". Podemos nos equivocar sobre quanto elas são más, e não queremos ser como elas, tornando-nos um meio de vingança. Além disso, como ocidentais, podemos pensar que somos bons e, como cristãos, devemos nos tornar ainda melhores, ainda que, secretamente, assistimos a todo tipo de programas de TV, com os quais podemos concordar com a queda do homem mau, seja em um filme, seja no noticiário.

Além da própria oração, o salmo inclui uma declaração de confiança em Deus e uma promessa de dar a Deus o devido reconhecimento e louvor quando Deus agir. O versículo final apresenta uma declaração adicional de confiança e de convicção ao imaginar a oração não sendo apenas respondida pela revelação do ato, mas pelo cumprimento deste, de uma forma visível.

SALMO 55
LANÇANDO COISAS EM DEUS

Ao líder. Com instrumentos de cordas. Uma instrução de Davi.

1 Deus, dá ouvidos à minha súplica,
    não te escondas da minha oração por tua graça.
2 Presta atenção a mim e responde-me;
    sinto-me perturbado em meu lamento e vacilo
3 à voz do meu inimigo,
    diante da pressão dos infiéis,
  pois trazem o mal sobre mim
    e, em fúria, me assediam.
4 A minha mente gira dentro de mim,
    terrores mortais caem sobre mim,
5 medo e tremor me sobrevêm,
    o horror me envolve.
6 Eu disse: "Ah, se apenas eu tivesse asas;
    como uma pomba, eu poderia voar e encontrar descanso."
7 Sim, voaria para bem longe,
    eu me alojaria no deserto. (*Pausa*)
8 Apressar-me-ia ao meu refúgio,
    do vento impetuoso, da tempestade.
9 Senhor, consome, divide o discurso deles,
    pois tenho visto violência e contenda na cidade.
10 Dia e noite, eles rondam pelos muros,
    enquanto a maldade e os problemas estão dentro dela.
11 A destruição está no meio dela;
    a opressão e o engano não deixam a sua praça.
12 Pois não é um inimigo que me insulta,
    o que eu poderia suportar;

ou meu oponente que tem agido muito sobre mim,
de quem poderia me esconder;
¹³ mas você, uma pessoa da minha espécie,
meu companheiro, alguém que conheço,
¹⁴ juntos desfrutávamos de comunhão
enquanto caminhávamos na multidão para a casa de Deus.

¹⁵ Grande desolação sobre eles,
descerão ao Sheol vivos,
porque há grande mal em seu lugar de permanência, no meio deles.
¹⁶ Porque eu clamo a Deus,
Yahweh me libertará.
¹⁷ À tarde, de manhã e ao meio-dia,
eu lamento e cambaleio,
mas ele ouviu a minha voz.
¹⁸ Redimiu a minha vida em segurança da minha batalha,
pois muitos, de fato, estavam comigo.
¹⁹ Deus ouve e os derruba,
aquele que se assenta [entronizado] desde a eternidade,
(*Pausa*)
aquele em quem não há mudanças —
mas eles não têm temor de Deus.

²⁰ Ele estendeu a sua mão contra os seus amigos
e violou a sua aliança.
²¹ A manteiga em sua boca era macia,
mas o confronto estava em sua mente.
Suas palavras eram mais suaves que o azeite,
mas eram espadas desembainhadas.

²² Lança sobre *Yahweh* o que lhe é dado,
e ele o susterá.
Jamais permitirá
que a pessoa fiel caia.

SALMO 55 • LANÇANDO COISAS EM DEUS

²³ Deus, tu mesmo os derrubarás,
  ao poço mais profundo;
 as pessoas assassinas e enganosas
  não terão metade dos seus dias,
  mas eu confiarei em ti.

Uma amiga terapeuta me descreveu o processo pelo qual ela passa, após um dia de sessões, ouvindo os clientes, que desabafam as suas mágoas, sofrimentos e pecados. Parece que esses fardos precisam ir a algum lugar, a exemplo dos demônios que Jesus permitiu que entrassem em alguns porcos. Eles não podem, simplesmente, desaparecer no ar, caso contrário a presença de um terapeuta seria totalmente desnecessária. Assim, o ato de ouvir requer que o profissional receba esses fardos sobre si mesmo, pelo menos momentaneamente. Contudo, um mero ser humano não pode absorver em si as mágoas, os sofrimentos e os pecados de todos os seus clientes. Assim, a minha amiga estaciona em uma área de descanso, à beira da rodovia, no topo de uma colina, quando está a caminho de sua casa e, dentro do carro, ela entrega todo esse fardo a Deus.

Ela está seguindo o que o fim do salmo 55 recomenda, quando fala sobre lançar tudo sobre **Yahweh**. Talvez a ação seja mais hostil do que sugerido pela expressão "lançar sobre". É possível que a ideia seja a de poder atirar coisas *em Yahweh*, como uma criança que se comporta agressivamente em relação ao seu pai ou à sua mãe. Os pais podem lidar com essa experiência; presumidamente, Deus também. Seja como for, o que você está lançando é "o que lhe é dado". Em outras palavras, o salmo descreve a experiência de ataque e pressão, do assédio de pessoas ímpias, de engano e traição, como um presente de Deus. Afinal, Deus permite que tudo isso aconteça e, no momento em que essas coisas estão ocorrendo, Deus não está fazendo nada a respeito. Você está em uma posição similar à da minha amiga terapeuta, exceto pelo fato de ela, voluntariamente, concordar em receber o que os clientes "dão" a ela. É importante que ela não tente guardar para si o fardo recebido. Ela deve fazer isso apenas durante o período da sessão com o(a) cliente, mas, então, deve repassá-lo a Deus, como se fosse uma batata quente. Assim, Deus pode sustentá-la em seu trabalho e possibilitar que ela recomece no dia seguinte. O salmo, igualmente, implica que, se lançarmos as ameaças e enganos das pessoas sobre Deus, ele pode tanto sustentar o nosso ser interior quanto nos proteger do cumprimento das ameaças e do sucesso do engano. Ele oferece mais dicas para permanecermos em pé, de cabeça erguida.

Essas afirmações, próximas ao fim do salmo, são notáveis, considerando-se a natureza extrema das afirmações do início. O salmo nos oferece uma forma de oração na qual o protesto pode levar à confiança e fornece outra ilustração de como o Saltério apresenta modelos para as pessoas orarem em todos os graus de necessidade (outra indicação da importância de conhecer o Saltério é ser capaz de ajudar outras pessoas a usá-lo de acordo com o que elas necessitam). Suponha que você esteja excessivamente agitado(a); você geme e cambaleia; a sua mente gira; o medo e o tremor tomam conta do seu ser; o horror o(a) envolve (literalmente, o horror o "veste", cobrindo você dos pés à cabeça). Você observa pássaros voando sob a ameaça de alguém mirando-os com um estilingue e deseja estar em posição de fazer o mesmo. Talvez o seu perigo seja menor do que o abordado por outros salmos; talvez se assuste mais facilmente, isso não importa. Seja como for, esse salmo fornece um modelo para você orar.

O salmo apresenta uma forma distinta de descrever Deus como "aquele em quem não há mudanças". O Antigo Testamento, regularmente, afirma que Deus pode mudar de ideia, mas isso não implica que Deus seja inconstante ou pouco confiável. Deus tem uma mudança de mente em interação com o modo pelo qual nos relacionamos com ele e com a vida. Normalmente, é uma mudança que envolve a desistência de adotar uma ação disciplinadora que ele ameaçou aplicar. Mas o salmo assegura que a consistência de Deus é confiável.

Há dois outros elementos distintos sobre a situação pela qual o salmista protesta. Primeiro, a violência e a opressão caracterizam toda a cidade e, segundo, quando afetam o salmista, elas vêm pelas mãos de pessoas nas quais o salmista confiava. Pode-se ver uma conexão entre esses elementos. A vida comunitária depende da confiança mútua entre as pessoas, mas, quando as palavras que elas expressam não são confiáveis, isso não afeta somente as relações interpessoais, mas abala a vida da cidade como um todo. Ou é possível ver a dinâmica reversa: quando pessoas sem princípios corroem a vida da cidade, os indivíduos deixam de ser confiáveis uns aos outros. O salmista confronta, diretamente, o amigo que se tornou um enganador: "Foi você, alguém que eu considerava meu amigo!" Talvez o outrora amigo esteja presente apenas na imaginação do salmista; talvez o salmo imagine a comunidade reunida em adoração e objetive confrontar diretamente essa pessoa.

Quando uma mulher sofre um estupro, com frequência o ato é praticado por alguém conhecido, um suposto amigo ou um parente, e esse salmo tem sido considerado especialmente apropriado para uma vítima de estupro ou outra forma de abuso sexual, a quem o salmista dá voz quando essa oportunidade lhe é negada.

SALMO 56
ASSOBIO UMA MELODIA FELIZ

Ao líder. Segundo a Pomba silenciosa em lugares distantes [talvez uma melodia]. Uma inscrição de Davi. Quando os filisteus o capturaram em Gate.

1. Sê gracioso comigo, Deus, pois alguém tem me perseguido;
   o dia inteiro um lutador me oprime.
2. As pessoas que me olham têm me perseguido o dia inteiro,
   pois aqueles que lutam comigo de uma posição elevada são muitos.
3. No dia em que eu tiver medo,
   confiarei em ti.
4. Em Deus, cuja palavra eu louvo,
   em Deus eu confio.
   Não tenho medo: o que a carne pode me fazer?
5. O dia todo eles distorcem as minhas palavras;
   todos os seus planos contra mim são malignos.
6. Incitam conflitos, permanecem em emboscada, essas pessoas,
   vigiam os meus passos, como se buscassem a minha vida.
7. Pela maldade deles, leva-os embora,
   em ira, derruba os povos, Deus.
8. Tens registrado o meu lamento; tu mesmo
   guardaste as minhas lágrimas em teu frasco;
   sim, elas estão em teu registro.
9. Então, meus inimigos retrocederão no dia em que eu clamar;
   sei disso, porque Deus é meu.
10. Em Deus, cuja palavra eu louvo,
    em *Yahweh*, cuja palavra eu louvo,
11. em Deus eu confio, não tenho medo:
    o que um ser humano pode me fazer?

> ¹² Porque as minhas promessas me são obrigatórias, Deus,
> render-te-ei ofertas de gratidão.
> ¹³ Pois salvaste a minha vida da morte,
> sim, o meu pé de tropeçar,
> para que pudesse andar diante de Deus,
> na luz da vida.

Durante os últimos dias, as pessoas na costa leste dos Estados Unidos têm sofrido com a passagem do furacão Irene, que a imprensa relata estar entre os dez desastres que mais prejuízo causaram na história norte-americana. Enquanto o nível do rio Rock subia, no domingo pela manhã, em Williamsville, Vermont, os bombeiros iam de casa em casa, avisando os moradores que eles tinham horas, talvez minutos, para deixarem as suas moradias, que estavam sob a ameaça de serem inundadas pelas águas do rio. Algumas residências não foram afetadas; outras foram inundadas parcialmente e, pelo menos, uma foi completamente tragada pelas águas. Numa manhã de domingo normal, muitos dos oitocentos residentes do vilarejo estariam se preparando para ir ao culto da igreja. No que será que eles pensavam nessa manhã de domingo?

O salmo 56 entrelaça expressões de medo e de confiança de um modo aparentemente contraditório, mas que reflete como as coisas são em momentos de crise. Quando falamos de pessoas envolvidas em atos de bravura, às vezes podemos nos referir a elas como destemidas, mas intrepidez, às vezes, envolve estupidez, e a ação destes não envolve nem coragem nem confiança em Deus. O medo é um instinto humano, divinamente criado, que nos encoraja a evitar o perigo; o medo levou muitas pessoas sensatas a abandonarem as suas casas quando o furacão Irene se aproximou. Quando as pessoas realizam atos de bravura, em situações nas quais estão, compreensivelmente, temerosas, é que elas demonstram coragem. Em circunstâncias assim é que a questão sobre a confiança em Deus surge. Na **história de Davi**, há dois incidentes ocorridos em Gate, em 1Samuel 21 e 22 e 27—29, embora nenhum deles mencione a captura de Davi pelos **filisteus**.

O salmo fala de modo paradoxal sobre essas dinâmicas, mas o faz adequadamente. Após poucas linhas, o salmista diz: "No dia em que eu tiver medo, confiarei em ti" e "Não tenho medo: o que a carne pode me fazer?" Talvez isso signifique: "Quando tenho medo, começo a confiar e paro de sentir medo." Mas talvez isso implique que podemos ter medo e não ter medo ao mesmo tempo. Sentimos medo, pois é uma reação racional diante do perigo que nos assalta. No entanto, podemos não ter medo no sentido de sermos subjugados ou paralisados por esse sentimento (há um livro cujo título é: *Tenha medo... e siga em frente*, de Susan Jeffers). De qualquer modo, a confiança em Deus é o antídoto para o medo, porque a realidade de Deus é maior do que a realidade do objeto que provoca o medo em nós.

A resposta não é meramente confiança. No musical *O rei e eu*, Anna canta: "Sempre que sinto medo, ergo bem alto a cabeça, assobio uma melodia feliz e ninguém suspeita dos meus temores." Ela descobre que, além de enganar as demais pessoas, ludibria a si mesma: "A felicidade na melodia me convence de que eu não estou com medo." Assim, você pode ser tão corajoso(a) quanto finge ser, enquanto assobia uma melodia feliz. Essa dinâmica não deve ser desprezada, mas não é a dinâmica do salmo 56. Aqui, é importante que a confiança tenha um foco, e a bravura, portanto, tenha uma base.

A chave para uma confiança fundamentada repousa na linha "Em Deus, cuja palavra eu louvo, em Deus eu confio", que recorre, mais tarde, no salmo. Tipicamente, o "refrão" é repetido com uma variação; a convenção ocidental aprecia refrãos idênticos, mas o livro de Salmos dá preferência a refrões com variações. Quando falam sobre a "palavra de Deus", regularmente referem-se ou aos mandamentos de Deus ou às promessas divinas (embora a Escritura seja um depósito de mandamentos e promessas de Deus, ela não se autodenomina como a "Palavra de Deus"). Quando citam a confiança, a referência é às promessas de Deus. O salmista, portanto, poderia estar nos encorajando a pensar na confiança em relação às promessas gerais de Deus quanto a cuidar e proteger o seu povo (promessas com as quais devemos estar familiarizados para, em momentos de crise, lançarmos mão delas), ou de confiança em uma promessa específica feita a nós por Deus. Seja como for, essas promessas se tornam objeto de louvor. O louvor pela promessa divina ou a confiança na promessa de Deus possibilita vencer o medo; seja deixando de temer, seja mantendo a cabeça erguida apesar do medo. Nós, portanto, provamos que a confiança é que dá substância às coisas pelas quais esperamos (como expresso em Hebreus 11). Isso traz à tona a realidade das coisas (p. ex., a nossa libertação por Deus), mesmo que estejam no futuro em vez de no presente.

A confiança também evoca a realidade das coisas que são atuais e reais, mas estão invisíveis (como Hebreus 11 também declara) e nos fornece uma base para o restante. Eu não consigo ver Deus, assentado no céu, com um registro dos meus lamentos ou segurando um recipiente com as minhas lágrimas, mas sei que essa é a situação real. E, do mesmo modo que eu sei que Deus cumprirá a sua palavra, comprometo-me a cumprir a minha promessa a Deus de que apresentarei uma oferta de gratidão quando ele me resgatar.

Então, posso retomar a minha vida, normal e segura, diante de Deus.

SALMO 57
LEMBRAR FAZ TODA A DIFERENÇA

Ao líder. Não destruas [talvez uma melodia]. Uma inscrição de Davi. Quando ele fugiu de Saul para a caverna.

¹ Sê gracioso comigo, Deus, sê gracioso comigo,
   pois a minha vida depende de ti.
  E na sombra das tuas asas
   eu devo confiar, até a destruição passar.
² Clamarei a Deus, o Altíssimo,
   ao Deus que dará um fim a isso para mim.
³ Que ele envie socorro dos céus e me liberte,
   enquanto insulta aquele que me persegue. (*Pausa*)
  Que Deus envie o seu compromisso
   e a sua veracidade ⁴à minha vida.
  Devo me deitar entre leões —
   devoradores de seres humanos,
  seus dentes são lanças e flechas,
   e a sua língua, uma espada afiada.
⁵ Eleva-te acima dos céus, Deus,
   com a tua honra sobre toda a terra.
⁶ Pessoas fixaram uma rede para os meus pés;
   a minha vida estava se curvando.
  Cavaram um poço diante de mim;
   caíram direto nele. (*Pausa*)
⁷ A minha mente está firme,
   Deus, a minha mente, está firme.
  Cantarei e farei música;
   ⁸desperta, meu coração.
  Acordem, harpa e lira;
   eu despertarei a alvorada.

> ⁹ Confessar-te-ei entre os povos, meu Senhor,
>   farei músicas para ti entre as nações.
> ¹⁰ Pois o teu compromisso é tão grande
>   quanto os céus, a tua veracidade vai até as nuvens.
> ¹¹ Eleva-te acima dos céus, Deus,
>   com a tua honra sobre toda a terra.

Tenho pensado muito sobre memória. Devido a um comentário feito por um aluno, descobri-me refletindo sobre o fato de que não nos preocupamos muito com a ligação entre a memória e a nossa vida com Deus — nossa ética e a nossa espiritualidade —, embora haja inúmeros livros a respeito da psicologia da memória. Deparei-me com a afirmação de que "lembrar" é o mandamento mais frequente na Bíblia, em que pese a observação da minha esposa quanto a achar que "Não tenha medo" constituísse a ordem mais presente na Escritura. Então, percebi que as duas expressões podem estar ligadas. Uma das chaves para evitar o medo é a lembrança.

O salmo 57 implica o mesmo. Ele vive no presente, no futuro e no passado. A realidade negativa do presente é a destruição, a perseguição, seres humanos sendo devorados (talvez sejam leões devorando os humanos, ou, talvez, seres humanos "devorando" outros seres humanos, como feras), e pessoas capazes de cometer atos terríveis por meio de suas palavras (p. ex., mentir para prejudicar ou causar a morte de alguém). O aspecto positivo do presente é a realidade de Deus, do **compromisso** e da veracidade de Deus e, portanto, da possibilidade de depender de Deus e confiar nele e de possuir uma mente firme e resoluta. Essa posição leva a uma atitude em relação ao futuro. Estou disposto a me deitar entre esses leões; não tenho medo deles. Deus porá um fim nessa crise. Na verdade, estou ansioso pelo momento no qual poderei louvar a Deus com tamanho entusiasmo que precisarei despertar o meu coração, os meus instrumentos e a própria alvorada, que estava ansioso por um momento ou dois a mais de sono, mas precisa encarar a minha impaciência.

Uma chave para ter essa atitude em relação ao futuro é a relembrança do passado, expresso no início da segunda parte do salmo. "Já passei por esse caminho antes", o salmista observa. As pessoas me atacaram e, então, caíram na mesma armadilha que armaram para mim. Tentaram trazer desastres sobre mim por meio de mentiras, mas os anciãos, junto ao portão da cidade, viram o engano delas, e os agressores pagaram por isso. Pelo fato de eles terem armado uma rede e serem aprisionados por ela, a minha mente pode permanecer firme. Relembrar o passado é a chave para viver no presente e ter esperança quanto ao futuro. Isso não torna a oração desnecessária; a torna possível. O salmo inicia-se com uma oração pela graça de Deus e encerra cada metade com uma oração para Deus se elevar acima dos céus e para que a honra de Deus esteja sobre toda a terra. Essa oração repetida conecta-se com o compromisso do salmista de confessar Deus entre as nações porque o compromisso divino e a sua veracidade são tão grandiosos quanto os céus. Deus é grande na terra, assim como nos céus; a ação divina fornecerá uma demonstração desse fato. Confessar essa verdade capacita as pessoas que expressam ou entoam o salmo a seguir o mesmo processo de recordação e de encorajamento vicário. Quando se tornam familiarizadas com o modo pelo qual o salmo funciona, então as pessoas podem se beneficiar com essa experiência, caso passem por uma situação similar.

A referência à **história de Davi**, na introdução do salmo, sugere uma alusão aos incidentes em 1Samuel 21, 22 e 24.

SALMO 58
DESAFIO AOS PRINCIPADOS E POTESTADES

Ao líder. Não destruas [talvez uma melodia].
Uma instrução de Davi.

1. Vocês, deuses, realmente falam fielmente,
    exercem autoridade sobre os seres humanos corretamente?
2. Não, com sua mente planejam atos de transgressão na terra;
    lidam com violência com as suas mãos.
3. Pessoas infiéis se desviam desde o ventre;
    pessoas que falam mentiras são rebeldes desde o nascimento.
4. O veneno delas é como o veneno de serpente,
    como uma víbora surda que tapa os seus ouvidos
5. para não ouvir a voz dos encantadores,
    o especialista tecelão de feitiços.

6. Deus, esmaga os dentes deles em sua boca;
    quebra as presas dos leões, *Yahweh*.
7. Eles devem desaparecer como águas quando vão embora;
    quando alguém apontar as suas flechas, assim devem secar.
8. Como uma lesma que desaparece enquanto avança,
    como um natimorto de mulher, não deveriam ver o sol.
9. Antes que as suas panelas sintam o espinho,
    como uma pessoa viva, que a fúria os faça rodopiar.
10. A pessoa fiel celebrará ao ver a reparação,
    quando banhar os seus pés no sangue dos infiéis.
11. Alguém dirá: "Sim, há fruto para os fiéis
    sim, há deuses exercendo autoridade na terra."

Um evento, relativo aos festejos do ano-novo, chamado Parada das Rosas, passa em frente à nossa casa. Contudo, nesse ano, os organizadores estavam em pânico diante da possibilidade de haver manifestações destinadas a perturbar o evento e promover ondas na TV. Aqui, como em cidades europeias e inúmeros países do Oriente Médio, as pessoas que carecem de empregos adequados, e/ou habitação, e/ou alimentação suficiente, ou aquelas que são solidárias aos carentes, responsabilizam as pessoas no poder, que possuem bons empregos, casas espaçosas e alimentação em abundância, pela carência e escassez das demais e/ou as consideram coniventes com a pequena parcela da população que realmente vive muito bem. Poder e prosperidade andam juntos, do mesmo modo que a impotência e a carência, quer a pessoa no poder seja eleita democraticamente quer governe como um autocrata. Reconhecidamente, os manifestantes podem superestimar a capacidade das pessoas no poder de fazer algo por suas necessidades, da mesma forma que podem subestimar as forças que restringem os governantes dotados de boa vontade, que realmente se importam com o povo que lideram. Quando o Novo Testamento fala sobre essas dinâmicas, às vezes são citados poderes e autoridades (principados e potestades, em algumas traduções), para sugerir que existe algo sobrenatural em relação a eles. Isso se encaixa na nossa percepção de que as dinâmicas de ordem e desordem em nosso mundo parecem mais do que meramente humanas.

O salmo 58 faz a mesma presunção, ou, pelo menos, manifesta a mesma ambiguidade. Eu entendo que o salmo se refere a "deuses", embora algumas traduções usem essa palavra para denotar poderosos governantes humanos. Seja como for, o salmo reconhece que o jogo político mantém as questões sobre poder separadas das questões quanto à justiça e à fidelidade. Ou reconhece o que os manifestantes veem, que os seus governantes não atuam de maneira a dar prioridade à integridade e à preocupação do povo que lidera, ou reconhece tais características como um nível adicional em relação à realidade. Existem forças sobrenaturais operando por meio dos governantes humanos, às quais são cínicas com respeito à justiça e à fidelidade.

As pessoas preocupadas com a condição da sociedade na qual vivem, então, precisam reconhecer que as forças que atuam contra o bem-estar humano são mais do que meramente humanas. Isso torna a oração um elemento fundamental no exercício do interesse pela sociedade, uma oração que reconheça essas realidades. O salmo começa dirigindo a palavra a essas próprias forças, de modo a ser, naquele ponto, mais um ato de profecia do que uma oração, um pouco similar aos atos proféticos de Jesus quando ele ordena que um espírito mau deixe um indivíduo. No entanto, o salmista segue e se dirige a Deus, que ouve o desafio feito às forças e é desafiado a fazer algo a respeito delas.

A oração é designada a pessoas desesperadas, impotentes, ameaçadas pelos poderosos, que são tão perigosos quanto serpentes mortais e que não dão ouvidos a ninguém que tente impedi-los de usar o seu potencial venenoso. Tais pessoas são tão perigosas quanto leões, cujas potenciais vítimas precisam, simplesmente, que eles desapareçam. As vítimas não objetivam fazer justiça, pois sabem que Deus é quem a exerce. Então, as entidades cósmicas que governam este mundo debaixo de Deus operarão de acordo com quem Deus é, não segundo os seus próprios interesses.

Embora as vítimas desesperadas tenham o direito de sentir esse anseio, os privilegiados — que constituem a maioria dos que leem este salmo — igualmente detêm a responsabilidade de compartilhar esse anseio e de orar dessa forma. E, caso jamais nos sintamos desesperados, o melhor a fazer é nos familiarizarmos com a sua dinâmica para usá-lo quando necessário.

SALMO 59
COMO SER IMODERADO

Ao líder. Não destruas [talvez uma melodia].
Uma instrução de Davi. Quando Saul mandou vigiar
a sua casa com o objetivo de matá-lo.

1 Salva-me dos meus inimigos, meu Deus;
  estabelece-me acima das pessoas que se levantam
  contra mim.
2 Resgata-me daqueles que praticam a maldade,
  liberta-me das pessoas assassinas.
3 Pois eis que ficam à espreita por minha vida;
  pessoas fortes agitam conflitos contra mim.
  Não pela minha rebelião, não pelas minhas ofensas, *Yahweh*,
4 e não pela minha transgressão, eles correm e tomam sua
  posição.
  Move-te para me encontrar, e olhe,
5 sim, tu, *Yahweh*, Deus dos Exércitos, Deus de Israel.
  Desperta para castigar todas as nações;
  não mostres graça a nenhum dos traidores ímpios.
    (*Pausa*)
6 Eles voltam ao cair da tarde,
  uivam como um cão enquanto rondam a cidade.
7 Eis que eles ameaçam com a sua boca,
  com espadas em seus lábios,
  pois quem está ouvindo?

8 Mas tu, *Yahweh*, ris deles,
  te divertes com todas as nações.
9 Minha força, eu aguardo por ti,
  pois Deus é a minha torre.

SALMO 59 • COMO SER IMODERADO

¹⁰ O Deus comprometido comigo se unirá a mim,
   Deus me capacitará a olhar para as pessoas que me
       vigiam.
¹¹ Não os mates, senão o meu povo o esquecerá;
       por tua força, faze-os vaguear.
   Derruba-os, Senhor, nosso escudo,
¹²   pela ofensa da boca deles, pela palavra em seus lábios,
   para que sejam apanhados em sua majestade,
       e pelo juramento e pela mentira que proclamam.
¹³ Dá-lhes um fim em tua ira,
       dá-lhes um fim para que não mais existam,
   para que as pessoas reconheçam que Deus governa em Jacó,
       até os confins da terra. (*Pausa*)

¹⁴ Eles voltam ao cair da tarde,
       uivam como um cão enquanto rondam a cidade.
¹⁵ Essas pessoas — perambulam à procura de comida;
       se não estiverem satisfeitas, permanecem à noite.
¹⁶ Mas eu cantarei da tua força,
       ressoarei de manhã o teu compromisso.
   Pois te tornaste a minha torre,
       um paraíso no caminho, quando eu estava em aflição.
¹⁷ Minha força, a ti farei música,
       porque Deus é a minha torre,
       o Deus comprometido comigo.

As pessoas no final da nossa rua estão indignadas. Há um projeto habitacional de baixo custo cujos residentes estão revoltados porque o local se transformou em um reduto de traficantes e local de constantes conflitos entre as gangues. Os oficiais e policiais da cidade estão frustrados porque investiram muito esforço e energia na tentativa de limpar a região, mas fracassaram. Há um pequeno supermercado, que inclui uma loja de bebidas (com vidros à prova de balas em torno da caixa registradora), no qual, ocasionalmente, faço compras; os seus proprietários estão irritados por sentirem que estão sendo tratados como bodes expiatórios pela polícia em conexão com o uso de drogas, brigas e o mercado de filmes piratas em seu estacionamento, sem esquecer da prostituição. Outros moradores naquela vizinhança estão enraivecidos pela falta de ações eficazes por parte do departamento de polícia. É, de fato, assustador quando uma situação envolve a ira de tantas pessoas.

Existe uma grande dose de ira no salmo 59. Trata-se de um salmo designado a alguém que está revoltado por ser vítima de pessoas ensandecidas (a exemplo de Davi, em 1Samuel 19). Estas são "pessoas assassinas" — literalmente, "pessoas que derramam sangue". Elas ficam à espreita, aguardando uma oportunidade de cumprir o seu intento, mas também correm para assumir a sua posição — a tensão entre essas duas descrições já sinaliza que necessitamos lidar com a forma de o salmo falar por meio de metáforas poderosas. Tais pessoas são como cães que uivam e rosnam; possuem espadas em sua boca; atingem os seus intentos assassinos por meio de acusações falsas que têm o significado potencial de morte para aqueles que elas atacam. Podem agir diretamente, fazendo-os serem declarados culpados por algum delito passível de pena de morte; palavras tais como "rebelião", "ofensa" e "transgressão" podem sugerir orar a outros deuses. Ou podem agir indiretamente, expulsando-os de suas fazendas, apropriando-se dos seus rebanhos e, portanto, da vida deles. Essa é a eficácia do "juramento e a mentira que eles proclamam". A descrição dessas pessoas como estrangeiros também nos leva a pensar na situação de Neemias, que está sob grande pressão das pessoas de outras comunidades, em Jerusalém, o que o leva, a ficar igualmente inflamado.

Talvez essas pessoas não estejam, de fato, ensandecidas, agindo até mesmo friamente. Ou, ainda, podem agir assim por acreditarem na verdade das suas acusações. Por outro lado, a pessoa acusada sente revolta pelas acusações serem tanto falsas quanto perigosas, que ameaçam não apenas a sua vida, mas a vida de todos os seus familiares. Assim, o acusado não deseja ser meramente resgatado desses acusadores, mas anseia pela queda deles. O seu simples resgate não faz justiça ao tamanho do malfeito praticado por eles. Então, surge aquele arrepiante pedido para que sejam derrubados, mas mantidos por perto — uma morte rápida seria muito boa para eles e impediria que servissem de exemplo para outras pessoas. Em outras palavras, é possível ver a pena de morte como um agente de dissuasão, mas, igualmente, é possível ver um valor dissuasivo na manutenção da vida. No entanto, sem se preocupar com consistência, o salmista segue pedindo a Deus para executá-los. Ele sabe que a ira de Deus se inflama pelo tipo de transgressão ao qual ele está sendo submetido e deseja que Deus expresse a sua fúria.

Que liberdade o livro de Salmos concede às pessoas em suas orações quando elas estão desesperançadas e sob grave perigo!

SALMO 60
COMO LIDAR COM PROMESSAS NÃO CUMPRIDAS

Ao líder. Segundo O lírio do testemunho [talvez uma melodia]. Uma inscrição de Davi. Para o ensino. Quando ele combateu Arã Naaraim e Arã Zobá, e Joabe voltou e feriu doze mil homens de Edom, no vale do Sal.

1. Deus, tu nos rejeitaste,
   nos quebrantaste, estando irado — volta para nós!
2. Sacudiste a terra, a rasgaste —
   repara suas rachaduras, pois ela colapsou.

³ Fizeste o teu povo ver o sofrimento,
   fizeste-nos beber vinho, que nos fez cambalear.
⁴ Deste às pessoas que te temem
   um estandarte para fugir do arco. (*Pausa*)
⁵ Para que o teu amado povo seja resgatado,
   liberta com a tua mão direita, responde-me.

⁶ Deus falou por sua santidade:
   "Exultarei quando repartir Siquém
   e medir o vale do Sucote.
⁷ Gileade será minha, Manassés será meu,
   Efraim será o meu capacete, Judá, o meu cetro,
⁸ Moabe será o meu lavatório,
   contra Edom jogarei o meu sapato.
   Eleve um brado contra mim, Filístia! —
⁹ quem me levará à cidade fortificada,
   quem me levará a Edom?"

¹⁰ Assim, tu mesmo não nos rejeitaste, Deus? —
   não saíste com os nossos exércitos, Deus.
¹¹ Dá-nos socorro contra o adversário,
   uma vez que a libertação humana é fútil.
¹² Por meio de Deus, agiremos com força;
   ele é aquele que pisoteará os nossos adversários.

Ontem, na igreja, o texto selecionado para a leitura do Evangelho, Mateus 18, incluía a promessa de Jesus de que, se duas pessoas concordarem sobre qualquer coisa que pedirem, o nosso Pai celestial lhes concederá. No entanto, inúmeras pessoas passam pela experiência de Deus não fazer algo sobre o qual elas e seus amigos concordaram em orar. Poderíamos, ainda, ler a promessa de Jesus de que aqueles que buscam o reino de Deus não terão falta de alimento ou de roupas e refletir que nem sempre isso é uma realidade.

SALMO 60 • COMO LIDAR COM PROMESSAS NÃO CUMPRIDAS

O salmo 60 inicia-se com a experiência das promessas de Deus não sendo cumpridas na experiência do povo. A promessa está presente no meio do salmo. Ela remonta a um período anterior à entrada de Israel em **Canaã**. Segundo o relato do Antigo Testamento, o povo peregrinou até lá, fugindo do **Egito** com promessas implausíveis de Deus soando em seus ouvidos. As linhas centrais do salmo as resumem de modo poético (em outras palavras, não há uma promessa utilizando essas mesmas palavras em Êxodo ou Josué, mas o salmista sumariza as implicações das promessas de Deus em imagens vívidas). Quando você faz uma promessa, pode jurar por algo ou alguém superior a você mesmo, como um templo, mas Hebreus 6 observa que Deus enfrenta o problema de não haver nada ou ninguém superior a ele pelo qual possa orar e, desse modo, jura por seu próprio nome, ou, no caso de Salmos 60:6, "por sua santidade". Com efeito, Deus diz: "Se eu não cumprir o que estou afirmando aqui, então não mereço ser considerado o Santíssimo." São, de fato, promessas solenes.

Deus, então, fala como o guerreiro que almeja assumir o controle de Canaã. Siquém é a maior cidade cananeia, a cidade em que Josué e os clãs israelitas celebraram, de fato, a conquista daquele território por *Yahweh* (Jerusalém era uma cidade pequena e sem relevância até Davi torná-la a capital do seu reino). Sucote situa-se no outro lado do Jordão, em uma área que não é estritamente parte de Canaã, mas na qual alguns clãs israelitas se estabeleceram. Gileade e Manassés, igualmente, sugerem o território como um todo, no qual *Yahweh* intenciona distribuir os clãs de Israel. Gileade e Manassés também sugerem as regiões a leste do Jordão — Gileade é o nome de grande parte desse território, embora Manassés fosse o clã predominante ali representado. **Efraim** e **Judá,** então, representam as áreas a oeste do Jordão. Eles se tornaram os principais clãs do Norte e do Sul, dando os seus nomes aos dois reinos resultantes da divisão de Israel, após o reinado de Salomão. No imaginário do salmista, esses dois clãs constituem o arsenal que Deus usará na conquista do controle do território.

Há, então, um grande contraste entre o senhorio de Deus sobre essas nações e os seus povos e a maneira pela qual Deus descreve Moabe, Edom e a **Filístia**. Deus nada tem contra esses povos; se eles se ocuparem apenas de seus interesses, ficarão bem. Deus não possui desígnios quanto ao território de Moabe e de Edom. No caso dos filisteus, eles levantam uma questão diferente por não serem ocupantes de longa data, naquele território, ao contrário de Moabe e de Edom, lembrando mais os europeus tardios do outro lado do Mediterrâneo. Eles serão sábios se não iniciarem uma competição com *Yahweh* pela posse de Canaã. Isso não deve nem passar pela mente deles, diz Deus a Moabe, Edom e Filístia, pois se tentarem isso... Contudo, eles assim tentaram e, nos dias de Davi, todos eles já tinham sido colocados em seu devido lugar.

O problema é que a situação não permaneceu assim e, em momentos distintos no decurso dos séculos seguintes, Moabe, Edom e Filístia foram capazes de ameaçar a posse do território pelo povo de *Yahweh*. Davi precisou subjugar cada um desses povos (veja a introdução ao salmo e os relatos em 2Samuel 8 e 10); daí o protesto na primeira seção do salmo. Após a sua queixa, o ponto sobre citar a promessa divina é desafiar Deus quanto ao não cumprimento. Assim, a última seção reitera o protesto, mas não para aí, prosseguindo com o desafio para Deus agir de acordo com a promessa. O salmista reconhece que as pessoas são impotentes sem Deus. Igualmente, indica como o mero fato de Deus não ter cumprido a sua promessa hoje não impede que as pessoas sigam crendo que ele poderá cumpri-la amanhã.

SALMO 61
COMO ORAR COM O SEU LÍDER

Ao líder. Com instrumento de cordas. De Davi.

1. Ouve o barulho que faço, Deus,
    atende à minha súplica.
2. Dos confins da terra, eu clamo a ti,
    enquanto meu coração desfalece.
    Para um rochedo que se eleva acima de mim,
    tu podes me guiar,
3. pois tens sido um refúgio para mim,
    uma torre forte diante do inimigo.

4. Habitarei na tua tenda para sempre,
    confiarei no abrigo das tuas asas. (*Pausa*)
5. Pois tu, Deus, ouviste as minhas promessas;
    deste a tua possessão às pessoas que guardam
    o teu nome em temor.
6. Acrescentarás dias ao rei;
    seus anos serão como uma geração após a outra.
7. Ele habitará para sempre diante de Deus;
    designa compromisso e veracidade para que possam
    guardá-lo.
8. Assim, farei música ao teu nome para sempre
    no cumprimento das minhas promessas dia após dia.

Durante uma eleição presidencial recente, uma organização falsa, denominada *American Institute of Mentality* [Instituto Americano de Mentalidade], publicou os resultados de uma pesquisa a respeito da questão: "Por que alguém deveria concorrer à presidência?" A conclusão foi que os candidatos presidenciais se enquadram em duas categorias. Ou é um santo, uma pessoa desprovida de interesse pessoal que deseja ser presidente para auxiliar o povo, no caso dos Estados Unidos, ou, com mais frequência, um narcisista patológico que não se preocupa com ninguém além dele, uma pessoa preocupada com sua aparência física e que aprecia uma bajulação constante (foi estranho o relatório não falar nada sobre a sede de poder). É estranho insistirmos em eleger alguém que *deseja* ser presidente. Isso deveria ser considerado um elemento desqualificador.

A força da monarquia é ela ser menos propensa a gerar líderes que desejam esse papel. Isso também nos faz sentir simpatia por pessoas que por acidente nasceram em uma perigosa e exigente linha sucessória de um rei ou de uma rainha, pelo menos em contextos nos quais as monarquias exerciam um poder real e exigiam a presença do comandante-chefe nas batalhas, à frente do exército. Não é por acaso que muitos dos salmos de oração sejam destinados para o monarca orar. O salmo 61 sinaliza que é um desses salmos, por sua referência ao rei. Em outras palavras, o rei refere-se a si mesmo e a outros reis como ele; não se trata de um cidadão comum que, repentinamente, faz menção ao rei.

É o próprio rei, então, que precisa fazer a urgente oração que ocupa a primeira parte do salmo. Podemos facilmente imaginá-lo **clamando** desse modo importuno, enquanto ele sai para cumprir a responsabilidade militar que pesa sobre seus ombros por haver nascido na família errada, não por ter frequentado uma academia militar e se preparado nela. O salmo convida o rei a confiar em Deus e a crer que as suas orações e os compromissos que expressou por meio delas foram ouvidos por ele, e que Deus, de fato, assegurou ao seu povo a posse daquele território (isso significa que os povos que tentam expulsá-los não lograrão êxito). O salmista o convida a viver com esperança em meio ao perigo, com o conhecimento de habitar na tenda de Deus: em outras palavras, mesmo quando o rei está distante do templo, no campo de batalha, ele não está longe da presença de Deus. Ele pode orar para que o **compromisso** e a veracidade de Deus o protejam.

Podemos deixar de lado o fato de alguns salmos serem escritos para o rei orar e usá-los em nosso próprio benefício, como cidadãos comuns; mas, então, podemos ignorar um dos motivos pelos quais esses salmos são importantes: eles nos incentivam a orar por nossos governantes e líderes. Desse modo, devemos orar esses salmos tendo os nossos líderes em mente.

SALMO 62
SILÊNCIO EM RELAÇÃO A DEUS

Ao líder. Segundo Jedutum. Uma composição de Davi.

1. Sim, quanto a Deus, o meu espírito está em silêncio;
   dele vem a minha libertação.
2. Sim, ele é o meu rochedo e a minha libertação,
   a minha torre; não devo cair por muito tempo.
3. Por quanto tempo atacarão uma pessoa,
   cometerão assassinato, todos vocês?
   Como um muro inclinado, uma cerca que foi derrubada —
4. sim, eles planejaram derrubá-lo de sua elevada posição.
   Eles se agradam do engano,
   abençoam com a boca, mas, por dentro, eles desprezam.
   (*Pausa*)

5. Sim, fique em silêncio em relação a Deus, meu espírito;
   dele vem a minha esperança.
6. Sim, ele é o meu rochedo, a minha libertação,
   a minha torre; não devo cair.
7. Sobre Deus repousa a minha libertação e a minha honra;
   minha rocha forte, meu refúgio, é Deus em pessoa.

⁸ Confie nele em todo o tempo, ó povo;
   derrame o coração diante dele;
   Deus é o nosso refúgio. (*Pausa*)

⁹ Sim, os seres humanos são vaidade,
   as pessoas são um engano.
¹⁰ Subindo em balanças,
   essas pessoas são menos que um sopro, na totalidade.
¹¹ Não confiem na extorsão,
   não depositem esperanças vazias no roubo;
recursos — quando eles derem fruto,
   não lhes deem o seu coração.
¹² Deus falou uma coisa, duas coisas eu ouvi:
   que Deus tem a força, e tu, meu Senhor, tens o
      compromisso,
   que tu mesmo recompensas uma pessoa
      de acordo com a ação dela.

Certo amigo foi cumprir um retiro de silêncio por um mês (ele está respondendo a *e-mails*, o que parece ser uma trapaça, mas, então, assim também o é em relação a lermos e ouvirmos as conversas). Ele necessita conhecer qual é a próxima etapa em sua vida e em seu serviço a Deus e deseja ouvir a Deus no silêncio. Outro amigo, recentemente, submeteu-se a um período de duas semanas de silêncio com o objetivo de realizar os exercícios elaborados por Inácio de Loyola para nos ajudar a discernir onde estamos em relação a Deus. Creio que as pessoas necessitam desses períodos de silêncio com o fim de permitir que os ruídos da vida saiam dos ouvidos, mas, ainda assim, impressiona-me o fato de a Escritura, praticamente, não encorajar o silêncio — daí a necessidade de darmos um novo significado a um versículo similar em Salmos 46:10: "Parem e reconheçam que eu sou Deus."

SALMO 62 • SILÊNCIO EM RELAÇÃO A DEUS

O salmo 62, claramente, possui um ideal de silêncio, mas a sua lógica é diferente daquela da espiritualidade ocidental e a do salmo 46. Aqui, o silêncio em relação a Deus é uma expressão de confiança nele. Essa atitude igualmente significa que o salmo 62 contrasta agudamente com outras orações presentes no Saltério. Em muitas delas, as pessoas protestam de maneira ruidosa e consistente em suas súplicas, embora as orações, nas quais a confiança é uma característica mais dominante que o protesto, estejam mais próximas ao salmo 62 em seu caráter. Uma vez mais, o Saltério amplia a gama de formas com que convida as pessoas a orar. Com frequência, estabelece diante de nós a possibilidade de sermos mais francos e barulhentos em nossa oração; aqui, determina diante de nós a possibilidade oposta. Não existem regras de oração, exceto a de começar como você está, mas também de estar aberto a uma nova liberdade que você ainda não abraçou.

O salmo não pressupõe que a confiança possa ser facilitada pelo fato de a situação não ser tão opressora. Antes, pressupõe a súplica de alguém que está sob grande pressão de pessoas dispostas a cometer assassinato. A referência ao engano, provavelmente, sugere que essa situação, como de costume, não precisa significar que os agressores estão atacando fisicamente a sua vítima; antes, estão adotando ações e medidas legais ou diplomáticas que podem, no fim das contas, levá-la à morte. Embora finjam ser apoiadores, por trás das cortinas estão desprezando a vítima e planejando a sua queda. No momento em que ela estiver em uma posição elevada (novamente, podemos pensar em alguém como Neemias), ainda assim estará tão vulnerável quanto um muro ou uma cerca que alguém começou a demolir. Assim, é bom que ele tenha alguém superior a ele mesmo, como uma rocha na qual possa se refugiar.

Portanto, a vítima está em uma posição elevada, porém parece vulnerável; do mesmo modo, os seus agressores parecem pessoas impressionantes, mas, na realidade, são vulneráveis. Ao contrário, a vítima não está, de fato, vulnerável, pois ela possui aquele refúgio para protegê-la. Eles é que estão desprotegidos, pois a aparente força deles é enganosa. Expressando em termos humanos, eles podem ter músculos, influência e recursos do seu lado, mas, por serem apenas de caráter humano, são vazios e inúteis. Utilizam o engano como arma, mas, na verdade, eles é que são vítimas do autoengano.

O salmista fala sobre permanecer em silêncio em relação a Deus e pratica o que prega na maior parte do salmo. A princípio, ele se dirige aos agressores. Na segunda vez que aborda o silêncio, o salmista fala a si mesmo. Ele está aceitando o argumento interno que uma relação com Deus, frequentemente, envolve. A confiança expressa pela declaração inaugural sobre o silêncio é parte do que o salmista afirma; ele também tem ciência do esforço envolvido na manutenção daquela afirmação.

Grande parte da segunda seção, no entanto, dirige-se a outras pessoas na comunidade, que poderiam ou deveriam estar do lado do salmista, mas precisam que sua confiança e coragem sejam fortalecidas. Elas necessitam ser encorajadas a não se unirem aos agressores na crença de que a chave para o sucesso na vida seja o acúmulo de recursos. Somente no último versículo é que o salmista rompe o silêncio em relação a Deus, embora com a intenção de que outras pessoas o ouçam. A Deus pertence tanto a força quanto o **compromisso** — a capacidade de apoiar alguém que parece vulnerável e a disposição de fazê-lo. Não se trata apenas de uma questão teórica. Deus está envolvido no mundo e cuida para que as pessoas obtenham o que elas merecem. Para o caso de estarmos inclinados a questionar se as coisas são realmente assim, Jesus reafirma isso em dois textos, em Apocalipse 2 e 22.

SALMO 63
DEUS ESTÁ PRESENTE EM JERUSALÉM E TAMBÉM NO DESERTO

Uma composição de Davi. Quando ele estava no deserto de Judá.

1. Deus, tu és o meu Deus; eu me esforço para te alcançar.
   O meu corpo dói por ti,
   em uma terra seca e desfalecida, sem água.
2. No santuário, certamente, o tenho visto,
   contemplando o teu poder e a tua honra.
3. Pois o teu compromisso é melhor do que a vida;
   os meus lábios te glorificarão.
4. Eu, certamente, te adorarei por toda a minha vida;
   em teu nome levantarei as minhas mãos.

5. Assim como a minha vida será cheia de riqueza e de abundância,
   com lábios ressoantes a minha boca te dará louvor.
6. Quando me lembro de ti em meu leito,
   falo de ti durante as vigílias da [noite].
7. Pois tu és o meu socorro,
   e na sombra de tuas asas ressoarei.
8. Toda a minha pessoa se apega a ti;
   a tua mão direita me sustém.
9. Mas aquelas pessoas que buscam destruir a minha vida
   irão para as profundezas da terra.
10. As pessoas que jogam alguém contra o fio da espada
    serão presas de chacais.
11. Mas o rei — ele se regozijará em Deus;
    todos os que juram por ele exultarão,
    porque a boca das pessoas que falam falsidades
    será impedida.

Ao mudar-me para os Estados Unidos, eu não tinha conhecimento de que Jesus é um nome comum na comunidade hispânica, tampouco sabia que a pronúncia de Jesus, em espanhol, é "Heysus", o que reduz a confusão. A diferença na pronúncia é a chave para a nossa canção favorita, gravada por um cantor que fomos ouvir ontem à noite: *"Jesus Lives in Juarez,* Mexico" [Jesus vive em Juarez, México]. Juarez é a cidade gêmea de El Paso, no Texas, e estão localizadas em margens opostas do rio Grande. Outrora, havia livre trânsito entre as duas cidades, mas não hoje em dia. Não é uma situação fácil para os mexicanos que desejam entrar nos Estados Unidos à procura de trabalho e, de um modo distinto, não é fácil para os norte-americanos estarem cientes da reputação da cidade de Juarez quanto a ser a capital mundial dos assassinatos — não somente por ser um lugar crucial na conexão com o tráfico de drogas. Na canção, o Jesus mexicano relata ao contador de histórias o lado árduo de ser um trabalhador imigrante, encorajado tanto pela fé quanto pelo desespero. Não obstante, há gentileza, paz e graça com relação a esse Jesus que transmite algo ao contador de histórias com sua própria e distinta necessidade. Jesus vive em Juarez, México.

Os salmistas são como contadores de histórias; às vezes, relatando diretamente a sua própria experiência e, outras vezes, compondo textos que capacitarão outros a expressar o que desejam (a exemplo dos autores dos hinos e das orações modernos). A pessoa para a qual o salmo 63 foi escrito estava em uma posição semelhante à do Jesus de Juarez. Similarmente a inúmeros salmos, este retrata a pessoa que irá orar o salmo como vivendo na capital do assassinato de seu próprio mundo. Com frequência, eles também são aprisionados em lugares nos quais não desejam estar. A exemplo de muitas pessoas, o Jesus de Juarez está preso em uma dupla armadilha. As opções são a pobreza e a vida perigosa em Juarez, ou o isolamento e as agruras do trabalho braçal em "el Norte", isto é, "nos Estados Unidos". No entanto, o contador de histórias sente que o Jesus de Juarez vive na companhia do Jesus de Nazaré, o que impede sua armadilha de ser uma prisão. A visão do salmista para aquele que ora o salmo é similar a essa: a esperança de que, apesar de viver na capital mundial dos assassinatos, ele viverá ali na companhia de **Yahweh**.

Como ocorre com o salmo 62, a eventual menção ao rei, na última linha, sugere que seja um salmo para ser orado pelo monarca (assim, outra imagem para os salmistas é de que sejam como redatores dos discursos presidenciais). Na maior parte do salmo, o rei ora apenas por ele mesmo, porém, na derradeira linha, ele se coloca na linhagem de reis com os quais Deus está comprometido. A introdução nos convida a estabelecer uma ligação com as histórias sobre Davi, em 1Samuel 22—25 e/ou 2Samuel 15—17; nos dois contextos, Davi se encontra exilado de Jerusalém ou Belém e preso no deserto. A exemplo do Jesus de Juarez, a pessoa no salmo é capaz de viver com a frustração e a dor daquela circunstância porque o Deus presente em Jerusalém é o mesmo Deus que está presente no deserto. Da mesma forma que outros salmos, o salmo 63 convive com a aparente contradição entre Deus ser especialmente acessível no templo, onde as pessoas podem levar as suas ofertas ao palácio divino e, igualmente, as suas súplicas a Deus, e o fato de Deus não estar confinado ao seu palácio, mas presente e acessível em todo o seu território e fora dele.

O valor de estar na cidade e no palácio de Deus significa que o rei pode não estar satisfeito por estar longe dali. Para encorajar-se, ele olha tanto para o passado quanto para o futuro. Ele olha para os tempos passados nos quais via Deus ali e contemplava o poder e a honra de Deus. Talvez ele esteja se referindo ao que viu com os olhos da fé, enquanto as histórias de Deus eram recontadas ali. É possível que seja uma referência a ver o baú da aliança no templo, sobre o qual *Yahweh* se assenta, invisivelmente, entronizado, ou a visão de outros símbolos da presença e da atividade divinas (os israelitas, com frequência, confeccionaram imagens visíveis de Deus, apesar de serem proibidos de fazer isso, mas, presumidamente, não é isso o que o salmista tem em mente). Ele recua a sua visão aos tempos nos quais Deus provou ser **libertador**, protetor e sustentador. Igualmente, anseia estar, de novo, envolvido em tal adoração no futuro, e o faz com a convicção de que o **compromisso** de Deus não muda; uma vez mais, ele experimentará libertação, proteção e provisão.

SALMO 64
QUANDO BATEM À SUA PORTA

Ao líder. Uma composição de Davi.

1. Ouve a minha voz, Deus, enquanto eu lamento.
    Guarda a minha vida do terror do inimigo.
2. Enconde-me do grupo de pessoas malignas,
    da multidão de pessoas perversas,
3. pessoas que afiaram a sua língua como uma espada,
    que direcionam as suas palavras cruéis como suas flechas,
4. para atirarem do esconderijo contra a pessoa de
        integridade —
    atiram nela subitamente e sem medo.
5. Eles guardam uma palavra maligna para si mesmos,
    a proclamam enquanto escondem armadilhas.
    Eles dizem: "Quem as verá?",
6. enquanto tramam a maldade.
    "Concluímos uma trama que está bem engendrada;
        o pensamento interior de uma pessoa e a sua mente são
            profundos."
7. Mas Deus atirou neles com uma flecha;
    subitamente, os seus golpes chegam.

SALMO 64 • QUANDO BATEM À SUA PORTA

⁸ Fizeram isso cair sobre si mesmos com a sua língua;
   todos os que olham para eles balançam a cabeça.
⁹ Todos estavam em temor;
   eles proclamaram o ato de Deus,
   perceberam o seu feito.
¹⁰ A pessoa fiel regozija-se em *Yahweh*
   e confia nele;
   todos os retos de coração exultam.

Recentemente, estive verificando as advertências atuais sobre viagens do Departamento de Estado dos Estados Unidos, uma lista de lugares nos quais "condições duradouras e prolongadas que tornam o país perigoso ou instável levam o Departamento de Estado a recomendar que norte-americanos evitem ou considerem os riscos de viajar para aquele país". Os países são listados de acordo com a data na qual foram incluídos na lista, mas todos o foram nos últimos meses. Quase no topo da lista está o Chade, destino para o qual a minha enteada e o marido dela estarão viajando em poucas semanas, em mais uma das constantes viagens decorrentes do trabalho em benefício dos refugiados darfuri. Bem mais abaixo está Israel, onde a minha esposa e eu planejamos ir no próximo ano, e logo após vem as Filipinas, o nosso destino em poucas semanas. Ainda mais embaixo, está o México, sobre o qual estávamos, há pouco, refletindo como destino de alguns dias de férias.

Em qualquer um dos países citados, há milhões de pessoas comuns e respeitáveis. Embora as nossas visitas a esses lugares possam nos expor a perigos ligeiramente maiores do que dirigir nas rodovias de Los Angeles, esses milhões de pessoas passam a vida toda expostos ao perigo de serem apanhados no fogo cruzado entre as diferentes gangues, facções ou milícias, ou entre os criminosos e as forças policiais ou militares. Eles podem descobrir-se sob a pressão de ter de optar por um grupo ou por outro, pressão que pode incluir ameaças contra os seus filhos e contra a sua própria vida; a neutralidade não é uma opção.

Nesse contexto, a pessoa é encorajada a orar, a confiar em Deus e a relembrar. O salmo nos incentiva a orar por pessoas que passam a vida nesses países incluídos na lista do Departamento de Estado como muito perigosos para uma visita, e isso nos ajuda a ver como podemos orar. Suponha que não seja a primeira vez que você passe por essa experiência, ou imagine que ela tenha ocorrido a alguém de sua família ou a um conhecido da sua vizinhança. Suponha que seja capaz de relembrar a forma miraculosa pela qual essas outras pessoas escaparam do destino que as ameaçava. Você sabe como os próprios agressores foram enredados por suas próprias armadilhas; ouviu a história e sabe como as pessoas oraram ou dobraram os joelhos em admiração e louvor a Deus.

Tudo o que pode fazer quando sabe que os agressores podem bater à sua porta é relembrar aquele evento e se alegrar em Deus, buscando-o e confiando nele e, então, suplicar para que ele o ouça, o proteja e o esconda. Você sabe que, às vezes, as pessoas que buscam a Deus são assassinadas. Igualmente, sabe que, em outras vezes, Deus resgata e protege; assim, você suplica para que essa seja a sua experiência.

SALMO 65
O DEUS DA EXPIAÇÃO E O DEUS DA COLHEITA

Ao líder. Uma composição de Davi. Um cântico.

1. A ti, o silêncio é louvor,
    Deus em Sião.
   A ti, uma promessa é cumprida,
2.   aquele que ouve uma súplica.
   Toda a carne virá a ti
3.   com seus atos obstinados.

SALMO 65 • O DEUS DA EXPIAÇÃO E O DEUS DA COLHEITA

Embora as nossas rebeliões fossem muito fortes para mim,
tu mesmo as expiaste.
4 Abençoada a pessoa que escolhes e trazes para perto,
para que ela habite em teus átrios!
Que sejamos cheios das boas coisas da tua casa,
do teu palácio santo.
5 Responde-nos com atos assombrosos em fidelidade,
Deus que nos liberta!
Objeto da confiança de todos os confins da terra
e do mar distante,
6 fundaste as montanhas por tua força,
cingido de poder.
7 Tu que acalmas o bramido dos mares,
o rugido das suas ondas,
sim, o tumulto dos povos.
8 As pessoas que vivem nos pontos mais distantes estão em temor
diante dos teus sinais;
tu fazes ressoar os pontos de entrada da manhã
e da noite.

9 Cuidaste da terra e a aguaste;
grandemente a enriqueceste.
O canal de Deus é cheio de água;
tu preparas o grão deles,
pois dessa forma a preparas.
10 Saturando os seus sulcos, suavizando as suas cristas,
tu a amoleces com chuvas,
abençoas o seu crescimento.
11 Coroaste o ano com tuas boas coisas;
a trilha do teu carro flui com riqueza.
12 As pastagens do deserto fluem,
as planícies cingem-se de alegria.
13 Os prados se revestem de rebanhos,
os vales revestem-se de trigo;
eles gritam e cantam também.

Uma estudante animada e de aparência respeitável contou-me a história da sua vida. Ela havia reagido contra uma educação cristã enquanto estava na faculdade e (entre outras coisas) envolveu-se com drogas e com um rapaz de comportamento abusivo. Como é da natureza desses relacionamentos, parecia impossível escapar dele por meio de um simples término ou abandono, mas, à medida que a situação piorava, ela sentia-se cada vez mais oprimida pela consciência de estar naquela confusão por ter virado as costas à sua educação cristã. Era como se ela houvesse se desviado para tão longe de Deus que, agora, não conseguia mais retornar. Ela, no entanto, buscou Deus desesperadamente e foi resgatada por ele.

A linha: "Embora as nossas rebeliões fossem muito fortes para mim, tu mesmo as expiaste", me fez refletir sobre essa aluna. No Antigo Testamento, o trabalho de expiar a mancha que resultava do contato com coisas contrárias à natureza de Deus era de Israel. Existem coisas dessa espécie que não têm nenhuma relação com a moral; um exemplo clássico é o contato com um corpo morto. A morte é estranha à natureza divina, e, assim, a pessoa não podia ir diretamente à presença de Deus no templo após ter participado da preparação de um corpo para o sepultamento. Era necessário, pelo menos, observar um período de tempo até a mancha sair, mas, no caso de certas manchas, a pessoa deveria oferecer uma oferta. Deus declara que o sangue de um animal possui o misterioso poder de absorver a mancha, quase como um detergente absorvendo a mancha de uma roupa.

A transgressão moral e os atos de rebeldia contra Deus também resultam em uma mancha. Elas nos marcam como pessoas cujo ser é incompatível com Deus, mas é impossível remover a mancha do delito moral por meio de uma oferta. Tudo o que você pode fazer é lançar-se à misericórdia divina. Com efeito, é isso o que o salmista sugere quando fala de

Deus expiar o nosso pecado. Sim, as nossas rebeliões seriam pesadas demais para nós. Enquanto escrevo, têm ocorrido rebeliões contra o governo em inúmeros Estados do Oriente Médio. Em muitos casos, os rebeldes lograram derrubar os governantes. E se o governante obter êxito em sua resistência, e os rebeldes, por fim, forem obrigados a desistir? Suponha, então, que eles apelem à misericórdia do governante. É pouco provável que o governante responda: "Está bem, voltem para casa e se comportem melhor no futuro." Mas, na verdade, isso é o que Deus faz com os rebeldes. Embora expiar o pecado seja o que os seres humanos devem fazer, caso desejem ir à presença de Deus, aqui (como, ocasionalmente, em outras passagens do Antigo Testamento) Deus se torna aquele que expia. Normalmente, as pessoas se apresentam a Deus com um sacrifício. O salmo em questão nos retrata indo a Deus com os nossos atos rebeldes. Isso é um escândalo, uma ideia sem sentido, que expressa algo da misericórdia divina.

Não admira que o salmo comece com a declaração de que o silêncio pode ser um louvor a Deus. Isso estabelece uma observação contraintuitiva sobre o silêncio que é comparável à observação que abre o salmo 62. O Saltério espera que o louvor seja ruidoso, mas esse salmo lança mão da consciência complementar de que as ações de Deus podem ser surpreendentes. O fato de Deus ouvir as súplicas dos rebeldes e expiar a mancha deixada pela transgressão nos deixa sem palavras.

O restante do salmo apenas reforça a natureza desconcertante de Deus. Ele não somente se recusa a tirar a vida por causa da rebelião; o ato de expiação de Deus torna a pessoa tão limpa que ele pode recebê-la em sua casa de braços abertos em vez de expulsá-la de sua presença. Isso é o que ocorre quando Deus o escolhe e o traz para perto dele.

Não que Deus seja exclusivista, como se determinasse escolher determinadas pessoas e não se interessar pelas demais. A natureza de Deus, como Criador de toda a terra, significa que todos os confins do mundo podem depositar sua confiança nele. Ele provê para o mundo todo (os pontos de entrada da manhã e da noite constituem os pontos extremos nos quais a alvorada e a noite iniciam — isto é, o extremo oriente e o extremo ocidente).

O vívido retrato da colheita nos faz refletir se esse salmo não pertence ao período da colheita. Se assim for, em alguns contextos, as pessoas que o entoavam poderiam estar igualmente, observando o Dia da Expiação, que ocorre em setembro ou outubro. Isso coadunaria com a observação do salmo sobre a expiação e a colheita. ***Yahweh*** é o Deus do perdão e o Deus da colheita.

SALMO 66
AO SENTIR-SE VULNERÁVEL E AMEAÇADO
Ao líder. Um cântico. Uma composição.

1. Brade por *Yahweh*, toda a terra,
2.   faça música para a honra do seu nome!
 Faça seu louvor honorável,
3.   diga a Deus: "Quão assombrosos são os teus atos!
 Pela grandeza de tua força,
   os teus inimigos definham diante de ti.
4. Toda a terra prostra-se perante ti,
   eles fazem música a ti,
     fazem música ao teu nome!" (*Pausa*)

5. Venham e vejam os feitos de Deus,
     aquele que é temido por sua atividade em relação aos
       seres humanos.
6. Ele transformou o mar em terra seca
     para que eles pudessem atravessar o rio a pé.

SALMO 66 • AO SENTIR-SE VULNERÁVEL E AMEAÇADO

Ali, alegramo-nos nele,
7 aquele que reina para sempre por seu poder!
Seus olhos vigiam as nações; os rebeldes —
eles não deveriam se levantar contra ele. (*Pausa*)
8 Povos, adorem o nosso Deus,
deixem que o som do seu louvor seja ouvido,
9 aquele que nos coloca na vida
e não permite que o nosso pé vacile.
10 Pois tu nos provaste, Deus,
nos refinaste como a prata é refinada.
11 Permitiste-nos cair em uma rede,
colocaste uma restrição em nosso quadril.
12 Deixaste que as pessoas cavalgassem sobre a nossa cabeça,
e passamos pelo fogo e pela água —
mas nos trouxeste para a prosperidade.

13 Entrarei em tua casa com ofertas queimadas,
cumprirei as minhas promessas a ti,
14 aquelas que meus lábios proferiram,
que a minha boca falou em minha aflição.
15 Como holocausto, oferecerei animais cevados a ti,
com o aroma de carneiros;
prepararei touros e cabras. (*Pausa*)
16 Venham ouvir, e lhes contarei, a todos vocês que estão no temor de Deus,
o que ele tem feito por mim.
17 A ele, com a minha boca, clamei;
ele foi exaltado pela minha língua.
18 Se eu acalentasse maldade no meu coração,
o meu Senhor não me ouviria.
19 Na verdade, Deus ouviu,
prestou atenção ao som da minha súplica.
20 Deus seja adorado,
aquele que não rejeitou a minha súplica
nem afastou o seu compromisso de mim!

SALMO 66 • AO SENTIR-SE VULNERÁVEL E AMEAÇADO

Hoje completa mais um ano dos ataques do Onze de Setembro sobre os Estados Unidos. Por algum motivo, isso me fez recordar da minha primeira visita a este país, durante a Guerra do Golfo, em 1990. O avião estava apenas parcialmente cheio, o que me pareceu estranho, e pude esticar as pernas sobre muitos assentos para dormir. Mais tarde, descobri que os norte-americanos não estavam voando sobre o Atlântico porque todo o hemisfério oriental parecia um lugar perigoso; parecia mais seguro permanecer no hemisfério ocidental. Aquela sensação de estar em segurança no lar foi terrivelmente abalada pelos ataques do Onze de Setembro. Os Estados Unidos se uniram ao restante do mundo pela consciência de não haver mais aquela imaginada segurança contra ataques; todos os países estão vulneráveis.

O salmo 66 tem algumas implicações sugestivas dessa consciência. Reconhecidamente, o salmo discorre sobre a experiência de um povo muito menor, mas, naquele 11 de setembro, os Estados Unidos passaram pela própria experiência de serem restritos, controlados e subjugados pelo fogo (literalmente) e pela água. E, enquanto escrevo, não podemos realmente dizer que emergimos daquela experiência para o florescimento, a prosperidade, anteriormente conhecida.

A seção intermediária do salmo descreve como a pequena nação de Israel passou por aquela experiência de controle e de constrangimento, com fogo (de novo, literalmente) e água, mas o salmo é escrito em um tempo no qual Israel logrou sair do outro lado e está florescendo. O povo pode, agora, olhar para trás e ver que estava sendo provado e refinado. Uma crise assim mostra em quem você pode realmente confiar, onde reside a sua segurança e quem está no controle do mundo. As crises revelam caráter.

A primeira seção olha os bastidores do momento da libertação até um momento anterior, de volta ao início da história de Israel, quando Deus conduziu o povo pelo mar de Juncos e lidou com o exército egípcio que o perseguia. Uma implicação é que, ao passar novamente por uma experiência de ameaça e vulnerabilidade, a nação precisa refletir sobre o ato original de libertação, que estabelece o padrão cuja repetição é esperada. A vida do povo, como um todo, possui um lugar dentro do desígnio maior de Deus, e pode-se esperar que Deus aja de modo consistente com o cumprimento desse propósito.

As duas primeiras seções do salmo convidam toda a terra a vir e adorar ao Deus de Israel. Não existe mecanismo pelo qual o mundo ouve o convite (Israel entoa o salmo, mas poderia o mundo ouvi-lo?). No devido tempo, houve tais mecanismos, quando o Antigo Testamento foi traduzido para o grego, mas, inicialmente, o convite era figurativo; nos tempos do Antigo Testamento, somente Israel ouvia. Para essa nação, a relevância da imagem é lembrar da importância suprema de seu Deus e do envolvimento dela com isso. O padrão dos atos de Deus com Israel é designado a ser um padrão que beneficia outros povos, não um que os exclui. Os Estados Unidos ou a Grã-Bretanha (leitores em outras partes do mundo podem colocar o nome do seu respectivo país aqui) não é o povo escolhido de Deus, mas, se estiver vulnerável e em temor, pode se voltar para Deus e reivindicar o padrão para si.

A última seção do salmo, então, indica que o mesmo modo de pensamento se aplica aos indivíduos (embora o tamanho das ofertas possa indicar que o salmista tenha em mente um líder tal como um rei ou um governante). Aqui, em vez de uma exortação aos outros povos para adorar a Deus, a seção inicia-se com um ato de compromisso para louvar a Deus por uma experiência individual, a exemplo daquelas descritas nas duas primeiras seções, que sobrevieram ao povo como um todo. A maneira com que Deus agiu em relação ao povo fornece aos indivíduos uma base para buscarem em Deus a libertação quando estiverem em apuros. Assim, enquanto o trabalho de Israel é de dar testemunho a todo o mundo quanto aos atos de libertação de Deus, o trabalho do indivíduo é prestar testemunho a todo o povo. A advertência quanto a você não poder **clamar** a Deus caso não olhe, de modo equânime, para o delito em seu próprio coração, aplica-se tanto aos indivíduos quanto às nações.

SALMO 67
ABENÇOA-NOS E CAPACITA OUTRAS PESSOAS A VEREM POR SI MESMAS

Ao líder. Com instrumentos de cordas.
Uma composição. Um cântico.

1. Que Deus seja gracioso conosco e nos abençoe,
    que faça resplandecer o seu rosto sobre nós, (*Pausa*)
2. pelo reconhecimento do teu caminho na terra,
    da tua libertação em todas as nações.
3. Que os povos confessem a ti, Deus,
    que os povos confessem a ti, todos eles,
4.   que as nações regozijem e ressoem,
  pois exerces autoridade sobre os povos com retidão,
    guias as nações na terra. (*Pausa*)
5. Que os povos confessem a ti, Deus,
    que os povos confessem a ti, todos eles.
6. Como a terra nos dá o seu produto,
    que Deus, o nosso Deus, nos abençoe.
7. Que Deus nos abençoe,
    que todos os confins da terra estejam no temor dele.

"Deus abençoe a América." O fato de esta semana estar sendo caracterizada pelas lembranças do Onze de Setembro faz essa súplica ressoar novamente. Agora, o Antigo Testamento está propenso a fazer uma distinção entre bênção e libertação. Libertação é o que Deus faz quando você está em perigo e precisa de resgate; trata-se de algo ocasional. Bênção é o que Deus faz de modo mais regular, tornando a terra, os animais e as pessoas frutíferas. Após o Onze de Setembro, então, a minha inclinação é pensar que a oração apropriada, no momento, é "Deus liberte a América" ou "Deus proteja a América".

O salmo 67, no entanto, me faz retornar ao equilíbrio, pois constitui uma exceção àquela regra diferencial entre libertação e bênção ou, pelo menos, afirma que elas, na verdade, estão relacionadas. Perto do fim, o seu pano de fundo torna-se claro: a terra produziu a sua colheita. Uma sociedade tradicional não pode presumir que a abundante colheita do presente ano assegure a mesma produtividade no ano seguinte. Não existem tais garantias. O sucesso da colheita atual não garante que haverá chuvas suficientes, nos períodos certos, ao longo dos nove meses seguintes, ou constitui uma salvaguarda de que não haverá pragas ou gafanhotos. Paradoxalmente, talvez, a bênção deste ano leve as pessoas a orarem mais diligentemente pela bênção do próximo ano. Será uma expressão da graça divina e resultará no brilho do rosto de Deus sobre eles. Constituirá o cumprimento da bênção cuja declaração ao povo Deus comissionou aos sacerdotes (veja Números 6).

Portanto, essa ligação entre a colheita do ano e a do próximo não é tão surpreendente. Mais impactante é a conexão entre elas e o reconhecimento do mundo a Deus. Por um lado, a oração quanto à bênção de Deus sobre a colheita de Israel conecta-se à bênção expressa por Arão em Números 6. Por outro, a oração de que essa bênção sobre Israel levará os confins da terra a reverenciarem Deus liga-se à bênção dada a Abraão, de que todas as nações orarão para serem abençoadas como Abraão é abençoado (Gênesis 12). A ideia é a de que o mundo verá o "caminho" de Deus, o padrão da ação de Deus em relação a Israel.

O salmo prossegue para estabelecer aquela conexão adicional entre libertação e bênção. A *bênção* divina levará ao reconhecimento dos povos quanto à *libertação* de Deus. Essas duas realidades estão interconectadas, pois constituem aspectos das atividades do mesmo Deus em relação ao mesmo povo. A libertação e a bênção de Israel pela ação divina são designadas a conduzir ao reconhecimento de Deus. Não será um mero e relutante reconhecimento da atividade divina; as nações se alegrarão porque Deus não guia e exerce **autoridade** apenas sobre Israel. O padrão do envolvimento de Deus com o seu povo é, uma vez mais, designado a ser o padrão do envolvimento divino com todo o mundo. Você pode orar pela bênção de Deus sobre a colheita com mais convicção e persuasão quando indica que não está buscando apenas o seu próprio benefício, mas visa a que outras pessoas sejam beneficiadas e que isso traga honra a Deus.

SALMO 68:1-18
PAI DO ÓRFÃO, PROTETOR DA VIÚVA

Ao líder. Uma composição de Davi. Um cântico.

1. Quando Deus se levanta, os seus inimigos se espalham,
    os seus oponentes fogem diante dele.
2. Tu os dispersa como a fumaça,
    como a cera que se derrete diante do fogo.
   Os infiéis perecem diante de Deus,
3.   e os fiéis celebram.
   Eles exultam diante de Deus,
    regozijam com alegria.

4. Cantem a Deus,
    façam música ao seu nome.

Exaltem aquele que cavalga sobre as nuvens —
  o seu nome é *Yah* —,
  exultem diante dele.
5 Pai dos órfãos, supervisor das viúvas,
  é Deus em sua santa habitação.
6 Deus capacita pessoas que estão sozinhas a viverem em
      um lar,
  liberta prisioneiros em correntes,
  mas os rebeldes habitam em terras áridas.

7 Deus, quando saíste à frente do teu povo,
  quando marchaste pelo deserto, (*Pausa*)
8 a terra estremeceu, sim, os céus se derramaram,
  diante de Deus, aquele do Sinai,
  diante de Deus, o Deus de Israel.
9 Derramaste chuva generosa, Deus;
  a tua própria posse estava definhando —
  tu mesmo cuidaste dela.
10 A tua habitação — eles viveram nela;
  provês aos humildes com a tua bondade, Deus.

11 O Senhor dá a palavra;
  as mulheres trazendo as novas são um grande exército.
12 Os reis dos exércitos fogem e fogem;
  as jovens da casa repartem o espólio,
13 ainda que permaneçam entre as cercas dos apriscos,
  as asas de uma pomba cobertas de prata,
  as suas penas de ouro puro.
14 Quando Shaddai espalha os reis ali,
  neva sobre o Zalmom.
15 O monte Basã é uma poderosa montanha,
  o monte Basã é uma montanha de muitos picos.
16 Por que mantêm guarda, montanhas, picos,
  sobre a montanha que Deus desejou como sua
      habitação? —
  sim, *Yahweh* habitará ali para sempre.

> ¹⁷ As carruagens de Deus eram miríades,
>   milhares e milhares;
>   o Senhor estava entre elas no Sinai, em santidade.
> ¹⁸ Subiste às alturas,
>   tomaste os cativos, para receber presentes entre o povo,
>   sim, rebeldes,
>   para habitar com *Yah*, Deus.

Em conversas com pessoas que me questionam sobre realizar casamentos ou terem os filhos batizados em nossa igreja, tenho sido impactado, repetidas vezes, pela quantidade de crianças sem pais ou mães sem o cônjuge. Penso em um menino cujo pai está cumprindo uma longa pena, ou em uma menina cujo pai não está certo se deseja desposar a sua mãe. Lembro-me de duas crianças que são cuidadas pela mãe e pela avó, pois o pai foi embora. Mães sem marido podem preferir essa situação a estar casada com um homem abusivo ou inseguro quanto ao casamento, ou nem mesmo pensam nisso. Todavia, haverá um sentimento de solidão e de vulnerabilidade com respeito à sua situação.

Para os filhos sem pais e para as mães sem um marido, a declaração de que Deus também é o supervisor deles é muito importante. A palavra hebraica para supervisor ou protetor ou líder é uma variante do termo para alguém que exerce autoridade. A minha esposa educou a sua filha sozinha, durante muitos anos; o comentário dela é de que Deus foi, de fato, o seu pai e o seu supervisor, protetor ou líder. No contexto do salmo, os filhos não precisam ser necessariamente pequenos. O problema para os órfãos e viúvas é uma vulnerabilidade de ordem prática. A única maneira viável de viverem é no contexto de uma família, pois as famílias controlam a terra e, portanto, o alimento, e elas são lideradas pelo integrante masculino mais velho. Assim, um órfão adulto é tão vulnerável quanto uma viúva. Ambos são dependentes da benevolência da comunidade (o que significa que, quando os pais não são casados e/ou não assumem a responsabilidade por seus filhos, outras pessoas são afetadas), ou da sua disposição e capacidade de empregar alguém como um trabalhador diarista, ou da sua relutância em empregar mulheres para outras atividades que não o sexo. Em tempos difíceis, nem a benevolência nem o trabalho podem estar disponíveis. Desse modo, os órfãos e as viúvas são forçados a confiar em Deus.

Esse salmo de louvor lhes assegura que há uma base para essa confiança. O salmista, após falar sobre o que Deus fez, passa a descrever o que ele consistentemente faz, com a implicação de que o primeiro é o fundamento para crer no segundo, mesmo quando isso não parece ser verdade. A maior parte dos versículos da seção final fala no pretérito e mais parece um relato sobre como Deus conduziu o seu povo a Canaã na primeira vez. O retrato não é de uma jornada que eles empreenderam, com Deus guiando do céu, mas como uma jornada que Deus empreendeu, com Israel acompanhando ou seguindo. Deus obteve grandes vitórias na obtenção do controle da terra e, então, na conquista de Jerusalém, em particular, para ser o lugar terreno de sua habitação. O salmo retrata uma impressionante área montanhosa como Basã, surpresa e até mesmo hostil pela preferência de Deus por aquela planície nada imponente. Descreve a atividade dos homens envolvidos na batalha e das mulheres, que cuidam dos rebanhos nesse ínterim e lideram a celebração pela vitória, além de participarem da partilha dos espólios (alguns detalhes da descrição são intrigantes). A provisão da chuva por Deus foi essencial para a terra ser propícia aos novos habitantes.

Contudo, o salmo inicia-se no tempo presente, com uma declaração de que a atividade agressiva de Deus não pertence apenas ao passado. Deus ainda age contra os **infiéis** e em benefício de pessoas em condição de vulnerabilidade, como os órfãos e as viúvas. Deus é descrito por uma série de **nomes**. Há o termo regular para "Deus" e o nome familiar *Yahweh*. Em adição, há o nome *Yah*, que aparece em meio a uma expressão como "aleluia" — pode ser uma versão anterior do nome do qual *Yahweh*, então, é uma elaboração. Ainda, há o nome Shaddai, igualmente um nome com um toque arcaico (ele aparece com mais frequência em Gênesis e Jó). Ele é similar ao verbo "destruir", e essa conotação se encaixaria aqui. O poder agressivo de Deus é parte das boas novas para os órfãos e as viúvas, pois ambos necessitam de proteção, função que, em geral, é exercida por um pai ou líder. Um fator que poderia destruir famílias e, com efeito, transformar pessoas em órfãos e viúvas era a prisão de um pai ou de um marido, talvez por causa de um plano espúrio para obter a posse daquela família. Deus é aquele que liberta pessoas da prisão e restaura os seus lares.

SALMO **68:19-35**
NEM MILITARISTA NEM PACIFISTA

¹⁹ O Senhor seja adorado, dia a dia;
   o Deus, que é o nosso libertador, nos sustém. (*Pausa*)
²⁰ Deus é, para nós, um Deus de libertação;
   a *Yahweh* Deus pertence as partidas à morte.
²¹ Sim, Deus esmaga a cabeça dos seus inimigos,
   a coroa cabeluda daquele que caminha em sua
   grande culpa.
²² O Senhor disse: "Eu os trarei de volta de Basã,
   os trarei de volta das profundezas do mar,
²³ para que os seus pés possam pisar em sangue;
   a língua dos seus cães — que a sua partilha seja de seus
   inimigos."

²⁴ As pessoas viram as tuas jornadas, Deus,
   as jornadas do meu Deus, meu Rei, ao santuário.
²⁵ Primeiro, os cantores, então os músicos de instrumentos
      de cordas,
   em meio às garotas tocando tamborins.
²⁶ Na grande congregação, adorem a Deus,
   [adorem] a *Yahweh*, vocês da fonte de Israel.
²⁷ Havia a pequena Benjamim, governando-os,
   os líderes de Judá, a sua multidão ruidosa,
líderes de Zebulom, líderes de Naftali:
²⁸   o seu Deus ordenou força a vocês.
   sê forte, Deus, tu que agiste por nós
²⁹   do teu palácio; a Jerusalém
   os reis levarão o tributo a ti.
³⁰ Destrói a criatura nos juncos,
   a assembleia dos fortes entre os touros, os povos.
   Pisoteando aqueles que amam a prata,
      tu espalhaste os povos que se deliciam em
         confrontações.
³¹ Enviados virão do Egito,
   o Sudão correrá com suas mãos a Deus.

³² Reinos da terra, cantem a Deus,
   façam música ao Senhor, (*Pausa*)
³³ àquele que cavalga os mais altos céus da antiguidade —
   eis que ele emite a sua voz, uma voz forte.
³⁴ Dê força a Deus,
   cuja majestade está sobre Israel,
   sua força nos céus.
³⁵ Deus, tu deves ser temido em teu lugar santíssimo,
   aquele que é o Deus de Israel.
   Ele concede força e grande poder ao seu povo;
   Deus seja adorado.

Por ocasião de mais um aniversário dos ataques do Onze de Setembro, li um artigo, de autoria de um paquistanês, intitulado "Por que eles nos odeiam tanto?" O texto usou uma pergunta que os norte-americanos fizeram após aqueles ataques, mas a reverteu à luz das convicções atribuídas a pessoas no Paquistão e no Afeganistão, hoje, que se questionam quanto aos motivos pelos quais países como os Estados Unidos e a Grã-Bretanha os odeiam tanto. Eles percebem o ódio nas políticas que implementamos naqueles países, políticas que acreditamos serem do supremo interesse deles, mas que eles não conseguem enxergar dessa maneira. Isso ocorreu, então, apenas um dia depois de o Talibã lançar um devastador ataque às supostamente seguras instalações dos Estados Unidos e da Otan em Cabul.

Na era moderna, é tentador imaginar que o ódio e a violência apenas geram mais ódio e mais violência. O salmo não faz essa inferência (nem outras partes do Antigo e do Novo Testamentos), embora deixe o ódio e a violência para Deus (novamente, a exemplo de outras passagens do Antigo e do Novo Testamentos). Assim, nesse salmo, há pessoas designadas como adversários de Deus: pessoas infiéis, rebeldes, reis com exércitos, pessoas culpadas, os fortes e aqueles que amam a prata e se deliciam em confrontações militares (i.e., eles se alegram em promover guerras para obter mais recursos). Então, há Deus, que capacita os cativos a serem libertos e os desabrigados a terem algum lugar para viver, ao espalhar esses oponentes, esmagar a cabeça deles, destruí-los e pisoteá-los, ou impossibilitando a fuga deles para o Extremo Oriente ou para as profundezas (Basã ou o mar) — provando, portanto, ser o único que pode decidir quando as pessoas partem para a morte. E há os fiéis, que não estão envolvidos com a violência (eles são muito humildes e débeis para fazer alguma coisa); ao contrário, eles celebram e exultam; cantam a Deus e o exaltam. O seu único exército é um agrupamento de garotas que cantam sobre o que Deus tem feito e partilham os espólios da batalha vencida por Deus. O retrato do salmista lembra a história de quando "Josué ganhou a batalha de Jericó", na qual o líder não precisou, na verdade, lutar, mas apenas comissionou uma marcha de adoração. A alusão do salmo como um todo reflete a forma pela qual a história da conquista da terra por **Yahweh** é contada para remover os detalhes sobre lugares e povos e, portanto, sugere que aqueles eventos não pertencem meramente ao passado, mas sinalizam um padrão que pode ser repetido em qualquer época dos adoradores.

Uma vez mais, o salmo traça um paralelo com outras passagens do Antigo e do Novo Testamentos ao indicar que não se espera que os fiéis fiquem indiferentes à queda dos adversários de Deus e de seus opressores. Antes, espera-se que se regozijem e adorem. Na realidade, espera-se que eles chafurdem os pés no sangue das pessoas que Deus leva à morte e se alegrem por seus cães poderem lambê-lo. Talvez o salmista presuma que Israel possua um exército de guerreiros, do mesmo modo que um exército de cantores, mas, se assim for, tal exército é praticamente invisível. A vitória não é obtida por meio de uma força militar superior, mas de uma força desorganizada que não lograria êxito nenhum, senão por um milagre divino. O salmo afirma que com Deus não se brinca e que a sua ação para derrotar os seus inimigos e libertar o povo oprimido por eles é a espécie de realização que resultará no reconhecimento de Deus pelas nações.

A batalha descrita pelo salmista, portanto, ignora princípios-chave de uma guerra justa. Ele vira do avesso a nossa atitude em relação à guerra, sejamos pacifistas ou não. Isso não deve servir de alicerce para que qualquer nação militarmente poderosa inicie uma guerra, mas também não dá aos cidadãos de uma nação poderosa um argumento para afirmar que a guerra é inerentemente errada. Em vez disso, ele incita Deus a agir contra os poderosos em benefício dos fracos.

SALMO **69:1–18**
PAIXÃO SIGNIFICA PERSEGUIÇÃO

Ao líder. Segundo Lírios [talvez uma melodia]. De Davi.

1. Liberta-me Deus,
    pois as águas subiram até o meu pescoço.
2. Afundei-me em uma inundação profunda;
    não há como firmar os pés.
   Entrei em torrentes de água;
    um dilúvio me subjugou.
3. Cansei-me de clamar,
    a minha garganta se tornou seca.
   Os meus olhos fraquejam,
    esperando pelo meu Deus.
4. São mais do que os cabelos em minha cabeça
    as pessoas que estão contra mim sem motivo.
   Muitas são as pessoas que tentam pôr fim à minha vida,
    meus inimigos, com engano.
   Deles nada roubei,
    mas devo restituir.
5. Deus, tu mesmo conheces a minha estupidez;
    meus atos culpados não estão ocultos a ti.
6. As pessoas que olham para ti não devem ser
        envergonhadas por minha causa,
    Senhor *Yahweh* dos Exércitos.
   As pessoas que buscam o teu socorro não devem ser
        humilhadas
    por minha causa, Deus de Israel.
7. Pois é por tua causa que tenho suportado injúrias,
    que a humilhação tem coberto o meu rosto.
8. Tornei-me um estranho aos meus parentes,
    um estrangeiro aos filhos da minha mãe.

SALMO 69:1-18 • PAIXÃO SIGNIFICA PERSEGUIÇÃO

⁹ Pois a minha paixão por tua casa tem me consumido;
  as palavras de injúria com as quais as pessoas insultam
    a ti recaem sobre mim.
¹⁰ Choro em jejum,
    e isso se tornou um objeto de injúria para mim.
¹¹ Fiz do pano de saco a minha roupa,
    e isso se tornou uma piada para eles.
¹² As pessoas que se sentam junto ao portão falam sobre mim;
    [tornei-me] o cântico dos bêbados.

¹³ Mas — a minha súplica a ti, *Yahweh*,
    é por um tempo de favor.
  Deus, na grandeza do teu compromisso, responde-me,
    na veracidade da tua libertação.
¹⁴ Resgata-me do lamaçal,
    eu não devo afundar.
  Que eu seja resgatado dos meus inimigos,
    das torrentes de água.
¹⁵ O dilúvio de água não deve me sobrepujar,
    a inundação não deve me tragar,
    o poço não deve fechar a sua boca sobre mim.
¹⁶ Responde-me, *Yahweh*, pois o teu compromisso é bom;
    de acordo com a grandeza da tua compaixão, volta-te
      para mim.
¹⁷ Não escondas o teu rosto do teu servo,
    pois estou em aflição — depressa, responde-me.
¹⁸ Aproxima-te de mim, restaura-me;
    por causa dos meus inimigos, redime-me.

Na noite passada, sonhei que estava sendo levado ao tribunal por pregar. A pergunta: "Caso você fosse processado por ser um cristão, haveria evidências suficientes para condená-lo?" é lugar-comum, mas não deixa de ser astuta e provocativa.

Quando a minha esposa, recentemente, chamou a minha atenção para um artigo sensível sobre a fé cristã em um jornal britânico, impactou-me o fato de ser mais difícil encontrar um artigo similar na mídia dos Estados Unidos, em razão da intensidade dos conflitos da cultura (as falhas estão nos dois lados). Tanto os ateus/agnósticos quanto os cristãos (ou judeus ou muçulmanos) podem sentir que estão sendo perseguidos ou tratados com preconceito.

O meu sonho pode ter sido consequência das minhas reflexões sobre o salmo 69 e sobre a ideia de que a paixão pela causa de Deus pudesse consumir alguém. A sentença, no salmo, possui um significado diferente daquele apresentado em João 2, no qual os discípulos veem isso incorporado em Jesus. Quando Jesus chicoteia os mercadores que estão comercializando animais para o sacrifício no templo, a alegação de ele estar sendo consumido por um zelo pela casa de Deus indica a força dos seus sentimentos (v. 17). No salmo, a paixão demonstrada pela casa de Deus traz problemas ou perseguição à pessoa tomada por esse zelo, embora a ideia venha a ser aplicada, igualmente, a Jesus (Jesus menciona o salmo em João 15:25).

Pode-se imaginar o salmo sendo orado por alguém como Jeremias ou Neemias. Durante grande parte do período do Antigo Testamento, os israelitas assumiram uma atitude livre em relação à adoração que poderiam oferecer no templo, seguindo o próprio coração nesse quesito; por exemplo, eles consideravam útil ter uma imagem de Deus para auxiliar a sua adoração (como o bezerro de ouro no Sinai). Profetas como Jeremias adotaram uma visão muito mais restrita e convencional da adoração que as pessoas poderiam legitimamente oferecer. Claro que a propagação dessa visão mais restritiva, naturalmente, angariava oposição, que não era meramente uma questão de debate e de argumentação. O templo permanecia, regularmente, sob o controle das autoridades que estavam em posição de banir os adoradores contrários a essa linha restritiva e podiam usar o seu poder para excluir pessoas da adoração, persegui-las ou coisa pior.

É possível esboçar uma comparação com o que ocorreu entre protestantes e católicos durante os séculos XVI e XVII. Na igreja ocidental, às vezes falamos sobre guerras de adoração, conflito entre pessoas que apreciam estilos diferentes de adoração. Em grande parte da história israelita e cristã, as guerras de adoração tiveram conotações muito mais sérias. Devemos nos sentir felizes por não termos vivido nesses séculos. No entanto, a diferença também chama a atenção para o fundamento trivial dos nossos conflitos. Naqueles séculos, as pessoas eram movidas pela questão quanto ao modelo de adoração apropriado a quem Deus é. Qual deles honra a Deus? A nossa discussão é quanto à espécie de adoração que se adequa a nós.

Assim, o salmo é destinado a alguém que busca ser fiel a Deus no tocante a esse tipo de questionamento e que é, por consequência, ameaçado de linchamento ou de execução. O desrespeito das pessoas por Deus se expressa em um desrespeito por aqueles que falam por ele, cuja dor pelo que é feito em nome de Deus os transforma em motivo de piada. A referência ao engano e às acusações falsas, presumidamente, indica que esses são os meios de fornecer uma aparência e uma base legal para a adoção de ações contra o alvo da ira das pessoas. Por outro lado, a menção à estupidez e à culpa sugere que o salmista não está alegando ausência de pecado, apenas reivindica uma atitude de fidelidade a **Yahweh** e a disposição de defender essa fidelidade. Pode-se imaginar que Deus honraria essa fidelidade; no livro de Salmos, e em outras passagens da Escritura, há inúmeras declarações quanto a Deus fazer isso. Todavia, no momento, não existe nenhum sinal de que as coisas funcionam dessa maneira. E a contenção de Deus, provavelmente, significará não apenas o descrédito (ou pior) desse indivíduo, mas também a vergonha das pessoas que adotaram a mesma posição.

SALMO 69:19-36
CONFIAR EM DEUS COM A SUA IRA

¹⁹ Tu mesmo conheces a minha injúria,
    a minha vergonha e a minha humilhação.
    Todas as pessoas que me vigiam estão diante de ti;
²⁰   o insulto quebrou o meu espírito, e estou debilitado.
    Procurei alguém que se compadecesse, mas não há
        ninguém,
    por consoladores, mas não encontrei nenhum.
²¹ As pessoas colocaram veneno em minha comida;
    para a minha sede, deram vinagre para eu beber.
²² Que a mesa deles se torne uma armadilha diante deles,
    um laço para os seus aliados.
²³ Que os seus olhos escureçam para que não possam ver,
    que os seus lombos estremeçam continuamente.
²⁴ Derrama a tua ira sobre eles;
    que a tua fúria ardente os alcance.
²⁵ Que o acampamento deles se torne desolado,
    que não haja nenhum vivente em suas tendas.
²⁶ Pois eles perseguiram a pessoa que atingiste
    e anunciaram o sofrimento das pessoas que feriste.
²⁷ Coloca transgressão à transgressão deles;
    que eles não venham à tua fidelidade.
²⁸ Que sejam apagados do rolo das pessoas viventes;
    que não sejam escritos com os fiéis.
²⁹ Quando eu estiver humilde e sofrendo,
    que a tua libertação me mantenha seguro, Deus.

> 30 Louvarei o nome de Deus com um cântico
> E o engrandecerei com ações de graças.
> 31 Isso agradará a *Yahweh* mais do que um boi,
> um touro com chifres e cascos fendidos.
> 32 Pessoas humildes viram e celebraram;
> vocês, que buscam o socorro de Deus — que o seu
> espírito reviva.
> 33 Pois *Yahweh* ouvirá o necessitado
> e não desprezará os seus cativos.
> 34 Que os céus e a terra o louvem,
> os mares e tudo o que se move neles.
> 35 Pois Deus libertará Sião
> e reconstruirá as cidades de Judá.
> As pessoas viverão ali e a possuirão,
> 36 a descendência dos seus servos a manterá,
> as pessoas que se entregam ao seu nome habitarão nela.

Em um dia ou dois, darei uma palestra sobre o livro de Salmos e a nossa espiritualidade e devo falar sobre a maneira com que os salmos são designados a alimentar e a moldar o nosso louvor, a nossa oração e as nossas ações de graças. Na noite passada, enquanto finalizava a palestra, percebi que havia cometido um erro, pois não incluíra nada do lado violento e irado dos salmos. Recordei-me de uma ocasião anterior na qual também falei sobre salmos e, igualmente, omiti essa característica deles. Então, a primeira pergunta que alguém fez, após a palestra, foi sobre essa ira presente no Saltério. O que me impactou, naquela circunstância, foi o fato de a pessoa que me questionou ser um pastor de semblante grave e pesado que (imediatamente, pensei nisso, mas guardei para mim) parecia ter despejado a sua ira sobre si mesmo. Certa feita, ouvi o comentário de outro professor sobre como também expressamos a nossa ira por meio de outras formas externas, tais como atividades esportivas e o nosso comportamento ao volante de um carro.

Não sei se o autor do salmo 69 tinha ciência de que negar a sua raiva não era muito melhor do que expressá-la contra outra pessoa (seja ou não a pessoa que provocou esse sentimento), ou se negar a sua ira e voltá-la contra si mesmo seja uma prática burguesa ocidental pela qual os Salmos não precisam fazer concessão. Seja como for, penso que faça parte da importância do livro de Salmos para os ocidentais que estão envolvidos nessa negação e posso supor que o fato de as pessoas negarem a própria ira seja um dos motivos pelos quais Deus se alegrou em incluir o salmo 69 em seu livro. De igual sorte, não sei ao certo se o pensamento do salmista era de que expressar a Deus a sua ira em relação aos seus opressores e o seu desejo de que eles fossem eliminados seria uma alternativa preferível, em lugar de adotar alguma ação contra eles ou de guardar a ira para si mesmo. Qualquer que seja a resposta, ela se enquadra na atitude que aparece nos Salmos e em outras passagens do Antigo Testamento de que a vocação de Israel é confiar na ação por Deus em benefício deles quando estiverem em apuros (ocasiões como o comissionamento de Deus para Israel combater os **cananeus** constituem uma exceção, não a regra). Assim, posso imaginar ser esse outro motivo para Deus alegrar-se em ter o salmo 69 em seu livro.

Há um ponto relacionado à importância do salmo que o autor, provavelmente, tinha em mente. O salmista encerra a sua oração pela punição aos opressores com uma renovada **súplica** por **libertação**. A associação dessas duas situações é uma característica comum nos Salmos. Eles são os dois lados de uma mesma moeda. O motivo de instar Deus a eliminar os opressores é que isso livrará a vítima da perseguição deles. O oprimido sabe que a propensão de Deus é ser misericordioso, e ele precisa assegurar-se de que isso não ocorra com os seus oponentes. (Claro que, se os opressores se arrependerem de suas transgressões, isso abre um capítulo novo nessa história.)

Se, por um lado, a veemência da oração é a característica mais impactante do salmo, isso não deveria obscurecer a natureza notável dos versículos finais. A exemplo do que ocorre em outros salmos, a agonia do sofrimento e a urgência da súplica abrem caminho para declarações de confiança e de louvor antecipado. Na prática, nada mudou na experiência da vítima, porém derramar-se diante de Deus e saber que ele ouviu a súplica significa mudança total. Os dois versículos derradeiros estabelecem as necessidades e a libertação dessa pessoa em um contexto mais amplo do envolvimento de Deus com Israel como um todo, o que faz sentido, caso a pessoa que ore o salmo seja uma figura representativa, tal como um rei ou governante. Se for um cidadão comum, os versículos finais sugerem um motivo adicional de esperança e um fundamento a mais para apelar a **Yahweh**. Ainda, constituem um lembrete de que a libertação do indivíduo será designada a servir o propósito maior de Deus para Israel.

Pode-se dizer que o salmo 69 é um dos favoritos do Novo Testamento; João menciona a primeira metade duas vezes, e a segunda metade é citada outras duas vezes, em Atos 2 e Romanos 11. Evidentemente, o Novo Testamento também se alegrou por Deus se alegrar em incluir esse salmo no Saltério.

SALMO 70
SOBRE DIZER A DEUS O QUE FAZER

Ao líder. De Davi. Para comemoração.

1. Deus, para salvar-me, *Yahweh*,
   para o meu socorro, apressa-te!
2. Deveriam ser envergonhadas e injuriadas
   as pessoas que buscam pela minha vida.

> Deveriam dar meia-volta e cair em desgraça
> as pessoas que desejam o meu infortúnio.
> ³ Deveriam retroceder por causa do seu vergonhoso engano
> as pessoas que dizem: "Ah! Ah!"
> ⁴ Deveriam estar contentes e se regozijarem em ti
> todas as pessoas que buscam socorro em ti.
> Deveriam dizer, continuamente: "Deus seja engrandecido"
> as pessoas dedicadas à tua libertação.
> ⁵ Mas sou humilde e necessitado —
> Deus, apressa-te.
> Tu és o meu socorro e o meu resgatador,
> *Yahweh*, não te demores!

Como de hábito, nesta manhã de domingo, na igreja, oramos para que a igreja pudesse ser um só corpo, que pudesse pregar fielmente o evangelho até os confins da terra, para que houvesse justiça e paz na terra e para que o mundo fosse libertado da pobreza e da fome. E, igualmente, oramos por necessidades específicas da nossa congregação e da nossa comunidade: por uma senhora, frequentadora assídua, mas que tem sofrido com dores nas costas e pernas; oramos para que ela encontrasse alívio; e por uma família que ainda pranteava a morte do pai e da mãe, ocorrida seis meses atrás, para que fossem consolados. Essas orações são muito distintas das orações presentes nos Salmos, que passam mais tempo dizendo a Deus quão terríveis as coisas são e menos tempo do que nós em dar sugestões a Deus quanto ao que fazer em relação a elas. Em geral, presumo que o exemplo deles sugere reflexões sobre como podemos retrabalhar o nosso modo de orar.

O salmo 70 é, portanto, incomum na maneira com que foca as súplicas; nesse aspecto, é similar às nossas orações. A única descrição direta das circunstâncias surge na frase "Mas sou humilde e necessitado", embora o retrato das pessoas que estão causando problemas complete o quadro. Talvez haja uma ligação entre o fato de o salmo ser mais parecido com as nossas orações, nesse aspecto, e o fato de que, por séculos, o versículo inaugural do salmo fazer parte da oração de abertura na adoração diária da igreja do Ocidente: "Apressa-te, ó Deus, em nos livrar. Senhor, apressa-te em socorrer-nos" (a versão que aparece no *Livro de oração comum*).

Outra característica incomum do salmo 70 é o fato de todo o salmo também formar uma leve variação da última seção do salmo 40. O salmo poderia, evidentemente, funcionar sozinho, mas também funciona dessa outra forma. Esse não é o único exemplo no qual parte do material de um salmo é utilizado duas vezes no Saltério — veja os salmos 14 e 53. Talvez o uso da abertura do salmo na adoração cristã siga o seu uso no culto judaico; possivelmente, os versículos que formam o salmo 70 já haviam sido separados do salmo 40 para serem usados isoladamente na adoração.

O que o salmo 70 deixa claro por si só é que, quando estamos em situação de pânico e tudo o que podemos fazer é clamar pela ação de Deus, devemos fazê-lo. O início abrupto do salmo indica vividamente a urgência da necessidade. Diz-se, às vezes, que a resposta de Deus à oração pode ser: "Sim", "Não" ou "Espere", e que devemos ser submissos ao tempo de Deus. Embora, no fim das contas, não nos reste alternativa além de nos submetermos ao calendário divino, o princípio e o fim do salmo mostram que não há problemas em dizer a Deus para se apressar e agir sem mais demora e com o fato de essa ser a ênfase do salmo. Quando estiver em uma situação de desespero, quando houver pessoas tentando tirar a sua vida, não hesite em falar a Deus que precisa da ação dele e que precisa dela agora. Quanto mais urgente a situação, mais premente é a oração; e essa é uma forma pela qual você pode orar.

Deus, o salmo pressupõe, deveria reconhecer que a situação do salmista é aquela na qual as pessoas podem ser divididas em dois grupos. As que desejam o pior para o salmista e aquelas que não têm alternativa, exceto buscar pela **libertação** divina. Deus deveria dar ao primeiro grupo motivos para serem envergonhados e, para o segundo, motivos para celebrar.

SALMO 71
DO NASCIMENTO E JUVENTUDE ATÉ A MEIA-IDADE E A VELHICE

1. Confio em ti, *Yahweh*,
    e não devo ser envergonhado jamais.
2. Em tua fidelidade, salva-me, resgata-me,
    inclina os teus ouvidos para mim, liberta-me.
3. Sê para mim um rochedo,
    um abrigo para o qual eu sempre possa ir,
  que tu ordenaste como a minha libertação,
    pois tu és o meu penhasco, a minha fortaleza.
4. Meu Deus, resgata-me das mãos dos infiéis,
    das garras do malfeitor e do ladrão.
5. Pois tens sido a minha esperança, meu Senhor *Yahweh*,
    aquele em quem tenho confiado desde a minha
      juventude.
6. De ti dependo desde o nascimento,
    desde o ventre da minha mãe.
  Tens sido o meu sustento;
    o meu louvor sempre foi a ti.
7. Tenho sido um sinal para muitos,
    assim como tens sido o meu forte refúgio.
8. A minha boca está cheia do teu louvor,
    da tua glória, o dia inteiro.

9. Não me rejeites na minha velhice;
    quando a minha força falhar, não me abandones.

¹⁰ Pois os meus inimigos dizem de mim,
    e as pessoas que vigiam pela minha vida planejam
        juntas:
¹¹ "Uma vez que Deus o abandonou,
    persigam-no, agarrem-no,
    porque não há ninguém para salvá-lo."

¹² Deus, não fiques distante de mim;
    meu Deus, apressa-te ao meu socorro.
¹³ Deveriam ser envergonhadas e consumidas
    as pessoas que atacam a minha vida.
   Deveriam vestir-se de injúria e desgraça
    as pessoas que buscam o infortúnio para mim.
¹⁴ Mas eu esperarei sempre
    e acrescentarei a todo o teu louvor.
¹⁵ A minha boca proclamará a tua fidelidade,
    a tua libertação o dia inteiro.
   Porque não sei como escrever,
¹⁶   falarei dos poderosos atos do meu Senhor *Yahweh*,
    celebrarei a tua fidelidade, unicamente a tua.
¹⁷ Deus, tens-me ensinado desde a minha juventude,
    e, até agora, proclamo as tuas maravilhas.
¹⁸ Assim, até a minha velhice e os cabelos grisalhos,
   Deus, não me abandones,
    até eu proclamar a tua força a [esta] geração,
   o teu poder a todos os que virão,
¹⁹   e a tua fidelidade, Deus, nas alturas.
   Tu, que tens feito grandes coisas, Deus —
    quem é igual a ti?
²⁰ Tu, que me permitiste ver tribulações, muitas e difíceis,
    irás me restaurar novamente
   e, das profundezas da terra
    me farás subir novamente.
²¹ Irás me conceder muita grandeza
    e te voltarás para me consolar.

SALMO 71 • DO NASCIMENTO E JUVENTUDE ATÉ A MEIA-IDADE E A VELHICE

²² E eu mesmo confessarei a ti com a lira
  por tua veracidade, Deus,
 farei música para ti com a harpa,
  santo de Israel.
²³ Os meus lábios ressoarão quando fizer música para ti,
  e todo o meu ser, o qual redimiste.
²⁴ Sim, a minha língua falará da tua fidelidade o dia inteiro,
  porque eles foram envergonhados e injuriados,
  as pessoas que buscavam o meu infortúnio.

Inúmeras pessoas, em nossa igreja, estão com mais de oitenta ou noventa anos, e ontem muitas coisas me fizeram refletir sobre a duradoura natureza delas como seguidoras de Cristo. A passagem do Evangelho era a história de Jesus sobre os trabalhadores que receberam o mesmo salário, quer tivessem trabalhado o dia todo quer apenas uma hora. Um dos membros mais velhos já estava na igreja quando cheguei para ministrar o primeiro culto, sentindo-se um pouco atordoado, pois a sua pressão arterial estava baixa. Outra senhora estava ausente em razão de dores nas costas e nas pernas, de maneira que levamos a comunhão até ela, após o segundo culto. Outra estava um pouco amuada porque faltara ao culto na semana passada, e eu não lhe havia levado a comunhão durante a semana. Essas três pessoas me fazem lembrar dos três homens na parábola de Jesus que trabalharam durante o dia todo. Os três membros continuam confiantes quanto a Deus ser fiel a eles até o fim, mas, agora, precisam lidar com a fragilidade própria da velhice.

No salmo 71, as expressões "o dia inteiro", "para sempre" e "sempre" são recorrentes, junto a sentenças que sugerem o uso do salmo por alguém com passado suficiente para olhar para trás e com os temores quanto ao que a velhice poderia trazer. A exemplo de outros salmos, a pressão emerge não da fragilidade física, mas das ameaças de outras pessoas. No entanto, isso também suscita questionamentos similares aos resultantes da vulnerabilidade física. O salmo olha no retrovisor para a maneira com que Deus tem sido objeto de esperança e de confiança desde a juventude, do mesmo modo que os membros aos quais me referi são capazes de fazer. Um deles, às vezes, fala sobre como Deus foi o seu refúgio quando ele foi convocado pela marinha e serviu em submarinos, não muito tempo depois de Pearl Harbor. Desde a mais tenra mocidade, Deus tem sido objeto do louvor ao qual o salmista se refere; Deus tem sido o professor do salmista, e a fidelidade divina tem constituído um sinal para outras pessoas de que elas podem assumir o risco de confiarem em Deus. Talvez seja natural ter mais medo quanto ao futuro à medida que envelhecemos do que quando somos jovens cheios de energia e de confiança. Contudo, o salmo parece pressupor haver bons motivos para um medo maior com o passar dos anos. Talvez haja pessoas que almejem derrubar outras quando, digamos, elas são responsáveis pelos negócios de uma família e do controle dos bens. Talvez hoje você não possua mais a mesma força e firmeza para lutar que possuía quando era mais jovem. Pode ser que tenha sofrido reveses que levam as pessoas a concluir que Deus já o abandonou, e a possibilidade de elas estarem certas o preocupa. Assim, o salmista começa com um "para sempre": "Não me abandones jamais."

Por três vezes, então, o salmista fala em termos de "sempre" (nenhum outro salmo usa essa palavra mais vezes). No passado: "O meu louvor sempre foi a ti." No presente, preciso que sejas "um abrigo para o qual eu sempre possa ir". No futuro:

"esperarei sempre". Dar louvor a **Yahweh** "sempre" indica não ter adorado outros deuses ou buscado socorro em outros recursos; significa poder, agora, olhar para Deus em busca de refúgio e manter a esperança em relação ao futuro. Da mesma forma, por três vezes o salmista fala sobre o que é verdadeiro "o dia inteiro". Olhando para o passado: "A minha boca está cheia do teu louvor, da tua glória, o dia inteiro." No futuro, à luz da forma que Deus continuará a proteger e resgatar: "A minha boca proclamará a tua fidelidade, a tua **libertação** o dia inteiro" e "a minha língua falará da tua **fidelidade** o dia inteiro" (nenhuma passagem do Antigo Testamento fala mais sobre a fidelidade de Deus).

Pode-se imaginar as pessoas revirando os olhos só de pensar em alguém louvando a Deus o dia todo. Não há dúvidas de que há certa hipérbole aqui, mas o salmista não está preocupado com essa atitude crítica das pessoas.

SALMO 72:1–17
COMO ORAR PELOS GOVERNANTES

De Salomão.

1. Deus, dá ao rei as tuas decisões,
   ao filho real, a tua fidelidade.
2. Que ele governe o teu povo com fidelidade,
   os teus humildes com a tua decisão.
3. Que as montanhas tragam bem-estar ao povo,
   e as colinas, em fidelidade.
4. Que ele decida pelos humildes dentre o povo,
   liberte os necessitados, esmague o opressor.
5. Que tenham temor de ti enquanto o sol brilhar
   e diante da lua, de geração a geração.
6. Que ele desça como chuva sobre a grama cortada,
   como aguaceiros, um transbordamento sobre a terra.

SALMO 72:1-17 • COMO ORAR PELOS GOVERNANTES

⁷ Que a pessoa fiel floresça em seus dias,
e [que haja] abundância de bem-estar, até a lua não
mais existir.
⁸ Que ele dite de mar a mar,
desde o rio até os confins da terra.
⁹ Que os gatos selvagens se ajoelhem diante dele,
que os seus inimigos lambam o pó.
¹⁰ Que os reis de Társis e costas estrangeiras
tragam uma oferta.
Que os reis de Sabá e de Sebá
ofereçam um presente.
¹¹ Que todos os reis se prostrem diante dele,
todas as nações o sirvam.
¹² Pois ele salva a pessoa necessitada que clama por libertação
e a pessoa humilde que não tem auxiliador.
¹³ Que ele tenha piedade dos pobres e dos necessitados,
para que salve a vida das pessoas necessitadas.
¹⁴ Da maldade e da violência,
que ele restaure a vida delas.
¹⁵ Que ele viva e receba
o ouro de Sabá.
Que súplicas sejam feitas por ele, sempre;
o dia inteiro, que as pessoas orem por bênção para ele.
¹⁶ Que haja abundância de grãos na terra,
no topo das montanhas.
Que o seu fruto trema como o Líbano,
que as pessoas prosperem na cidade como a grama no
campo.
¹⁷ Que o seu nome seja para sempre;
diante do sol, que o seu nome tenha descendência,
para que as pessoas possam orar para serem abençoadas
por meio dele;
que todas as nações o considerem afortunado.

SALMO 72:1-17 • COMO ORAR PELOS GOVERNANTES

A sentença "É a economia, estúpido" desempenhou um papel-chave na campanha presidencial de Bill Clinton em 1992. A maioria das pessoas não está, de fato, interessada na política externa ou em outras questões importantes, mas apenas em se sentir financeiramente próspera, ou, pelo menos, segura. Essa é a base sobre a qual a população avalia o governo. A expressão também engloba grande parte da dinâmica presente nos levantes populares nos países árabes (e demonstrações na Europa) em 2011. Pessoas comuns desejam derrubar os seus ditadores não porque almejam introduzir um sistema democrático, mas porque querem ter empregos. E, nos Estados Unidos, naquele mesmo ano, cerca de 46 milhões de pessoas estavam vivendo abaixo da linha oficial da pobreza.

O salmo 72 acredita que "é a economia, estúpido", mas não o faz em uma base menos cínica do que poderia ser sugerido por essa frase. Ele reconhece que é, de fato, responsabilidade dos governantes, sejam monarquias, ditaduras ou democracias, assegurar que um quarto dos seus cidadãos não esteja vivendo abaixo da linha da pobreza. E, embora o sistema social necessite oferecer redes de segurança para alguns deles, em sociedades urbanizadas isso significa mais pessoas empregadas do que é o caso na maioria dos países. O salmo, nesse sentido, constitui uma declaração política dissimulada dirigida ao governo. É tentador imaginar o rei participando do serviço no templo e ouvindo esse salmo ser entoado pelo coro do santuário; e, particularmente, pensar que o salmo foi escrito por Salomão (é o único salmo cujo autoria é conferida a ele). O relato do Antigo Testamento o retrata como o mais bem-sucedido e próspero rei, dentre todos os monarcas, mas também como alguém que submeteu muitos a um árduo trabalho obrigatório. Desse modo, é fácil imaginá-lo um pouco embaraçado pela forma com que ele mesmo trai a visão do Antigo Testamento para o governante real.

Existem inúmeros elementos entrelaçados na visão exposta diante do rei (o rei e o filho real são duas maneiras de descrever a mesma pessoa). Primeiro, isso envolve o exercício de **autoridade** ou de tomada de **decisões** com **fidelidade** em relação a Deus e ao povo. A governança, portanto, deve focar o benefício do povo como um todo. Caso essa governança concentre o foco sobre alguns grupos particulares, esses não devem incluir os ricos e poderosos, o que inclui membros do próprio governo (e que podem cuidar de si mesmos), mas pelos mais humildes, mais necessitados e carentes. Além disso, deve prover, aos menos favorecidos, proteção contra os perversos, os violentos e os opressores que descobrem maneiras de roubar suas colheitas e animais. Na prática, é comum que pessoas com poder tenham também a capacidade de extorquir, de oprimir, e, portanto, há um toque adicional, nas palavras do salmista, sobre o que as pessoas no poder devem fazer. Embutido nessa ênfase está a menção ao **bem-estar** produzido pela terra como uma expressão da fidelidade divina, com a implicação de que a prioridade do governante à fidelidade e à preocupação com os humildes resultará na garantia de Deus quanto à continuidade da prosperidade para a nação como um todo. O fiel florescerá. Tanto em sua governança com fidelidade quanto em sua abertura à possibilidade dessa prosperidade, o rei será como uma chuva sobre o campo. Ainda, ao lado dessa ênfase está a nota sobre as pessoas reverenciarem Deus por gerações; o exercício da autoridade em fidelidade será uma expressão de obediência a Deus.

A visão implica que a política externa, então, cuidará de si mesma, da mesma forma que as lavouras florescem. Um rei que trabalha com essas prioridades experimentará o cumprimento das promessas tais como as do salmo 2, no tocante à maneira com que o Deus de Israel governará o mundo por intermédio do rei de Israel. Portanto, a promessa a Abraão será cumprida; os povos estrangeiros verão como Deus o abençoa e orarão para receber bênçãos similares.

Indiretamente, então, o salmo apresenta diante do governante a visão de Deus de como o seu governo deve funcionar e faz promessas quanto aos resultados de fomentar as prioridades certas. Contudo, o salmo é, diretamente, uma oração, e está presente em um livro de orações e louvores. O que o salmista faz é estabelecer uma agenda para a nossa oração pelos governantes, uma atividade que pode ser tão ou até mais importante do que advogar pelos pobres, necessitados e humildes.

SALMO 72:18-20
OUTRO ATO DE LOUVOR INTERMEDIÁRIO DE ENCERRAMENTO

18 *Yahweh* Deus, o Deus de Israel seja adorado,
    o único que realiza maravilhas.
19 O seu honrado nome seja adorado para sempre;
    que toda a terra seja cheia com a sua honra. Amém e amém.

20 As súplicas de Davi, filho de Jessé, terminam.

Ao contrário do último versículo do salmo 41, que, de fato, encerra o Primeiro Livro do Saltério, os versículos de encerramento do salmo 72 não fazem parte desse salmo, mas constituem um ato de louvor ao término do Segundo Livro, a exemplo do "Glória a Deus Pai..." que algumas igrejas usam após a leitura de um salmo. Eles são uma espécie de "Amém" em relação a todo o Segundo Livro, particularmente adequado se não tivermos apreciado nenhum deles.

A nota quanto ao término das súplicas de Davi, presumidamente, refere-se a uma coletânea específica dos salmos de Davi (praticamente todos os salmos de 51 a 72 são da autoria de Davi); considerando todo o Saltério, há mais salmos de Davi adiante (salmos 86; 138—145).

⌐ GLOSSÁRIO ¬

Ajudante. Um agente sobrenatural por meio do qual Deus pode aparecer e operar no mundo. As traduções, em geral, referem-se a eles como "anjos", mas essa designação tende a sugerir figuras etéreas dotadas de asas, ostentando vestes brancas e translúcidas. Os ajudantes são figuras semelhantes aos humanos; por essa razão, é possível agir com hospitalidade sem perceber quem são (Hebreus 13:2). Ainda, eles não possuem asas; por isso, necessitam de uma rampa ou escadaria entre o céu e a terra (Gênesis 28). Eles surgem com a intenção de agir ou falar em nome de Deus e, assim, representá-lo plenamente, falando como se *fossem* Deus (Gênesis 22). Estão envolvidos em ações dinâmicas e firmes no mundo (salmos 34—35); os ajudantes, portanto, trazem a realidade da presença, da ação e da voz de Deus, sem trazer aquela presença real que aniquilaria os meros mortais ou danificaria a sua audição.

Aliança. A palavra hebraica *berit* abrange alianças, tratados e contratos, mas todas essas são formas pelas quais as pessoas estabelecem um compromisso formal sobre algo. Tenho, porém, utilizado o termo "aliança" para expressar todas as três. Onde há um sistema legal ao qual as pessoas podem apelar, os contratos pressupõem um sistema para resolver disputas e ministrar justiça que pode ser utilizado caso uma das partes não cumpra com os seus compromissos. Em contraste, um relacionamento de aliança não pressupõe uma estrutura legal executável dessa espécie, mas a aliança envolve algum procedimento formal que confirme a seriedade do compromisso solene que as partes assumem uma com a outra. Desse modo, o Antigo Testamento frequentemente fala sobre "selar" uma aliança; textualmente, "cortá-la" (o pano de fundo reside no tipo de procedimento formal descrito em

Gênesis 15 e Jeremias 34:18-20, embora esse tipo de procedimento dificilmente fosse exigido toda vez que alguém assumia um compromisso de aliança). Às vezes, as pessoas selam alianças *para* outras pessoas e, às vezes, *com* outras pessoas. A primeira implica algo mais unilateral; a outra envolve algo mais recíproco.

Altar. Trata-se de uma estrutura para oferta de sacrifício (o termo vem da palavra para sacrifício), feita de terra ou pedra. Um altar pode ser relativamente pequeno, como uma mesa, e o ofertante deve ficar diante dele. Ou pode ser mais alto e maior, como uma plataforma, e o ofertante tem de subir nele.

Assíria. A primeira grande superpotência do Oriente Médio, os assírios expandiram o seu império rumo ao Ocidente, até a Síria-Palestina, no século VIII a.C. Primeiro, a Assíria anexou **Efraim** ao seu império. Quando Efraim persistiu tentando retomar a sua independência, os exércitos assírios invadiram Efraim e destruíram a sua capital, Samaria, levando cativo grande parte de seu povo e substituindo-os por pessoas oriundas de outras partes do seu império. Invadiram também **Judá** e devastaram uma extensa área do país, mas não tomaram Jerusalém. Profetas como Amós e Isaías descrevem o modo pelo qual *Yahweh* estava, portanto, usando a Assíria como um meio de disciplinar Israel.

Autoridade. Indivíduos como Eli, Samuel, os filhos de Samuel e os reis "exerciam autoridade" sobre Israel e para Israel. A palavra hebraica para alguém que exerce tal autoridade, *shopet*, é tradicionalmente traduzida por "juiz", mas essa liderança é mais ampla que isso. No livro chamado Juízes, esses líderes são pessoas que não possuem posição oficial como os reis posteriores, mas que se levantam e tomam a iniciativa de trazer **libertação** ao povo do problema no qual ele se meteu. Igualmente, é função do rei exercer autoridade de acordo com a **fidelidade** a Deus e ao povo. Exercer autoridade significa tomar decisões e agir com firmeza e determinação em favor de pessoas em necessidade e aquelas prejudicadas pelos poderosos. Portanto, falar de Deus na posição de juiz significa boas-novas (exceto se você for um grande malfeitor).

GLOSSÁRIO

Babilônia. Um poder menor no contexto da história primitiva de Israel, ao tempo de Jeremias, os babilônios assumiram a posição de superpotência da **Assíria**, mantendo-a por quase um século, até ser conquistada pela **Pérsia**. Profetas como Jeremias descrevem como *Yahweh* estava usando a Babilônia como um meio de disciplinar **Judá**. Suas histórias sobre a criação, os códigos legais e os textos mais filosóficos nos auxiliam a compreender aspectos de escritos equivalentes presentes no Antigo Testamento, embora sua religião astrológica também constitua o cenário para polêmicos aspectos nos Profetas.

Bem-estar, veja paz

Canaã, cananeus. Como designação bíblica da terra de Israel, como um todo, e referência a todos os povos autóctones daquele território, "cananeus" não constitui, portanto, o nome de um grupo étnico em particular, mas um termo genérico para todos os povos nativos da região.

Chorar, clamar. Ao descrever a reação dos israelitas quando eles estão sob a opressão dos inimigos, o Antigo Testamento, com frequência, utiliza a mesma palavra usada para descrever o sangue de Abel clamando a Deus, o clamor do povo de Sodoma debaixo da opressão dos perversos, o grito dos israelitas no **Egito**, bem como o clamoroso lamento das pessoas injustamente tratadas dentro de Israel nos últimos séculos. O termo denota um choro urgente que pressiona Deus por **libertação**, um brado que Deus ouve, mesmo quando as pessoas merecem a experiência pela qual estão passando.

Composição. Essa é a palavra hebraica normalmente traduzida por "salmo". Sua origem é derivada do termo hebraico para música, sugerindo referir-se a uma composição musical.

Compromisso. O termo corresponde à palavra hebraica *hesed*, que as traduções expressam de modos distintos: amor inabalável, benignidade, bondade ou fidelidade. O Antigo Testamento utiliza a palavra "compromisso" em referência a um ato extraordinário por meio do qual uma pessoa se dedica a alguém, numa atitude de generosidade, lealdade ou graça, quando não há um relacionamento prévio entre as partes e, portanto, nenhum motivo para isso. Desse modo, em Josué 2, Raabe fala, apropriadamente, de sua proteção aos espias israelitas como um ato de compromisso. Pode também referir-se a um ato extraordinário similar que ocorre quando há uma relação prévia, na qual uma das partes decepciona a outra e, assim, não tem o direito de esperar qualquer fidelidade da outra parte. Caso a parte ofendida continue sendo fiel, trata-se de uma demonstração desse compromisso. Em resposta a Raabe, os espias israelitas declaram que irão se relacionar com ela dessa maneira. No Novo Testamento, a palavra especial para amor, *agapē*, é equivalente a *hesed*.

Coraítas. Um dos grupos corais do templo, de acordo com 2Crônicas 20:19. Os salmos coraítas (e.g., salmos 42—49) formavam, provavelmente, parte do repertório desse grupo.

Decisão, veja autoridade

Efraim. Após o reinado de Salomão, a nação de **Israel** se dividiu em duas. A maioria dos clãs israelitas estabeleceu um Estado independente, separado de **Judá**, de Jerusalém e da linhagem de Davi. Por ser o maior dos dois Estados, o reino do Norte manteve o nome Israel como a sua designação política, o que é confuso porque Israel também é o nome do povo que pertence a Deus, como um todo. Nos Profetas, às vezes é difícil dizer se "Israel" refere-se ao povo de Deus ou apenas ao Estado do Norte. No entanto, em algumas passagens, esse Estado também é apresentado com o nome de Efraim, por ser um dos seus clãs dominantes. Assim, uso esse termo como referência ao reino do Norte, na tentativa de minimizar a confusão.

Egito, egípcios. O principal poder regional ao sul de **Canaã** e a terra na qual a família de Jacó encontrou refúgio, mas acabaram como servos, e do qual os israelitas, então, precisaram fugir. No tempo de Moisés, o Egito controlava Canaã; nos séculos subsequentes, o Egito oscilou entre ser uma ameaça a Israel ou um aliado em potencial.

Exílio. No final do século VII a.C., a **Babilônia** se tornou o maior poder no mundo de **Judá**, mas os judaítas estavam determinados a se rebelar contra a sua autoridade. Então, como parte de uma campanha vitoriosa para obter a submissão de Judá, em 597 a.C. e 587 a.C. os babilônios transportaram muitos israelitas de Jerusalém para a Babilônia, particularmente pessoas em posições de liderança, como membros da família real e da corte, sacerdotes e profetas (Ezequiel foi um deles). Essas pessoas foram, portanto, compelidas a viver na Babilônia durante os cinquenta anos seguintes ou mais. Pelo mesmo período, as pessoas deixadas em Judá também estavam sob a autoridade dos babilônios. Assim, não estavam fisicamente no exílio, mas também viveram em exílio por um período de tempo.

Fiel, fidelidade. Nas Bíblias do idioma inglês, essas palavras hebraicas (*saddiq, sedaqah*) são, normalmente, traduzidas por "*righteous/righteousness*" [justo/justiça ou retidão], mas isso denota uma tendência particular quanto ao que podemos exprimir com esses termos. No original, significam fazer a coisa certa à pessoa com quem alguém está se relacionando, aos membros de uma comunidade. Dessa maneira, as palavras "*faithful/faithfulness*" [fiel/fidelidade] estão mais próximas do sentido original do que "*righteous/righteousness*".

Filístia, filisteus. Os filisteus eram um povo oriundo do outro lado do Mediterrâneo para se estabelecer em **Canaã**, na mesma época do estabelecimento dos israelitas na região, de maneira que os dois povos formaram um movimento acidental de pressão sobre os habitantes já presentes naquele território, bem como se tornaram rivais mútuos pelo controle da área.

Grécia. Em 336 a.C., forças gregas, sob o comando de Alexandre, o Grande, assumiram o controle do Império **Persa**, mas, após a morte de Alexandre em 333 a.C., o seu império foi dividido.

A maior extensão, ao norte e a leste da Palestina, foi governada por Seleuco, um de seus generais, e seus sucessores. **Judá** ficou sob o controle grego por grande parte dos dois séculos seguintes, embora estivesse situado na fronteira sudoeste desse império e, às vezes, caísse sob o controle do Império Ptolomaico, no **Egito**, governado por sucessores de outro dos generais de Alexandre.

História de Davi. As introduções presentes em muitos salmos fazem referência a incidentes na vida de Davi, cujo relato está em 1 e 2Samuel. A leitura sobre esses incidentes, normalmente, produz dois resultados. Pode-se ver pontos nos quais é possível imaginar Davi orando ali; todavia, também pode-se ver outros elementos no salmo que não se encaixam. O salmo 51 fornece um bom exemplo. A conclusão possível é que as referências nas introduções não significam que Davi, realmente, orou o salmo naquele ponto, mas, antes, que é esclarecedor considerar o salmo e a circunstância em conjunto, pois existe uma sobreposição.

Infiel, infidelidade. Termos para o pecado que sugerem o oposto de **fiel/fidelidade**, eles sugerem uma atitude em relação a Deus e aos outros que expressa um desprezo pelo que os relacionamentos corretos merecem.

Inscrição. A palavra "inscrição" é incluída nas introduções de alguns salmos, possivelmente indicando que o salmo foi inscrito em argila, a exemplo dos salmos **babilônicos**, presumidamente para assegurar a permanente expressão da oração (veja a história sobre a oração de Ezequias, em Isaías 38).

Instrução. Do mesmo modo que "inscrição", a palavra "instrução" também está presente na introdução a algum salmo, talvez indicando que o salmo em questão é designado como um modelo de oração ou louvor.

Israel. Originariamente, Israel era o novo nome dado por Deus a Jacó, neto de Abraão. Seus doze filhos foram, então, os patriarcas dos doze clãs que formam o povo de Israel. No tempo de Saul, Davi e Salomão, esses doze clãs passaram a ser uma entidade política.

GLOSSÁRIO

Assim, Israel significava tanto o povo de Deus quanto uma nação ou Estado, como as demais nações e Estados. Após Salomão, esse Estado dividiu-se em dois, **Efraim** e **Judá**. Pelo fato de Efraim ser maior, manteve como referência o nome de Israel. Desse modo, se alguém estiver pensando em Israel como povo de Deus, Judá está incluído. Caso pense em Israel politicamente, Judá não faz parte. Uma vez que Efraim não existe mais, então, para todos os efeitos, Judá *é* Israel, do mesmo modo que *é* o povo de Deus.

Jedutum. Um dos líderes de música na adoração do templo designados por Davi, de acordo com o relato de 1Crônicas 16 e 25; os seus descendentes prosseguiram exercendo esse papel, e as citações nos salmos podem ser referentes a eles. "Segundo Jedutum" pode significar uma forma de entoar um cântico associado a ele ou aos seus descendentes.

Judá. Um dos doze filhos de Jacó e, portanto, o clã que traça a sua ancestralidade até ele e que se tornou dominante no sul dos dois Estados, após o reinado de Salomão. Mais tarde, como província ou colônia da **Pérsia**, Judá ficou conhecido como Jeúde.

Libertar, libertador, libertação. Traduções modernas do Antigo Testamento, com frequência, utilizam as palavras "salvar", "salvador" e "salvação", mas elas transmitem uma impressão equivocada. No contexto cristão, elas normalmente se referem ao nosso relacionamento pessoal com Deus e ao deleite do céu. O Antigo Testamento, de fato, fala sobre a nossa relação com Deus, porém não utiliza esse grupo de palavras nessa conexão. Antes, elas fazem referência à intervenção prática de Deus para tirar Israel ou um indivíduo de alguma dificuldade, como, por exemplo, acusações falsas por membros da comunidade ou a invasão de inimigos.

Líder. Esse termo, presente nas introduções dos salmos, provavelmente, refere-se ao líder de adoração (veja o comentário sobre Asafe, no salmo 50).

Mestre, mestres. *Baal* é um termo hebraico comum para designar um mestre, senhor ou proprietário, mas também é utilizado para descrever um deus **cananeu**. É, portanto, similar ao termo para "Senhor", usado para descrever *Yahweh*. Na verdade, "Mestre" pode ser um nome adequado, como "Senhor". Para deixar essa distinção clara, em geral, o Antigo Testamento usa "Mestre" para um deus estrangeiro e "Senhor" para o verdadeiro Deus, *Yahweh*. A exemplo de outros povos antigos, os cananeus cultuavam inúmeros deuses e, nesse sentido, o Mestre era apenas um deles, embora fosse um dos mais proeminentes. Além disso, um título como "o Mestre de Peor" sugere que o Mestre era crido como manifesto e conhecido de diferentes maneiras em lugares distintos. O Antigo Testamento também usa o plural, "Mestres", como referência aos deuses cananeus em geral.

Nome. O nome de alguém representa a pessoa; portanto, o nome de Deus representa Deus. O Antigo Testamento fala do templo como um lugar no qual o nome de Deus habita. Trata-se de uma das maneiras de lidar com o paradoxo envolvido em falar do templo como um local da habitação de Deus. Isso reconhece a ausência de sentido: como pode um edifício conter o Deus que não pode ser contido pelos céus, não importa quão amplo ele seja? Não obstante, Israel sabe que Deus, em algum sentido, habita no templo. Os israelitas sabem que podem falar com Deus ali; eles têm consciência de que podem falar com Deus em qualquer lugar, mas há uma garantia especial desse fato no templo. O povo de Israel sabe que pode apresentar ofertas lá e que Deus irá recebê-las. Uma forma de tentar explicar o inexplicável ao abordar a presença de Deus no templo é, portanto, falar do nome de Deus como presente ali, pois o nome representa a pessoa. Proferir o nome de alguém, como se sabe, evoca a realidade daquela pessoa; é quase como se ela estivesse ali. Ao dizer o nome de alguém, há um sentido no qual você o evoca. Quando as pessoas murmuram "Jesus, Jesus" em suas orações, isso traz a realidade da presença do Filho de Deus. Igualmente, quando Israel proclamava o nome de **Yahweh** em adoração, isso trazia a realidade da presença de Deus.

Pano de saco. O pano de saco não sugere algo desconfortável, mas refere-se a um pano de qualidade inferior com o qual as roupas de pessoas comuns eram feitas. Ele contrastava com as vestes impressionantes e luxuosas com as quais as pessoas importantes apareciam em público.

Paralelismo. As linhas nos Salmos (e em grande parte da poesia do Antigo Testamento) são, em geral, independentes e divididas em duas metades, com cerca de três importantes palavras em cada metade. O paralelismo refere-se à forma pela qual a segunda metade reafirma, intensifica, complementa, esclarece ou contrasta a primeira metade. Não constituiria nenhuma surpresa caso essa prática estivesse ligada ao uso antifonal dos salmos, talvez com o líder proferindo a primeira metade e a congregação respondendo com a segunda.

Pausa. O termo hebraico *selah*, com frequência, surge ao fim das linhas nos salmos e, às vezes, no meio. Significa algo como uma "Pausa", mas não sabemos o sentido da palavra aqui. As pessoas devem se levantar, ou elevar o tom, ou o quê? A minha teoria favorita é a de que essa foi a palavra usada por Davi para suspender a execução do salmo, após a corda do seu instrumento se romper — o que reforça o fato de não conseguirmos enxergar um padrão na ocorrência da palavra.

Paz. A palavra hebraica *shalom* pode sugerir paz após um conflito, mas, com frequência, indica uma ideia mais rica, ou seja, da plenitude de vida. A *ACF*, às vezes, a traduz por "bem-estar", e as traduções mais modernas usam palavras como "segurança" ou "prosperidade". De qualquer modo, a palavra sugere que tudo está indo bem para você.

Pérsia, persas. A terceira superpotência do Oriente Médio. Sob a liderança de Ciro, o Grande, eles assumiram o controle do Império **Babilônico** em 539 a.C. Isaías 40—55 vê a mão de Deus levantando Ciro como um instrumento para restaurar **Judá** após o **exílio**. Judá e os povos vizinhos, como Samaria, Amom e Asdode, eram províncias ou colônias persas. Os persas permaneceram por dois séculos no poder, até serem derrotados pela **Grécia**.

Sheol. O nome hebraico mais frequente para o lugar ao qual vamos quando morremos. No Novo Testamento, é chamado de "Hades". Não se trata de um lugar de punição ou sofrimento, mas simplesmente de um local de descanso para todos, uma espécie de análogo não físico para a sepultura, como lugar de repouso para o nosso corpo.

Sião. Um nome alternativo para Jerusalém. Enquanto "Jerusalém" é um termo mais político ou geográfico, "Sião" possui conotações mais religiosas ou teológicas (ironicamente, considerando o sentido moderno de "sionista"). Sião representa o lugar de habitação de *Yahweh* no meio do seu povo e o local de encontro com eles.

Torá. A palavra hebraica (*torah*) significa ensino e, nos Salmos e em outras passagens, pode ter esse sentido geral, todavia também é o termo hebraico para os cinco primeiros livros da Bíblia. Eles, em geral, são referidos como a "Lei", mas esse termo propicia uma impressão equivocada. No próprio livro de Gênesis, não há nada como "lei", bem como Êxodo e Deuteronômio não são livros "jurídicos". A palavra "ensino" fornece uma impressão mais correta da natureza da Torá.

Yahweh. Na maioria das traduções bíblicas, a palavra "Senhor" aparece em letras maiúsculas ou em versalete, como ocorre, às vezes, com a palavra "Deus". Na realidade, ambas representam o nome de Deus, *Yahweh*. Nos tempos do Antigo Testamento, os israelitas deixaram de usar o nome *Yahweh* e começaram a usar "o Senhor". Há dois motivos possíveis. Os israelitas queriam que outros povos reconhecessem que *Yahweh* era o único e verdadeiro Deus, mas esse nome de pronúncia estranha poderia dar a impressão de que *Yahweh* fosse apenas o deus tribal de Israel. Um termo como "o Senhor" era mais facilmente reconhecível. Além disso, eles não queriam incorrer na quebra da advertência presente nos Dez Mandamentos sobre usar o nome de *Yahweh* em vão. Traduções em outros idiomas, então, seguiram o exemplo e substituíram o nome de *Yahweh* por "o Senhor". O lado negativo é que isso obscurece o fato de Deus querer ser conhecido por esse nome. Por esse motivo, o texto utiliza *Yahweh*, com frequência, não algum outro nome (assim chamado) deus ou senhor. Essa prática dá a impressão de Deus ser muito mais "senhoril" e patriarcal do que ele o é na realidade. (A forma "Jeova" não e uma palavra real, mas uma mescla das consoantes de *Yahweh* e das vogais da palavra *Adonai* [Senhor, em hebraico], com o intuito de lembrar as pessoas que na leitura da Escritura elas deveriam dizer "o Senhor", não o nome real.)

Yahweh dos Exércitos. Esse título para Deus, em geral, no texto bíblico é traduzido por "Senhor dos Exércitos", todavia é uma expressão mais intrigante do que ela implica. O termo para Senhor é, na realidade, o nome de Deus, **Yahweh**, e a palavra para "Exércitos" é a palavra hebraica regular para as forças militares; é a palavra que aparece na traseira de qualquer caminhão militar israelense. Assim, mais literalmente, a expressão significa "*Yahweh* [dos] Exércitos", que é tão estranho em hebraico quanto seria "Goldingay dos Exércitos". Todavia, em termos gerais, a implicação da expressão é decerto clara: ela sugere que *Yahweh* é a personificação do ou o controlador de todo o poderio de guerra, quer no céu quer na terra.

⌐ SOBRE O AUTOR ¬

John Goldingay é pastor, erudito e tradutor do Antigo Testamento. Ele é professor emérito David Allan Hubbard de Antigo Testamento no prestigiado Seminário Teológico Fuller em Pasadena, Califórnia. É um dos acadêmicos de Antigo Testamento mais respeitados do mundo com diversos livros e comentários bíblicos publicados. O autor possui o livro *Teologia bíblica* publicado pela Thomas Nelson Brasil.

Livros da série de comentários

O ANTIGO TESTAMENTO PARA TODOS

JÁ DISPONÍVEIS pela **Thomas Nelson Brasil**

Pentateuco para todos: Gênesis 1—16 • *Parte 1*
Pentateuco para todos: Gênesis 17—50 • *Parte 2*
Pentateuco para todos: Êxodo e Levítico
Pentateuco para todos: Números e Deuteronômio
Históricos para todos: Josué, Juízes e Rute
Históricos para todos: 1 e 2Samuel
Históricos para todos: 1 e 2Reis
Históricos para todos: 1 e 2Crônicas
Históricos para todos: Esdras, Neemias e Ester
Poéticos para todos: Jó
Poéticos para todos: Salmos 1—72 • *Parte 1*
Poéticos para todos: Salmos 73—150 • *Parte 2*
Poéticos para todos: Provérbios, Eclesiastes e Cântico dos Cânticos

Livros da série de comentários

O NOVO TESTAMENTO PARA TODOS

JÁ DISPONÍVEIS pela **Thomas Nelson Brasil**

Mateus para todos: Mateus 1—15 • Parte 1
Mateus para todos: Mateus 16—28 • Parte 2
Marcos para todos
Lucas para todos
João para todos: João 1—10 • Parte 1
João para todos: João 11—21 • Parte 2
Atos para todos: Atos 1—12 • Parte 1
Atos para todos: Atos 13—28 • Parte 2
Paulo para todos: Romanos 1—8 • Parte 1
Paulo para todos: Romanos 9—16 • Parte 2
Paulo para todos: 1Coríntios
Paulo para todos: 2Coríntios
Paulo para todos: Gálatas e Tessalonicenses
Paulo para todos: Cartas da prisão
Paulo para todos: Cartas pastorais
Hebreus para todos
Cartas para todos: Cartas cristãs primitivas
Apocalipse para todos